頻出度順
漢字検定
1級
合格! 問題集

新星出版社

目次

◆「漢字検定」・「漢検」は公益財団法人 日本漢字能力検定協会の登録商標です。
※本書は 2024 年 2 月現在の情報をもとに作成しています。

付録　とっさに役立つ　1級用資料

別冊の解答と答案用紙のサンプル

別冊

●STAFF
デザイン・DTP／株式会社グラフト

Use 本書の特長と使い方

本書は、公益財団法人日本漢字能力検定協会が実施している「日本漢字能力検定」の1級に合格する力を効率よく養うための書籍です。

1 常に最新の出題傾向に対応

平成22年の常用漢字表の改定に伴って平成24年第1回(6月)から新審査基準になりました。また、毎年実際に出題された問題を調査し内容を細かく見直していきます。常に、最新の出題傾向に対応している問題集です。

2 別冊に模擬試験問題5回分を収録

別冊には最新の出題形式・傾向に対応した模擬試験問題5回分を収録しました。まず1回分解いてみて、苦手なテーマを知り、そこを集中的に勉強するのもいいでしょう。試験前の総仕上げとしても活用できます。

3 頻出度順に掲載

本冊も最新の出題形式に対応しています。さらに、過去に出題された問題を分析し、出題テーマごとによく出題される順に問題を並べました。また、直近の試験で出題された問題を特集ページでまとめています。ただし、1級は約6000字という膨大な数の漢字が出題範囲となるため、幅広く学習し、備えておくことが肝要です。できる限りたくさん解いておきましょう。

4 充実の付録

1級の配当漢字表、常用漢字の表外の読み、国字、「四字熟語」と「故事・諺」の解説（各10ページ）、本試験の答案用紙例など付録も充実しています。

Guide

受検ガイド

検定日と検定時間

日本漢字能力検定が公開会場で実施されるのは、**年3回**です。検定時間は1～7級は60分です。

第1回　2024年6月16日
第2回　2024年10月20日
第3回　2025年2月16日

※変更の可能性があります

受検資格と受検級と出題範囲

級位は10級から準2級、2級、準1級、1級まで12段階あり、どの級からでも自由に受けられます。また、検定時間が級によって異なる場合があるため、複数の級（4つまで）を同じ日に受けることもできます。その場合、それぞれに願書と検定料が必要です。

1級の対象レベルは、大学・一般程度となり、約6000字の漢字が出題範囲となります。

検定料

1級の検定料は6000円です。なお、申込後の検定料の返金や次回への延期はできません。

検定会場

個人で受検する場合も団体で受検する場合も、すべて公開会場での受検となります。受検地は、願書に載っている中から選ぶことができます。

合否の基準と通知

目安として、1級は200点満点で80％ほどに達すれば合格となります。検定日から40日を目安に、検定結果通知が送られます。合格者には合格証書・合格証明書も送られます。

申し込み方法

●申し込みはインターネットを利用

漢字検定はインターネットにて申し込みをしてください。

日本漢字能力検定協会のホームページ(https://www.kanken.or.jp/kanken/)にアクセスし、必要事項を入力します。

クレジットカードによる支払い、コンビニ決済が可能です。

申し込み方法などは変更になることがありますので、最新情報は日本漢字能力検定協会のホームページでご確認ください。

＊注意点

申し込みの受付期間は、公開会場で行われる検定日の2か月前ごろから1か月前までのおよそ1か月間です。

手続きが終わると、検定日の1週間前ごろまでに受検票が送られてきます。検定日の3日前になっても受検票が届かない場合は、左記協会に問い合わせてください。

公益財団法人　日本漢字能力検定協会
〒605-0074
京都市東山区祇園町南側551番地
TEL　075-757-8600
FAX　075-532-1110
●お問い合わせ窓口
TEL　0120-509-315（無料）

Rule

1級の採点基準

字種・字体

『漢検要覧1／準1級対応』（公益財団法人日本漢字能力検定協会発行）に示す「標準字体」「許容字体」「旧字体一覧表」によります。

例えば、「従容」の場合、「從容」（旧字体）でも正解となります。また、部首が「辶」「示」「羽」の場合、それぞれ「⻌」「ネ」「羽」と書いても正解となります。なお、「艹」は「艹・卄」でも正解となります。

字の書き方

解答は、教科書体をもとに楷書体で大きく明確に書きましょう。行書体や草書体のようにくずした字や、乱雑な書き方は採点の対象外です。

例 楷書体 行書体 草書体

風 風 風

① 字の骨組みが正しく書けているか

○…碌 ×…

② 字の組み立てが変わらないか

○…醬 ×…

③ 一画ずつ書けているか

以上の三点にも気をつけましょう。

読み

解答は、内閣告示「常用漢字表」（平成22年）のみによるわけではありません。『漢検要覧1／準1級対応』を参照ください（ただし、訓読みについては字義も含みます）。

仮名遣い

内閣告示「現代仮名遣い」によります。

Point 出題内容と得点のポイント

1級で出題される漢字

1級で出題される漢字は、すべての常用漢字を含めた約6000字で、JIS（日本産業規格）第一・第二水準が目安とされています。試験時間は60分で、合格ラインは200点満点中160点（80%）程度です。

なお、平成24年6月からの試験では、それまで1級の配当漢字だった28字が常用漢字（2級の配当漢字）となりましたが、それ以降の試験でも、わずかですが出題されています。そのため、本書では28字の漢字を使った問題も印をつけて収載しています。

1 読み　30問×1点

出題内容：短文中の傍線部の漢字の読みをひらがなで書く問題です。1級配当漢字が中心です。

留意点：30問のうち、20問が音読み、10問が訓読みで、「四字熟語」「文章題」と並んで2番目に配点の高いところです。

日頃馴染みの薄い漢字が多いので、短文の中で関連づけながら、用法を理解していきましょう。

2 書き取り　20問×2点

出題内容：短文中のカタカナ部分を漢字に直す問題で、1級配当漢字を中心に音・訓合わせて20問出題されます。そのうち、4問（音・訓一組ずつ）は同音訓異字語、2問は国字に直す問題です。

留意点：最も配点が高いテーマですが、受検者の正答率は60%程度となっています。「読み」と同様に、問題の短文の中で当該漢字の使い方を理解していきましょう。

「国字」については取り組みやすく、確実に得点すべき設問です。本書付録の「国字一覧」などで国字を理解し、練習問題を解いて出題パターンに馴れておきましょう。

3 語選択 書き取り　5問×2点

出題内容：短文で示された意味に適合する熟語を選択欄（ひらがなで表示）から選び、書き取る問題です。常用漢字外の漢字を含む熟語が中心です。

留意点：熟語の意味を辞書等で確認しながら、練習問題を解いていくことが大切です。

4 四字熟語　10問×2点＋5問×2点

出題内容：2つの小問に分かれています。問1は、ひらがなで示された四字熟語の中の2字分を選択欄から選んで書き取り、四字熟語を完成させる問題で、10問出題されます。問2は与えられた意味に適合する四字熟語を選択欄から選んで、傍線部の読みをひらがなで記す問題で、5問出題されます。

1級配当漢字を含む四字熟語が中心ですが、準1級以下の四字熟語からも幅広く出題されます。

留意点：四字熟語の書き取りはできなくとも、その意味は短文中から想像できることもあります。四字熟語を、その意味と合わせて理解していきましょう。

5 熟字訓・当て字　10問×1点

出題内容：熟字訓や当て字（例：樹懶（なまけもの）、木乃伊（ミイラ）など）の読みをひらがなで書く問題です。

留意点：出題は多岐にわたりますが、本書では頻出度が高いものを中心に収録しています。たくさんの問題を解いておきましょう。

6 熟語の読み・一字訓読み　10問×1点

出題内容：1級配当漢字が含まれる熟語の読みと、その語義にふさわしい訓読み（例〔均霑……霑う〕をひらがなで書く問題です。この場合だと、〔きんてん……うるお〕が答えとなります。

留意点：熟語の語義にふさわしい訓読みは、一見してすぐには判りづらいものがあります。そのようなときには、漢和辞典で当該漢字の意味を調べてみましょう。

7 対義語・類義語　10問×2点

出題内容：対義語5問、類義語5問が出題されます。いずれも、ひらがなで示された対応する熟語を選択欄から選んで漢字に直します。

1級・準1級の配当漢字を含む熟語が中心ですが、常用漢字の熟語を含めて幅広く出題されます。

留意点：選択欄にある漢字は1回しか使えません。選んだ漢字には印を付けておきましょう。

8 故事・諺　10問×2点

出題内容：故事・諺の中のカタカナ部分を漢字に直す問題で、1級・準1級配当漢字を中心に10問出題されます。

留意点：限りなくある故事・諺をすべて憶えるのは大変です。

本書では頻出度が高いものを中心に、本試験で出題された表現に準じて収録していますので、効率的な学習ができます。

9 文章題　10問×2点＋10問×1点

出題内容：著名な作家の文芸作品等の一部を題材にし、文章中の漢字の読み（10問）と、書き取り（10問）に答えます。

留意点：効率的な学習の対策を立てづらい設問ですが、まずは本書の練習問題と模擬問題で、出題の雰囲気に慣れておきましょう。

対策としては、日頃から、明治・大正・昭和期に活躍した作家の文芸作品を積極的に読むのもよい方法でしょう。

なお、本文に収録している作品は、本試験に準じて現代仮名遣いによる表記に改めています。

テーマ別
本試験型問題

※解答が複数ある場合は、そのうちどれか一つが正しく書いてあれば正解となります。複数書いた場合は、すべて正しくないと誤答となります。
※左側に●の付いた漢字は、平成24年からの審査基準の改定で新たに常用漢字となった字種です。2級の配当漢字になりましたが、平成24年6月以降の新試験でも、わずかですが出題されています。なお、表外読みであってもマークを付けています。

特集 読み①

令和４年度に出題された問題をまずはチェック！

目標時間 15分
合格ライン 39点
得点 ／48
月　日

●次の傍線部分の読みをひらがなで記せ。1〜34は音読み、35〜48は訓読みである。

1 寺の鐘が鏗鏗と鳴り渡る。
2 之字路をゆっくりと進む。
3 淡々と誥命を読み上げる。
4 裂罅をじっくり観察する。
5 父母の枕簟を用意する。
6 吹花擘柳の風を我が身で感じる。
7 戦のために藺石を集める。
8 この世を俛仰し、侘しく思う。
9 手にした楫櫂を見る。
10 今日も鶉居に戻ることとなった。

解答
1 こうこう
2 しじろ
3 こうめい
4 れっか
5 ちんてん
6 はくりゅう
7 りんせき
8 ふぎょう
9 しゅうとう・しょうとう
10 じゅんきょ

11 若い頃から勉学に勖厲する。
12 立派な纛旛を仰ぎ見る。
13 困窘してその場に立ち尽くす。
14 筐筥に採った椎茸を入れる。
15 鴇羽の嗟が都から聞こえてくる。
16 艱阻が多く、屈することとなる。
17 鱗鰭を写実的に描く。
18 流歠する我が子を叱る。
19 霾翳たる様を静かに眺める。
20 人の彭殤を知ること能わず。

解答
11 きょくれい
12 とうばん
13 こんきん
14 きょうきょ
15 ほうう
16 かんしょ・かんそ
17 りんき
18 りゅうせつ
19 ばいえい
20 ほうしょう

特集

21 庠黌に通い、勤勉な態度を貫く。
22 蟾宮に思いを馳せる。
23 繻子織りの着物を身に纏う。
24 薜蘿がするすると伸びていく。
25 毛毳の感触を味わう。
26 絶巓にて日の出を見る。
27 将軍麾下の軍が侵攻する。
28 戡乱の一部始終が記される。
29 饕戻なる様斯くの如し。
30 楔状の図が地面に描かれる。
31 柘黄を纏った御方を招く。
32 轡筴を巧みに操る。
33 数多の柵を斫断する。
34 杼梭に必要な道具を揃える。

21 しょうこう
22 せんきゅう
23 しゅす
24 へいら
25 もうぜい
26 ぜってん
27 きか
28 かんらん
29 とうれい
30 けつじょう
31 しゃこう
32 ひさく
33 しゃくだん
34 ちょさ・じょさ

35 小さな槎で海に出る。
36 奚を疑うというのか。
37 新たな生業を刱める。
38 テーブルに並んだ料理を羞める。
39 皿を罩めて箱に入れる。
40 箙を手に持ち、辺りを歩く。
41 彼の言うことも俞り。
42 宝物を貴君に饋る。
43 厥の事を言うべからず。
44 物事の是非を折める。
45 鼎に君の持論が正しい。
46 枌板を地面に並べる。
47 家との疆りに塀を作る。
48 師は義に喩る人物であった。

35 いかだ
36 なに
37 はじ
38 すす
39 こ
40 えびら
41 しか
42 おく
43 そ
44 さだ
45 まさ
46 そぎいた
47 かぎ
48 さと

特集 読み②

令和4年度に出題された問題をまずはチェック!

目標時間 **6**分

合格ライン **16**点

得点 　／20

月　日

● 次の傍線部分の読みを**ひらがな**で記せ。1〜10は**音読み**、11〜20は**訓読み**である。

1 梳盥の様を傍らにて眺める。
2 張り詰めた空気が廱和する。
3 賑恤に感謝し、涙を流す。
4 噦噎が止まらず、深く息を吸う。
5 絛糸を幾重にも結ぶ。
6 芸帙を大事に鞄に入れる。
7 杳渺たる故郷を思い出す。
8 一昼夜馳騁し、辿り着く。
9 誄文を耳にして落涙す。
10 臥榻に入り、眠りにつく。

解答

1 そかん
2 ようわ
3 しんじゅつ
4 えつえつ
5 とうし
6 うんちつ
7 ようびょう
8 ちてい
9 るいぶん
10 がとう

11 倥った過去を想起する。
12 理不尽に竃つ心を有する。
13 輦を用いて荷を運ぶ。
14 情報が泄れて混乱する。
15 主君の命を受けて釐める。
16 野山にて畋りをする。
17 尽力した部下を犒う。
18 村人が舂く様を目にする。
19 無知な論客を調る。
20 梛の木を苗から育てる。

解答

11 ぬか
12 か
13 てぐるま
14 も
15 おさ
16 か
17 ねぎら
18 うすづ
19 あざけ
20 なぎ

特集

書き取り

令和4年度に出題された問題をまずはチェック!

目標時間 10分

合格ライン 16点

得点 /20

月 日

● 次の傍線部分の**カタカナ**を**漢字**で記せ。

1 **ドブサラ**いの手伝いをする。
2 **イダテン**の如き速さだ。
3 殿の前に**ヒザマズ**く。
4 **カイギャク**を弄する人物だ。
5 **ノシ**を付けるよう依頼した。
6 **ソウコウ**の候が何時かを知る。
7 **ス**えたような臭いが立ち込める。
8 **トウツウ**の原因を調べる。
9 **フシクレ**立った手を握る。
10 **コツコツ**と勉強を進める。

解答

1 溝浚
2 韋駄天
3 跪
4 諧謔
5 熨斗(熨)
6 霜降
7 饐
8 疼痛
9 節榑
10 兀兀(矻矻)

11 **デガ**らしのお茶を出す。
12 ある店で服を**アツラ**える。
13 部品を本体に**カンニュウ**する。
14 **ハッタ**と思い当たった。
15 部下に**セイチュウ**を加える。
16 **コウシツ**の交わりに憧れる。
17 国王の**シビ**を拝する。
18 寺院の**シビ**が輝いている。
19 **コウロウ**を経た老臣が輔弼する。
20 無為自然を尚び**コウロウ**の学を唱える。

解答

11 出涸
12 誂
13 嵌入
14 礑
15 掣肘
16 膠漆
17 芝眉
18 鴟尾
19 劫臈(臘)
20 黄老

特集 語選択　書き取り

令和4年度に出題された問題をまずはチェック！

目標時間 8分

合格ライン 12点

得点 ／14

月　日

● 次の意味を的確に表す語を、左の□から選び、**漢字**で記せ。

1 読書・学問をすること。
2 記録や史料のこと。
3 目的を達成するための手段や方便。
4 読書に没頭する人。
5 鐘や鼎に打ち込まれた文字。
6 元日元旦、暦の初め。
7 計り切れないほど極めて長い時間。

解答
1 目耕《もっこう》
2 汗青《かんせい》
3 筌蹄《せんてい》
4 蠹魚《とぎょ》
5 款識《かんし》
6 履端《りたん》
7 塵点劫《じんでんごう》

えんざん・かちゅうかい・かんし
かんせい・けいふく・じんでんごう
せんてい・とぎょ・もっこう・りたん

---

8 去年の暮れ。去年末。
9 末世。世の乱れた時代。
10 中国の伝説に登場する太陽の神。
11 激しく血相を変えること。
12 父や祖父から受け継いだ業。家業。
13 前と異なることを言うこと。
14 高く盛り上がっている鼻。

解答
8 客臘《かくろう》
9 叔世《しゅくせい》
10 羲和《ぎか》
11 厲色《れいしょく》
12 箕裘《ききゅう》
13 食言《しょくげん》
14 隆準《りゅうせつ》

うえんば・かくろう・ぎか・ききゅう
げいめん・しゅくせい・しょくげん
どうしゅう・りゅうせつ・れいしょく

特集 熟語の読み・一字訓読み

目標時間 8分

合格ライン 21点

得点 ／26

月　日

● 次の**熟語の読み**と、その**語義**にふさわしい**訓読み**を（送りがなに注意して）**ひらがな**で記せ。

〈例〉健勝……勝れる → けんしょう／すぐ

ア 1 翊戴……2 翊ける

イ 3 翕合……4 翕める

ウ 5 搏景……6 搏つ

エ 7 訐揚……8 訐く

オ 9 明嶷……10 嶷い

カ 11 岑崟……12 崟しい

解答

1 よくたい　2 たす　3 きゅうごう　4 あつ　5 はくえい　6 う　7 けつよう　8 あば　9 めいぎょく　10 さと・たか　11 しんがん　12 けわ

キ 13 啜賺……14 賺す

ク 15 龐錯……16 龐れる

ケ 17 牖民……18 牖く

コ 19 趣装……20 趣す

サ 21 竄謫……22 謫す

シ 23 抔土……24 抔う

ス 25 贍給……26 贍す

解答

13 せったん　14 すか・だま　15 ほうさく　16 みだ　17 ゆうみん　18 みちび　19 そくそう　20 うなが　21 ざんたく　22 なが　23 ほうど　24 すく　25 せんきゅう　26 た

特集

対義語・類義語

令和4年度に出題された問題をまずはチェック!

目標時間 10分

合格ライン 16点

得点 　/20 　月　日

● 次の**対義語**、**類義語**を後の□の中から選び、**漢字**で記せ。□の中の語は一度だけ使うこと。

対義語

1 掉尾
2 豊穣
3 結綬
4 頑陋
5 和煦

類義語

6 芳墨
7 鴟梟
8 瞬目
9 饗応
10 開帆

かいらん・かったつ・きょうけん
ぎょくしょう・けいかん
けいしょ・さいこ・だんしきょう
へきとう・りょうしょう

解答

1 劈頭《へきとう》
2 凶歉《きょうけん》
3 挂《けい》(掛)冠《かん》
4 闊《かっ》(豁)達《たつ》
5 料峭《りょうしょう》
6 玉章《ぎょくしょう》
7 豺虎《さいこ》
8 弾指頃《だんしきょう》
9 鶏黍《けいしょ》
10 解纜《かいらん》

対義語

11 向来
12 進陟
13 雅楽
14 千鈞
15 畏日

類義語

16 玄黄
17 妹背
18 縷述
19 磽瘠
20 不世出

あいじつ・えんおう・きゅうはつ
きょうこう・こうせい・ししゅ
じょご・ちゅんけん・ていせい
ふうさい

解答

11 嚮《きょう》(向)後《こう》
12 屯蹇《ちゅんけん》
13 鄭声《ていせい》
14 錙銖《ししゅ》
15 愛日《あいじつ》
16 覆載《ふうさい》
17 鴛鴦《えんおう》
18 絮語《じょご》
19 窮髪《きゅうはつ》
20 曠世《こうせい》

故事・諺

令和4年度に出題された問題をまずはチェック!

目標時間 10分

合格ライン 16点

得点 ／20

月　日

● 次の故事・成語・諺の**カタカナ**の部分を**漢字**で記せ。

1 **イラカ**破れて霧不断の香を焚く。
2 **ハクギョクロウ**中の人と化す。
3 衆口金を鑠かし**セッキ**骨を銷す。
4 **ヘッツイ**より女房。
5 **バチ**が当たれば太鼓で受ける。
6 海は**スイロウ**を譲らず、以て其の大を成す。
7 貧賤に**セキセキ**たらず、富貴に忻忻たらず。
8 **シンル**に順う者は帷幕を成す。
9 **ショウキ**大臣の棚から落ちたよう。
10 水行**コウリュウ**を避けざるは漁父の勇なり。

解答
1 甍
2 白玉楼
3 積毀
4 竈
5 桴(枹・撥)
6 水潦
7 戚戚(戚々)
8 針(鍼)縷
9 鍾馗
10 蛟竜

11 **チョウゲイ**の百川を吸えるが如し。
12 竜吟ずれば雲起こり虎**ウソブ**けば風生ず。
13 官は**カン**の成るに怠る。
14 画竜**テンセイ**を欠く。
15 **リギュウ**の喩え。
16 **キョシツ**白を生ず。
17 王昭君が**コチ**の旅。
18 髪結いの**チャセン**髪。
19 一人善く射れば百夫**ケッシュウ**す。
20 愚者は**セイジ**に闇く智者は未萌に見る。

解答
11 長鯨
12 嘯
13 宦
14 点睛
15 犂牛
16 虚室
17 胡地
18 茶筅
19 決拾
20 成事

読み①

目標時間 15分

合格ライン 39点

得点 ／48

月　日

● 次の傍線部分の読みを**ひらがな**で記せ。1～34は**音読み**、35～48は**訓読み**である。

1 容姿は嬋娟として情が厚い。
2 蜂蠆の螫を致すに如かず。
3 若水で盥漱し新年を迎えた。
4 職場の中に釁隙が生じている。
5 鏗鏘とした琴の演奏を聴く。
6 山々に囲繞された盆地に住む。
7 和食用の器皿を用意する。
8 巾幗で黒髪を覆う。
9 蚕繭の生産が紡績業を支えた。
10 彼は卓犖たる見識の持ち主だ。

解答

1 せんけん・せんえん
2 ほうたい
3 かんそう
4 きんげき
5 こうそう
6 いにょう・いじょう
7 きべい
8 きんかく
9 さんけん
10 たくらく

11 財政改革を提撕し立候補する。
12 天候不良で人民の饑饉が心配だ。
13 心配事もなく乂安に日を送る。
14 年末は匆忙として座る暇もない。
15 咫尺の栄を得て王に謁見する。
16 奕奕たる銀嶺が連なる。
17 参謀本部を帷幄の中に置く。
18 徼幸を求めて宝籤を買う。
19 盗みは人の道に悖戻する行為だ。
20 愧赧に堪えず顔向けできない。

解答

11 ていせい・ていぜい
12 だいきん
13 がいあん
14 そうぼう
15 しせき
16 えきえき
17 いあく
18 きょうこう・ぎょうこう
19 はいれい
20 きたん

21 虚無的な生活から擺脱する。
22 泛泛とした大河を望む。
23 瞋恚の相を見せない柔和な人。
24 敵を欺く籌策を練る。
25 世の羈絆を脱し精神の自由を得た。
26 朝霧が靄然と立ちこめている。
27 挙措を失わぬ蘊藉な表情。
28 潮の干満は月の虧盈にしたがう。
29 ネット社会の蠹毒を憂慮する。
30 貂裘を身に纏った高貴な人。
31 髫齓から世継ぎと決められた。
32 人材の登用は黜陟幽明に行う。
33 齧歯類の動物は身近に多い。
34 烏鵲の橋の逢瀬を待つ。

21 はいだつ
22 はんぱん
23 しんい・しんに
24 ちゅうさく
25 きはん
26 あいぜん
27 うんしゃ
28 きえい
29 とどく
30 ちょうきゅう
31 ちょうしん
32 ちゅっちょく
33 げっし
34 うじゃく

35 囲炉裏の榾火で鮎を焼く。
36 パイプを口に銜んだまま喋る。
37 愚痴を一齣聞かされた。
38 父親は脳溢血で僵れた。
39 失業者を貧困から拯う。
40 国家権力を擅にする。
41 久しぶりの雨で田畑が沾う。
42 闘病生活で窶れてしまった。
43 纔かの差で終電車に間に合った。
44 あの人も罕によいことを言う。
45 艾の灸をすえる。
46 徳をもって人民に莅む。
47 防寒衣で身を裹む。
48 訐きて以て直と為す者を悪む。

35 ほたび・ほだび
36 ふく
37 ひとくさり
38 たお
39 すく
40 ほしいまま
41 うるお
42 やつ
43 わず
44 まれ
45 もぐさ
46 のぞ
47 つつ
48 あば

読み②

目標時間 15分

合格ライン 39点

得点 ／48 月 日

● 次の傍線部分の読みを**ひらがな**で記せ。1〜34は**音読み**、35〜48は**訓読み**である。

1 瓊葩綉葉の山々を散策する。
2 打嚔人の説く有り。
3 蕈中の奇は松茸に若くは莫し。
4 露館播遷を経て皇帝が誕生した。
5 不穏な空気が瀰漫する。
6 宮中において寿讌を開く。
7 日の神が墳塋に籠もる夜が続いた。
8 和煦が窓から優しく差し込む。
9 万牛臠炙し宴席に供する。
10 夜久しくして羅襪を侵す。

解答
1 けいは
2 だてい
3 しんちゅう・じんちゅう
4 はせん
5 びまん
6 じゅえん
7 ふんえい
8 わく
9 れんしゃ
10 らべつ

11 冷酷な城主に臣下は皆震慴した。
12 朋友盍簪して飲食する。
13 昇汞の水溶液は有毒である。
14 堅固な城砦を築く。
15 須臾を争う火災現場。
16 キャンプで炊爨を担当した。
17 操觚を生涯の仕事と決める。
18 いきなり拳固で打擲された。
19 カシュガルは絹の道の大逵である。
20 馬に鞭って馳騁する草原の民族。

解答
11 しんしょう
12 こうしん
13 しょうこう
14 じょうさい
15 しゅゆ・すゆ
16 すいさん
17 そうこ
18 ちょうちゃく
19 たいき
20 ちてい

21 風声に怯え鶴唳に戦く。
22 病 膏肓に入る。
23 早朝の卸売市場は熱鬧状態だ。
24 肇国の精神に立ち返る。
25 上着の鈕釦をはずす。
26 浮萍のように不安定な雇用形態。
27 位牌を仏龕に安置する。
28 兵燹の劫火に焼き尽くされた。
29 構造や機能の弊竇を指摘される。
30 黒褐色の頁岩を剝がす。
31 染色や医薬など明礬の用途は広い。
32 牝鶏牡鳴の世となる。
33 玲瓏たる宝玉の妖しい光。
34 丱角より歌舞伎の芸を仕込む。

21 かくれい
22 こうこう
23 ねっとう・ねつどう
24 ちょうこく
25 ちゅうこう
26 ふへい
27 ぶつがん
28 へいせん
29 へいとう
30 けつがん
31 みょうばん
32 ひんけい
33 れいろう
34 かんかく

35 悪業を重ね暴利を饕る。
36 饒かに調った教育機材を使う。
37 疎林で鶸が群をなす。
38 酢味噌と韲の和え物を作る。
39 日本語の源流を原ねる。
40 姑く相手の顔色を窺っていた。
41 買物の序でに郵便局に寄る。
42 切り立った岨道で足が竦む。
43 北海道には椴松が多い。
44 美辞麗句で文っただけの祝辞だ。
45 小さなミスを論って責める。
46 溢れ出る涙を揩う。
47 汗流れて背に浹し。
48 真円き夕日霾るなかに落つ。

35 むさぼ
36 ゆた
37 ひわ
38 もやし
39 たず
40 しばら
41 つい
42 そばみち・そわみち
43 とどまつ
44 かざ
45 あげつら
46 ぬぐ
47 あまね
48 つちふ

読み③

● 次の傍線部分の読みをひらがなで記せ。1〜34は**音読み**、35〜48は**訓読み**である。

1 政局が倥偬として不安定である。
2 偃蹇でわがままな振る舞い。
3 兀然と聳え立つ名峰。
4 編集部で刪修部門を担っている。
5 冤枉を晴らし自由の身となった。
6 人の失敗を哂笑する狭量な人物だ。
7 布帛を織る喞喞たる音を聞く。
8 新刊書は好評嘖嘖で増刷に入った。
9 噬臍の思いはしたくない。
10 国家間の外交は奸黠な戦術もある。

解答
1 こうそう
2 えんけん
3 こつぜん・ごつぜん
4 さんしゅう
5 えんおう
6 しんしょう
7 しょくしょく
8 さくさく
9 ぜいせい
10 かんかつ

11 柳の枝が嫋嫋と風に靡く。
12 たらの嫩芽は珍味である。
13 山の窪みから岫雲が立つ。
14 巫蠱を唱え、人を呪う。
15 人として常に彝倫を守る。
16 相手の心中を忖度して話す。
17 苦しい修行の末に怡楽がある。
18 惆悵として不運を嘆く。
19 組合員から慫慂され委員長になる。
20 馬蹄の音が戛戛と響く。

解答
11 じょうじょう
12 どんが
13 しゅううん
14 ふこ
15 いりん
16 そんたく
17 いらく
18 ちゅうちょう
19 しょうよう
20 かつかつ

目標時間 15分
合格ライン 39点
得点 ／48
月 日

21 合格の知らせに抃舞する。
22 昔懐かしい擣衣の音だ。
23 杳然とした夜空に星が煌めく。
24 杙を以て楹と為す。
25 枳棘は鸞鳳の棲む所に非ず。
26 世が乱れると梟雄が跋扈する。
27 法会で僧が梵唄を唱える。
28 礼物として棗栗を携えて行く。
29 樊籠の境遇を綴った漢詩。
30 老いた漁夫が欸乃を口ずさむ。
31 民族の殄滅を図った許し難い行為。
32 麾下の将兵に出陣の合図を出す。
33 人気絶頂の歌手が溘焉として逝く。
34 潺湲と流れる沢の水を掬う。

21 べんぶ
22 とうい
23 ようぜん
24 よく
25 ききょく
26 きょうゆう
27 ぼんばい
28 そうりつ
29 はんろう
30 あいだい・あいない
31 てんめつ
32 きか
33 こうえん
34 せんかん・せんえん

35 倩思うに職場の人間関係は難しい。
36 辺りに啻ならぬ気配が漂う。
37 志ある者は事竟に成る。
38 憖、役員を引き受けて後悔する。
39 七種粥に入れる薺を摘む。
40 可惜多くの友人を失ってきた。
41 牛の首に轅をあてる。
42 父は雲脂の多い体質だ。
43 梅は食うとも核食うな。
44 世の中の安寧を幾う。
45 年金政策の轄となる官庁。
46 就中、高齢者の就職は厳しい。
47 ご協力、忝く存じます。
48 法正しければ則ち民愨む。

35 つらつら
36 ただ
37 つい
38 なまじ・なまじい
39 なずな
40 あたら・あったら
41 ながえ
42 ふけ
43 さね
44 こいねが
45 くさび
46 なかんずく
47 かたじけな
48 つつし

読み③

読み④

目標時間 15分
合格ライン 39点
得点 ／48
月　日

● 次の傍線部分の読みを**ひらがな**で記せ。1～34は**音読み**、35～48は**訓読み**である。

1 神の託宣をする人を巫覡と呼ぶ。
2 母を亡くし潸然と涙を流す。
3 転居した家は瀟洒な造りだ。
4 烱烱として飢えた野獣のような眼。
5 獺多ければ魚擾る。
6 公私を甄別しなければならない。
7 サッカー好きの疇輩が集う。
8 木綿のシャツは皺襞ができやすい。
9 鏡を見ながら梳盥する。
10 失態を演じて嗤笑された。

解答
1 ふげき
2 さんぜん
3 しょうしゃ
4 けいけい
5 だつ
6 けんべつ
7 ちゅうはい
8 しゅうへき
9 そかん
10 ししょう

11 睚眥の怨みも必ず報ゆ。
12 農作物を筐筥に入れて運ぶ。
13 十五にして笄し、二十にして嫁す。
14 遺産相続の問題が綢繆している。
15 縹渺として眼前に広がる大海原。
16 無実の罪で縲紲の身となった。
17 孺子の織物は光沢がある。
18 羸痩の身に夏の暑さは辛い。
19 広場に翕然と群集した人々。
20 全員の意見を収斂して決める。

解答
11 がいさい
12 きょうきょ
13 けい
14 ちゅうびゅう
15 ひょうびょう
16 るいせつ
17 しゅす
18 るいそう
19 きゅうぜん
20 しゅうれん

21 舳艫を接する狭い海峡。
22 山深い里の茅茨に住む。
23 薤上の露　何ぞかわき易き。
24 キリギリスの漢名を螽斯という。
25 男を蠱惑する女性の所作。
26 都の中心に衙門を集めている。
27 官位を褫奪され西国へ下向する。
28 故人の功績を讃え誄詞を述べる。
29 上司に諂諛してまで働きたくない。
30 都会の諠閙を逃れて旅に出る。
31 空海の諡号は「弘法大師」である。
32 老人を譎詐する犯罪が絶えない。
33 牧場で牛馬を豢養する。
34 朝廷に贄を奉る。

21 じくろ
22 ぼうし
23 かいじょう
24 しゅうし
25 こわく
26 がもん
27 ちだつ
28 るいし
29 てんゆ
30 けんとう・けんどう
31 しごう
32 けっさ
33 かんよう
34 し

35 担任の女教師に母親像を徼める。
36 周囲の期待に忤う。
37 祭りの雑踏では掏摸に注意する。
38 堂に怡ぶ燕雀　後災を知らず。
39 恙なく老後の日々を過ごしたい。
40 新興勢力が頭を擡げてきた。
41 切り立った垂直の崖を攀じ登る。
42 邪魔なものを攘い除ける。
43 枸橘の生垣に白い花が咲く。
44 駅前の大通りは欅並木が続く。
45 偖、そろそろ出かけましょうか。
46 長年の悲願を達成し感涙に噎ぶ。
47 寔に困った事態になった。
48 戦災孤児を恤れみ育てる。

35 もと
36 さから
37 すり
38 よろこ
39 つつが
40 もた・もちあ
41 よ
42 はら
43 からたち
44 けやき
45 さて
46 むせ
47 まこと
48 あわ

読み⑤

● 次の傍線部分の読みを**ひらがな**で記せ。1〜34は**音読み**、35〜48は**訓読み**である。

1 身寄りもなく煢煢と暮らす。
2 赭髯を蓄えた長髪の老翁。
3 騏驥の跼躅は駑馬の安歩に如かず。
4 酔歩蹣跚して足元が定まらない。
5 馬に載せて輜重を運ぶ。
6 仕事の郤を縫って本を読む。
7 酥油は牛酪から精製する。
8 小人の交わりは甘きこと醴の如し。
9 糧餉が尽き、兵が餓死した。
10 早朝の城下町は闃然としていた。

解答

1 けいけい
2 しゃぜん
3 きょくちょく
4 まんさん・ばんさん
5 しちょう
6 げき
7 そゆ
8 れい
9 りょうしょう
10 げきぜん

11 津々浦々に至るまで闔国を巡る。
12 観客が突然グラウンドに闖入した。
13 土砂の流入を壅塞阻止する工事。
14 心を込めて雕琢された美しい詩だ。
15 梅雨空は靉靆として鬱陶しい。
16 部下を頤使するような人ではない。
17 歳月駸駸として世は移り変わる。
18 鰥寡孤独を愍れみ救う。
19 鳧燕明らかにし難し。
20 鷲や鷹は鷙鳥である。

解答

11 こうこく
12 ちんにゅう
13 ようそく
14 ちょうたく
15 あいたい
16 いし
17 しんしん
18 かんか
19 ふえん
20 しちょう

目標時間 **15** 分

合格ライン **39** 点

得点 ／48

月　日

21 聚斂の臣あらんよりは寧ろ盗臣あれ。
22 作物が育たない鹵莽な土地。
23 山中に麋鹿が通った跡がある。
24 孔子に黔突なく墨子に煖席なし。
25 狡黠な外交戦略に翻弄された。
26 日々、職務に黽勉している。
27 鼕鼕と祭りの太鼓が鳴り渡る。
28 牖中に日を窺う。
29 瑇瑁はウミガメ科の生物である。
30 圧状して誓約書を書かせる。
31 十年間、矻矻と貯めたお金だ。
32 鼴鼠河に飲むも満腹に過ぎず。
33 高価な綾羅の和服を着る。
34 連休中は安佚に過ごしたい。

21 しゅうれん
22 ろもう
23 びろく
24 けんとつ
25 こうかつ
26 びんべん
27 とうとう
28 ゆうちゅう
29 たいまい
30 おうじょう
31 こつこつ
32 えんそ
33 りょうら
34 あんいつ

35 晩秋の夕空が茜色に染まる。
36 馬の鬣を触ってみた。
37 日が昃くと夕食の仕度を始める。
38 框に座ってお茶を飲む。
39 楮の樹皮から和紙の原料を採る。
40 筆の大きさ椽のごとし。
41 一族に殃いが降りかかる。
42 秋風に木の葉が漾う。
43 毬栗も内から割れる。
44 井戸の底の土を浚う。
45 胃が痞える感じで食べられない。
46 眥を決して入学試験に臨む。
47 古代史の邃い知識を持った人だ。
48 秣場に集まり萱を刈る。

35 あかねいろ
36 たてがみ
37 かたむ
38 かまち
39 こうぞ
40 たるき
41 わざわ
42 ただよ
43 いがぐり
44 さら
45 つか
46 まなじり
47 おくぶか・ふか
48 まぐさば

読み⑥

目標時間 15分
合格ライン 39点
得点 /48
月 日

● 次の傍線部分の読みを**ひらがな**で記せ。1～34は**音読み**、35～48は**訓読み**である。

1 近況を案牘にして知らせる。
2 亡くなった先代の遺孼である。
3 泉の水を一掬し口を漱ぐ。
4 咽下し易く消化のよい食事。
5 砂利道の雨潦を避けて歩く。
6 収穫を喜ぶ碓舂の音が響く。
7 秋色深く蔚藍の天となる。
8 肩まで垂れた漆黒の雲鬢。
9 奄忽として効果が現れる。
10 郊外の岡阜から海が見える。

解答
1 あんとく
2 いげつ
3 いっきく
4 えんか・えんげ
5 うろう
6 たいしょう
7 うつらん
8 うんびん
9 えんこつ
10 こうふ

11 来年は乙亥の歳にあたる。
12 愛想のよい人を伽羅者と呼ぶ。
13 稼穡を生業とする若者を募る。
14 牙籌を手に経営戦略を練る。
15 新茶の馨香を味わう。
16 重い凍傷で皮膚が壊死した。
17 蛙黽の声啾啾たり。
18 冬の海は廓寥として、もの寂しい。
19 兜巾を冠った修験者の集団。
20 高層ビルが林立する街衢を撮る。

解答
11 いつがい・おつがい
12 きゃら
13 かしょく
14 がちゅう
15 けいこう・けいきょう
16 えし
17 あぼう
18 かくりょう
19 ときん
20 がいく

21 蟹螯に指を鋏まれた。
22 牛頭は地獄で罪人を責め苛む。
23 街は一夜にして瓦礫と化した。
24 初夏の空翠が目にしみる。
25 社長の忌諱に触れてしまった。
26 馬車の上から轡銜を引く。
27 恐懼して一目散に逃げ去った。
28 銀鑰を使って香閣の門を開ける。
29 疲れて臥榻で横になる。
30 挙動が胡乱な男を尋問した。
31 火の用心の撃柝の音が聞こえる。
32 家族の為に孜孜として働く。
33 事実関係を具に検覈する。
34 練習の間隙を縫って食事を摂る。

21 かいごう
22 ごず
23 がれき
24 くうすい
25 きい・きき
26 ひかん
27 きょうく
28 ぎんやく
29 がとう
30 うろん
31 げきたく
32 しし
33 けんかく
34 かんげき

35 清流に鵜篝が映える。
36 残業続きで瘁れてしまった。
37 髀肉の嘆を喞つ。
38 人事の盥回しを禁止する。
39 古新聞を紮げて回収業者に渡す。
40 先のことは聊かも心配していない。
41 雪花零落すること絮のごとし。
42 推理小説を読み捲る。
43 競馬で羸って笑いが止まらない。
44 羸った体を鍛え直す。
45 思考が紊れ、文章がまとまらない。
46 粳は普通の米である。
47 志願者を面接で篩い落とす。
48 喧しい蟬の声が全山を覆う。

35 うかがり
36 つか
37 かこ
38 たらい
39 から
40 いささ
41 わた
42 まく
43 か
44 よわ
45 みだ
46 うるち・うる
47 ふる
48 かまびす

読み⑥

読み⑦

目標時間 15分

合格ライン 39点

得点 ／48

月　日

● 次の傍線部分の読みを**ひらがな**で記せ。1〜34は**音読み**、35〜48は**訓読み**である。

1 関雎の楽しみを享受する。
2 嬉怡の表情を浮かべる。
3 大草原が眼前に開敞した。
4 同郷の輩と酒盞を傾ける。
5 倉廩実ちて礼節を知る。
6 群青色の布地で浴衣を縫う。
7 坂本龍馬終焉の地を訪ねる。
8 聳え立つ山と千仞の谷。
9 町一番の素封家である。
10 古本市で稀覯本を求める。

解答

1 かんしょ
2 きい
3 かいしょう
4 しゅさん
5 そうりん
6 ぐんじょう
7 しゅうえん
8 せんじん
9 そほうか
10 きこう

11 自由と平等の大旆を掲げる。
12 只管打坐は、一心に坐禅すること。
13 文は短雋を以て人に勝る。
14 隣国と干戈を交える。
15 ダムの瀦溜量が減ってきた。
16 英国駐箚の大使として赴任した。
17 多くの登山家が登攀した山だ。
18 咳唾珠を成す。
19 日々砥礪して人格を磨く。
20 大島紬を織る機杼を備える。

解答

11 たいはい
12 しかん
13 たんしゅん
14 かんか
15 ちょりゅう
16 ちゅうさつ
17 とうはん
18 がいだ
19 しれい
20 きじょ・きちょ

21 選挙戦の形勢を逆睹する。
22 仙人でも住みそうな丘壑の地。
23 旅の前途には多くの荊棘があった。
24 山巓からの眺望が良い。
25 米の刈穫を楽しみにしている。
26 獅子吼して聴衆を酔わす。
27 十二月己巳、都を発つ。
28 新しい年の朝暾を拝む。
29 鯨鯢といえども善の心はある。
30 友人が神社の禰宜となった。
31 昔は舟楫で栄えた港だ。
32 孤犢乳に触れ　驕子母を罵る。
33 人生の寵辱は世の習い。
34 三十年の職場生活を顧眄する。

21 ぎゃくと・げきと
22 きゅうがく
23 けいきょく
24 さんてん
25 がいかく
26 ししく
27 きし
28 ちょうとん
29 げいげい
30 ねぎ
31 しゅうしゅう
32 ことく
33 ちょうじょく
34 こべん

35 宝石を鏤めた王冠を着ける。
36 鏨を用いて石を切断した。
37 文筆家としての才気が迸る。
38 筵旗を立てた農民一揆。
39 走者が折り返し点で踵を返す。
40 苟も人間ならば守るべき法がある。
41 縹色の絹布は涼やかで美しい。
42 畑で、伸びた雑草を耘る。
43 休憩時間の莨が楽しみだ。
44 雨を冒して韮を翦る。
45 墨を流したような暮れ泥む町。
46 田植えの後の畷道に立つ。
47 父の手は節榑立っている。
48 蔀を上げて月を見る。

35 ちりば
36 たがね
37 ほとばし
38 むしろばた
39 くびす・きびす
40 いやしく
41 はなだいろ
42 くさぎ
43 たばこ
44 き
45 なず
46 なわてみち
47 ふしくれ
48 しとみ

読み⑧

目標時間 15分
合格ライン 39点
得点 ／48 月 日

● 次の傍線部分の読みを**ひらがな**で記せ。1〜34は**音読み**、35〜48は**訓読み**である。

1 酒醴を用意して友人を招く。
2 きょうの午餉は蕎麦にした。
3 鎖鑰を堅固にして城を守る。
4 文教政策を担当する官衙。
5 愛を実らせ婚娶に至った。
6 自ら溝壑に倒れ伏す。
7 小篆で彫った印章を使う。
8 論文の肯綮を説明する。
9 人生は崎嶇に満ちた道程である。
10 夙夜、激しい風雨が荒れ狂った。

解答
1 しゅれい
2 ごしょう
3 さやく
4 かんが
5 こんしゅ
6 こうがく
7 しょうてん
8 こうけい
9 きく
10 しゅくや

11 寧ろ鶏鶩と争うを為さんか。
12 主君の麾下に優秀な家臣を置く。
13 奇策で敵を播弄した。
14 這般の情勢により採用枠を減らす。
15 杜鵑花はサツキの別称である。
16 汚れた溷廁を掃除しておく。
17 泣いて馬謖を斬る。
18 社長に忠謇する役員がいない。
19 千鳥破風の建築様式を学ぶ。
20 臣下が天子に朝覲する。

解答
11 けいぼく
12 とうか
13 はろう
14 しゃはん
15 とけんか
16 こんし
17 ばしょく
18 ちゅうけん
19 はふ
20 ちょうきん

21 世の塵埃を逃れ山中に籠もる。
22 沢鹵なので作物が育たない。
23 大きな古墳に近接する陪冢。
24 長身痩軀で白皙の紳士だ。
25 理想と現実との乖離が甚だしい。
26 極地で仆斃しても悔いはない。
27 彼は口先だけがうまい佞奸な人だ。
28 再建のために戮力同心する。
29 斂葬の儀を厳粛に行う。
30 肉親の死に万斛の涙を流す。
31 毫釐の差は千里の謬り。
32 小さなヨットで瀛海を渡る。
33 熾烈な主導権争いが続く。
34 人口が稠密な地域に住む。

21 じんあい
22 たくろ
23 ばいちょう
24 はくせき
25 かいり
26 ふへい・ほくへい
27 ねいかん
28 りくりょく
29 れんそう
30 ばんこく
31 ごうり
32 えいかい
33 しれつ
34 ちゅうみつ

35 滝の水音が谷に谺する。
36 啄木鳥の子は卵から頷く。
37 鬮を引いて順番を決めた。
38 鑢を使って鋸の目立てをする。
39 人を貶むようなことはしない。
40 出張で亟訪れる町だ。
41 百足は死に至れども蹶れず。
42 如来の仏像を鐫る。
43 曩に電話で申し上げたとおりです。
44 脅したり賺したりして機嫌をとる。
45 鮠はコイ科の硬骨魚である。
46 疑いが霽れて解放された。
47 二人の友情に罅が入った。
48 不義理をしていて閾が高い。

35 こだま
36 うなず
37 くじ
38 やすり
39 さげす
40 しばしば
41 たお
42 ほ
43 さき
44 すか
45 はや・はえ
46 は
47 ひび
48 しきい

読み⑨

目標時間 15分

合格ライン 39点

得点 ／48

月　日

● 次の傍線部分の読みをひらがなで記せ。1〜34は音読み、35〜48は訓読みである。

1 帽子をとり一揖して部屋に入る。
2 倏忽として黒雲が空を覆う。
3 頼る人もなく煢然と生きる。
4 簷滴石を穿つ。
5 哀調を帯びた篳篥の音色。
6 篋底から古文書を取り出す。
7 悪性の癰疽を切除した。
8 エキゾチックで瑰麗なホテルだ。
9 仏像の天蓋を瓔珞で飾る。
10 甄陶の技を後生に伝授する。

解答
1 いちゆう
2 しゅくこつ・しゅっこつ
3 けいぜん
4 えんてき
5 ひちりき
6 きょうてい
7 ようそ
8 かいれい
9 ようらく
10 けんとう

11 簪笏で冠を留める。
12 彼女は眩暈するばかりの美しさだ。
13 羆にあらず虎にあらず。
14 舞台初日の緞帳が上がった。
15 舐犢の愛も時には重荷になる。
16 千人の諾諾は一士の諤諤に如かず。
17 苞苴を要求した罪で逮捕された。
18 恩師の謦咳に接し人生の糧を得る。
19 譬類を多用した文章を書く。
20 人を罵り譏謗の限りを尽くす。

解答
11 しんこつ
12 げんうん・けんうん
13 ひ
14 どんちょう
15 しとく
16 がくがく
17 ほうしょ
18 けいがい
19 ひるい
20 ざんぼう

21 隣国との間に軋轢が生じる。
22 躑躅逡巡して前へ進めない。
23 盟友と袂別し新党を起こす。
24 山内に集まった裹頭の僧兵。
25 権力に諂佞せず我が道を行く。
26 神仏に跪拝する。
27 輦轂の下には多くの衙門がある。
28 望んで遐陬の地に着任した医師だ。
29 輒然としてその場に立ちつくした。
30 過分な望みを覬覦する。
31 有名な書家の遒勁な筆の運び。
32 侵入してきた敵を邀撃する。
33 邏卒は明治時代の巡査の呼称。
34 大臣に扈従して外遊する。

21 あつれき
22 てきちょく
23 べいべつ
24 かとう
25 てんねい
26 きはい
27 れんこく
28 かすう
29 ちょうぜん
30 きゆ
31 しゅうけい
32 ようげき
33 らそつ
34 こしょう・こじゅう

35 蛙は蹼を使って泳ぐ。
36 価値ある陶器を糶にかける。
37 筬は機織りの道具である。
38 猝かには信じ難い話だ。
39 収穫した芋を畚で運ぶ。
40 例年のことだが師走は遽しい。
41 発酵した醪から酒粕を採る。
42 住民が協力し町の蟎を一掃した。
43 顳顬の辺りに痛みがある。
44 長年の懸案に晷がついた。
45 天候不順による孼いが多い。
46 檋を履いて雪山に登る。
47 木製の鷽を替える神事。
48 鯔背な若衆が神輿を担ぐ。

35 みずかき
36 せり
37 おさ
38 にわ
39 もっこ
40 あわただ
41 もろみ
42 だに
43 こめかみ
44 けり
45 わざわ
46 かんじき
47 うそ
48 いなせ

読み⑩

目標時間 15分

合格ライン 39点

得点 ／48

月 日

● 次の傍線部分の読みを**ひらがな**で記せ。1～34は**音読み**、35～48は**訓読み**である。

1 雇用に関する法律を釐正する。
2 錙銖の利を争うは愚の骨頂。
3 腰痛の治療に鍼灸術を施す。
4 パナマ運河は閘門式である。
5 阨狭な渓谷に沿って走る森林鉄道。
6 隴畝から閣僚に抜擢された。
7 経営基盤がより鞏固になった。
8 モンゴル民族を韃靼とも呼称する。
9 功績を讃え頌辞を贈る。
10 頽檐矮屋に住む。

解答

1 りせい
2 ししゅ
3 しんきゅう
4 こうもん
5 あいきょう
6 ろうほ
7 きょうこ
8 だったん
9 しょうじ
10 たいえん

11 列車内で泥酔し顰蹙を買う。
12 暴利を饕餮して厭きることがない。
13 大金持ちの驕奢な趣味だ。
14 イカの醢醢を肴に酒を飲む。
15 贏輸を法の裁きに求める。
16 花の宴を熙熙として楽しむ。
17 仏壇の龕灯を点す。
18 齷齪と働いて二十年経った。
19 顎まで伸びた鬚髯を切る。
20 蟪蛄は夏蟬の一種である。

解答

11 ひんしゅく
12 とうてつ
13 きょうしゃ
14 けいかい
15 えいしゅ・えいゆ
16 きき
17 がんどう・がんとう
18 あくせく
19 しゅぜん
20 けいこ

21 窮鼠嚙狸の様子に怖気付く。
22 件の武将は圻土に名を轟かす。
23 蹠実の如く諸事を進める。
24 竽笙の響きに心を奪われる。
25 丱歳にして出家する。
26 長年欲した曄桃を手にする。
27 今夜も星が晢晢としている。
28 畚築を学び、実践する。
29 気付けば胼攣していた。
30 畬煙を見て季節を感じる。
31 冏冏とした調度品を愛でる。
32 転がる骰子の行方を目で追う。
33 弔賻し、喪に服す。
34 古来の壟塋を訪れる。

21 ごうり
22 きど
23 せきじつ
24 うしょう
25 かんさい
26 ようとう
27 せいせい
28 ほんちく
29 へんれん
30 しゃえん
31 けいけい
32 とうし
33 ちょうふ
34 ろうえい

35 世の混乱が益々餤む。
36 武将が哮り、突進する。
37 鴫羂を張り、時を待つ。
38 爰許の与り知らぬ事なり。
39 黷した事実が明るみに出る。
40 孤児を頤うこととなった。
41 時期が過ぎて鬆が入った大根。
42 凶器によって賊なわれた大切な命。
43 鉋屑を掃き集めて燃やす。
44 国会で与野党が鬩ぎあう。
45 饐えた臭気が辺りに漂う。
46 彼は自分の才能を韜み隠している。
47 増水したのでダムの水門を闢く。
48 萁を竈に焼べる。

35 すす
36 たけ
37 しぎわな
38 ここもと
39 けが
40 やしな
41 す
42 そこ
43 かんなくず
44 せめ
45 す
46 つつ
47 ひら
48 まめがら

読み⑪

目標時間 15分
合格ライン 39点
得点 /48
月 日

● 次の傍線部分の読みを**ひらがな**で記せ。1〜34は**音読み**、35〜48は**訓読み**である。

1 上司に諛言を呈する。
2 孳孳として研究に勤しんでいる。
3 昔は屎尿を汲んで肥にしていた。
4 寰中とて敵がいないとは限らない。
5 美麗にして姚冶な女優だ。
6 憫諒の念が募り、いとおしい。
7 あまりの惨状に悚然としていた。
8 人知れず懊悩の日々を送る。
9 筆力扛鼎の域に達した力強い文章。
10 勝手気儘な行いに掣肘を加える。

解答
1 ゆげん
2 しし・じじ
3 しにょう
4 かんちゅう
5 ようや
6 びんりょう
7 しょうぜん
8 おうのう
9 こうてい
10 せいちゅう

11 五輪の掉尾を飾るマラソン競技。
12 暁闇の山頂で日の出を待つ。
13 相手が倒れるまで搏闘した。
14 伸びた枝を斧で斫断する。
15 梟鸞は翼を交えず。
16 鳥の腹部は毳毛で覆われている。
17 涓滴岩を穿つ。
18 棕櫚縄は耐水性に富む。
19 長大な河の澎湃たる流れ。
20 この溽暑では食欲が湧かない。

解答
11 とうび・ちょうび
12 ぎょうあん
13 はくとう
14 しゃくだん
15 きょうらん
16 ぜいもう
17 けんてき
18 しゅろ
19 ほうはい
20 じょくしょ

21 枳殻とは、からたちの漢名。
22 事件の経緯を縷説する。
23 茘枝は食用の果樹である。
24 親の期待が桎梏となっている。
25 反対意見を臚列した記事が多い。
26 嫁が舅姑の機嫌を窺う。
27 下町に肆廛を構えた。
28 蚯蚓の蠕動を観察する。
29 閣僚を翕合して対策会議を開く。
30 漁村の海辺に建ち並ぶ蜑戸。
31 貶謫の身となり下向した。
32 国家予算から贅肬を削る。
33 轗軻不遇のまま一生を終えた。
34 麻薬は人体を蝕む鴆毒だ。

21 きこく
22 るせつ
23 れいし
24 しっこく
25 ろれつ
26 きゅうこ
27 してん
28 ぜんどう
29 きゅうごう
30 たんこ
31 へんたく
32 ぜいゆう
33 かんか
34 ちんどく

35 囲炉裏の周りは燠かい。
36 朮の若芽は食用になる。
37 強い打球が投手の踝を直撃した。
38 河畔で翡翠の写真を撮る。
39 天下りの実態を糺す。
40 ヨットの檣が折れてしまった。
41 窓に櫺を取り付けた家。
42 定職に就かず萍のように暮らす。
43 鏝を使って漆喰を塗る。
44 赤や緑、紫抔の花で会場を彩る。
45 一日再び晨なり難し。
46 寒さで悴んだ手を擦る。
47 役人を揶揄う戯画を描く。
48 渋柿を焼酎に浸けて醂す。

35 あたた
36 おけら・うけら
37 くるぶし
38 かわせみ
39 ただ
40 ほばしら
41 れんじ
42 うきくさ
43 こて
44 など
45 あした
46 かじか
47 からか
48 さわ・あわ

読み⑫

目標時間 15分

合格ライン 39点

得点 ／48 月 日

● 次の傍線部分の読みを**ひらがな**で記せ。1～34は**音読み**、35～48は**訓読み**である。

1 孑孑の如き動きをする。
2 膃肭とした様をただ眺める。
3 祓禊のための装束に着替える。
4 秬鬯を口にして喜んだ。
5 儺を数十年続ける。
6 賁育の勇があると褒め称える。
7 銛鉤を巧みに扱う。
8 培塿を見て思いを馳せる。
9 紲絏された牛馬がいる。
10 悠々自適に浹日を過ごす。

解答
1 げっきょう・けっきょう
2 おつどつ
3 ふっけい
4 きょちょう
5 だ・な
6 ほんいく
7 せんこう
8 ほうろう
9 せつせつ
10 しょうじつ

11 山に分け入り榾柮を集める。
12 千里の道の途中で奔殪す。
13 道半ばで倒れ、山中に霑漬す。
14 弋繳を用いて川魚を捕る。
15 涅する流れを傍観する。
16 奥の院は幽邃の地にあった。
17 自由な意思表示を羈軛する。
18 ホテルの庖厨で働いている。
19 独酌を重ね一甕を尽くす。
20 謹飭を旨として働く。

解答
11 こっとつ・こつとつ
12 ほんえい
13 てんし
14 よくしゃく
15 でっ
16 ゆうすい
17 きやく
18 ほうちゅう
19 いちおう
20 きんちょく

21 弥縫策では経営再建は難しい。
22 神社仏閣が連甍する古の都。
23 人事への容喙は差し控える。
24 丕績を残し第一線を退く。
25 良賈は深く蔵して虚しきが若し。
26 愛を育み伉儷の契りを交わす。
27 反逆の科で流謫の身となる。
28 彼は、いつも人を笑わす剽軽者だ。
29 商売繁盛で有卦に入る。
30 漢字の儁傑が一堂に会した。
31 混乱する世相に剴切な思想だ。
32 簒弑相次いだ戦国時代。
33 自然と人工との関係を燮理する。
34 彼の吝嗇ぶりには呆れ返る。

21 びほう
22 れんぼう
23 ようかい
24 ひせき
25 りょうこ
26 こうれい
27 るたく
28 ひょうきん
29 うけ
30 しゅんけつ
31 がいせつ
32 さんし・さんしい
33 しょうり
34 りんしょく

35 力を勠せて要求を実現した。
36 何も知らない、と嘯く。
37 嚮の大震災で惨禍を被った。
38 熱にうなされて囈を発する。
39 帷子は夏向きの和服である。
40 夥しい数の人が行き交う。
41 スピーカーの大音声が耳を劈く。
42 囮捜査で現行犯逮捕した。
43 渾った水を手で掬う。
44 器に液体が瀰ちる。
45 素晴らしい伝統を詒る。
46 彼の地を乂めることとなる。
47 商談のため他者を屛く。
48 聖地奪回のための師を起こす。

35 あわ
36 うそぶ
37 さき
38 うわごと
39 かたびら
40 おびただ
41 つんざ
42 おとり
43 にご
44 み
45 おく
46 おさ
47 しりぞ
48 いくさ

読み⑬

● 次の傍線部分の読みを**ひらがな**で記せ。1～34は**音読み**、35～48は**訓読み**である。

1 君主の暗噁叱咤に恐れおののく。
2 新聞の発兌部数を決定する。
3 胼胝の労が報われる。
4 榛莽をはらい畑を作る。
5 馬鬣を丁寧に梳く。
6 汨羅の鬼となるなかれ。
7 俛伏して許しを請う。
8 疆域を還しその旄倪を反らしむ。
9 月を見ながら村醪を痛飲する。
10 金罍の酒を友と酌み交わす。

解答

1 いんお
2 はつだ
3 へんち・べんち
4 しんぼう・しんもう
5 ばりょう
6 べきら
7 ふふく
8 ぼうげい
9 そんろう
10 きんらい

11 耄耋と思いきや武術の達人であった。
12 鴟隼が空高く飛び立っていった。
13 商売を藐視し損害を被る。
14 冤家の為に射らる。
15 渣滓のような蟠りを吐き出す。
16 山頂への道は巉巌が連なる。
17 幼い嫡子の傅育を任された。
18 遮るものがない大海原を瞻望する。
19 国元の恩師より牋翰が届く。
20 姚冶な姿態に心を奪われる。

解答

11 ぼうてつ
12 しじゅん
13 びょうし
14 えんか
15 さし
16 ざんがん
17 ふいく
18 せんぼう
19 せんかん
20 ようや

21 忱裕な態度をもって人に対する。
22 城中には飫饒多く、兵の士気も高い。
23 進んで鞭笞を受け自らを戒める。
24 覃耜を用いて土を掘り返す。
25 阿諛諂佞の徒として誹りを受ける。
26 徒に国帑を費やし国を傾ける。
27 桜花澹として無からむとす。
28 石碑から作った搨本で書を学ぶ。
29 瀰茫たる大海原へ漕ぎ出す。
30 侘しい秋の夜に碪杵の声を聞く。
31 古い墓碣が並び立つ。
32 卸事した後、隠遁生活を送る。
33 先生の莅職三十年の祝賀会を挙げる。
34 学者の往々に陥る弊竇を指摘する。

21 しんゆう
22 よじょう
23 べんち
24 たんし
25 てんねい
26 こくど
27 たん
28 とうほん
29 びぼう
30 ちんしょ
31 ぼけつ
32 しゃじ
33 りしょく
34 へいとう

35 子供が跣で歩き回っている。
36 漁師が漁網を結く。
37 草花を摘んで上手に綰ねた。
38 絖を用いて書画を書く。
39 長い年月で巨大化した垤がある。
40 先輩の好意を踏み躙る。
41 事件解決の糸口を繹ね歩く。
42 敵軍を前にして弾が殫きてしまう。
43 構えた刀の鋩が光る。
44 博士の邸宅に造り、歓談する。
45 水の流れが大地を刮る。
46 鑷でひげを抜く。
47 彼女の肌は緻やかで美しい。
48 大きな蹼を持つ鳥を写真に収める。

35 はだし
36 す
37 わが・たが
38 ぬめ
39 ありづか
40 にじ
41 たず
42 つ
43 きっさき
44 いた
45 けず
46 けぬき
47 こま
48 みずかき

書き取り①

目標時間 25分
合格ライン 39点
得点 ／48
月 日

● 次の傍線部分の**カタカナ**を**漢字**で記せ。

1 **フクイク**たる花の香りが漂う。
2 怖い夢をみて**ウナ**される。
3 帳簿を**カイザン**した疑いがある。
4 政敵を**ダカツ**の如く忌み嫌う。
5 南太平洋の**トウショ**を巡る旅。
6 常識の**ハンチュウ**から外れた行為。
7 **ヒョウセツ**を指摘され作者に謝る。
8 ぎっくり腰になり苦痛に**ウメ**く。
9 理事と役員が**イガ**み合う。
10 **ワイセツ**画像を規制する。

解答
1 馥郁
2 魘
3 改竄
4 蛇蝎(蠍)
5 島嶼・嶋渚
6 範疇
7 剽窃
8 呻
9 啀
10 猥褻

11 舌が**モツ**れて、うまく話せない。
12 **トウ**が立って固くなった南瓜。
13 不快な思いが心の中に**ワダカマ**る。
14 生気を失い**シナ**びたレタス。
15 **ハエナワ**漁業が盛んな港だ。
16 大空襲で下町は**カイジン**に帰した。
17 古書市で**キコウ**本を探す。
18 人々を**ギマン**する偏った報道。
19 暴力に**ヒル**まず立ち向かう。
20 豊かな**ゴイ**を巧みに使った文章。

解答
11 縺
12 薹
13 蟠(磐・盤)
14 萎
15 延縄
16 灰燼
17 稀(希)覯
18 欺瞞
19 怯
20 語彙

21 大きな体を寒そうに**スボ**めた。
22 **シンピョウセイ**が高い史料である。
23 コンディションは**スコブ**る良い。
24 祖父の手は**フシクレ**立っている。
25 **シンチュウ**は銅と亜鉛の合金である。
26 家族揃って**ダンラン**の時を過ごす。
27 **チョウドキュウ**の外資系企業。
28 烈火の如く**テキガイシン**を燃やす。
29 **ハンゴウ**で米を炊き食事する。
30 緋の**モウセン**に腰を下ろす。
31 **ヒッキョウ**、解決できないままだ。
32 叱ると、すぐ**ス**ねてしまう。
33 時局認識の**カイリ**が甚だしい。
34 壁に**モタ**れて物思いに耽る。

21 窄
22 信憑性
23 頗
24 節榑
25 真鍮
26 団欒
27 超弩級
28 敵愾心
29 飯盒
30 毛氈
31 畢竟
32 拗
33 乖離
34 凭(靠)

35 パソコンの画面に目を**ス**える。
36 長い黒髪を**ス**く。
37 焼酎を**アオ**るように飲む。
38 不況の**アオ**りを受けて失業した。
39 **サワラ**の材は耐水性に優れている。
40 春の瀬戸内は**サワラ**漁が盛んだ。
41 骨董店で古い茶器を**アガナ**う。
42 刑に服して罪を**アガナ**う。
43 **イシ**した亡骸を手厚く葬る。
44 部下を**イシ**する傲慢な上司だ。
45 親の権威を**カサ**に着る道楽息子。
46 夜空の月に**カサ**がかかる。
47 **カツラ**剝きにした大根を皿に盛る。
48 時代劇用の**カツラ**を作る。

35 据
36 梳
37 呷
38 煽(扇)
39 椹(弱檜・花柏)
40 鰆
41 購
42 贖(償)
43 縊死
44 頤使(指)
45 笠
46 暈
47 桂
48 鬘

書き取り②

● 次の傍線部分の**カタカナ**を**漢字**で記せ。

1 **リンレツ**な寒気に襲われる。
2 **キッコウ**する二つの勢力が争う。
3 **ルイセツ**と囹圄の苦を受ける。
4 **キョウゲキ**な思想は危険を孕む。
5 肩の**シコ**りを指でほぐす。
6 **サナギ**から蝶になって飛び立つ。
7 王位継承を巡り**ナイコウ**が起こる。
8 狂ったように**イナナ**き始めた。
9 陶芸家の**リュウゼン**する貴重な茶碗だ。
10 魔除けのために**ショウキ**の絵を飾る。

解答
1 凜冽（烈）
2 拮抗（頡頏）
3 縲絏（紲）
4 矯激
5 痼（凝）
6 蛹
7 内訌
8 嘶
9 流涎
10 鍾馗

11 暴風で船が**カクザ**する。
12 昔の家屋が**イラカ**を並べる宿場町。
13 不正に目を**ツブ**ることはできない。
14 暴飲暴食が**タタ**り肝臓を患う。
15 組織の**タガ**が緩むと衰退する。
16 命綱に**スガ**り付いて助かった。
17 手首の**ケンショウエン**に苦しむ。
18 客死した亡骸を異国で**ダビ**に付す。
19 陶芸の**ウンオウ**を究めた達人だ。
20 夏向きの礼服を**アツラ**える。

解答
11 擱坐（座）
12 甍
13 瞑
14 祟
15 箍
16 縋
17 腱鞘炎
18 荼毘
19 蘊奥
20 誂

21 台風が**モタラ**す被害は甚大だ。
22 些細なことから**アツレキ**が生じた。
23 **モリ**で突いて魚を捕る。
24 姉の好物は**アンミツ**である。
25 申し入れを**ニベ**もなく断られた。
26 桃の種を**ク**り貫く。
27 **トッサ**の判断が生死を分けた。
28 彼は言うことが**クルリ**と変わる。
29 会場内は熱狂の**ルツボ**と化す。
30 朱鷺の自然**フカ**を試みている。
31 誠に**カタジケナ**く存じます。
32 戦争では**ムコ**の民が犠牲になる。
33 海外旅行の費用を**コシラ**える。
34 双方の主張を**シンシャク**する。

21 齎
22 軋轢
23 銛
24 餡蜜
25 鮸(鰾)膠
26 剜
27 咄嗟
28 転
29 坩堝・坩・堝
30 孵(孚)化
31 忝(辱)
32 無辜
33 拵
34 斟酌

35 任務を**カンスイ**し責任を果たす。
36 塩分を含む湖を**カンスイ**湖と呼ぶ。
37 鶴**キュウコウ**に鳴き 声天に聞こゆ。
38 実践**キュウコウ**し手本を示す。
39 商売人は**サヤ**を取って儲ける。
40 **サヤ**豌豆を料理する。
41 **シンキ**採用の人数を増やす。
42 **シンキ**が亢進し脈拍が速まる。
43 糸の切れた**タコ**のようだ。
44 作家の手には大きな**タコ**があった。
45 **ノミ**の息さえ天に昇る。
46 **ノミ**を使って木材を加工した。
47 **ソウボウ**から涙がこぼれ落ちた。
48 異様な**ソウボウ**で現れる。

35 完遂
36 鹹水
37 九皐
38 躬行
39 鞘
40 莢
41 新規
42 心悸
43 凧(紙鳶)
44 胼胝・胼・胝
45 蚤
46 鑿
47 双眸
48 相貌

書き取り②

書き取り③

目標時間 25分

合格ライン 39点

得点 ／48

月　日

● 次の傍線部分の**カタカナ**を**漢字**で記せ。

1 二つの会合の予定日が**カ**ち合う。
2 全身に力が**ミナギ**り意気盛んだ。
3 **ホウロウ**引きの鍋を使って煮る。
4 不安が徐々に頭を**モタ**げる。
5 掛け軸を矯めつ**スガ**めつ眺めた。
6 老教授は**カクシャク**として現役だ。
7 友人の不作法を**タシナ**める。
8 **ジュウタン**を敷き詰めた迎賓館。
9 書庫の古い雑誌を**ヒモト**く。
10 漁船を岸に**モヤ**う。

解答

1 搗
2 漲
3 琺瑯
4 擡
5 眇
6 矍鑠
7 窘
8 絨毯(緞)
9 繙(紐解)
10 舫

11 脅したり**スカ**したりして黙らせる。
12 **ロクロ**台に陶土を載せて回す。
13 **ビタ**一文負けられない。
14 大棟の両端に**シビ**がある古寺。
15 **ゾウヒン**を故買屋に流して捕まる。
16 努力はするが**ウダツ**が上がらない。
17 試験に落ちて**アンタン**たる気分だ。
18 非難される**イワ**れはない。
19 **ウカツ**にも賊を見逃してしまった。
20 身近な事象から**エンエキ**して記す。

解答

11 慊
12 轆轤
13 鐚
14 鴟(鵄・蚩)尾
15 贓品
16 梲
17 暗澹
18 謂
19 迂闊
20 演繹

21 **フスマ**障子を開けて和室に入る。
22 弱い者を**イジ**めるとは情けない。
23 **ガジュン**な筆致で読みやすい文章。
24 天地**カイビャク**以来、真理は一つ。
25 **カンペキ**な演技に観衆がどよめく。
26 各人が**キタン**なく批評し合う。
27 **ギガク**とは無言仮面劇のこと。
28 所詮**コケ**威しに過ぎない。
29 和菓子屋で**キンツバ**を買う。
30 **ケイチツ**は二十四節気の一つ。
31 落札価格は**ケタ**外れの数字だった。
32 塩**コショウ**で味つけをする。
33 孫を相手に遊んで疲労**コンパイ**だ。
34 **サジ**加減でどうにでもなる。

21 襖
22 ・苛
23 雅馴
24 開闢
25 完・璧
26 忌憚
27 ・伎楽
28 虚仮
29 金鍔
30 啓蟄
31 ・桁
32 胡椒
33 困憊
34 匙（匕）

---

35 古代文明**ヨウラン**の地を訪ねる。
36 カトレアは**ヨウラン**の一種である。
37 汚れて**イシュウ**を放つ川を浚う。
38 小さな工場が下町に**イシュウ**する。
39 **ウ**の花が群れ咲く初夏になった。
40 マスコミ報道を**ウ**呑みにしない。
41 没落した旧家を再び**オコ**す。
42 炭火を**オコ**して鰻を焼く。
43 大洋底の細長い凹所が**カイコウ**だ。
44 思いがけなく旧友と**カイコウ**した。
45 **ガイシ**は電流を絶縁する器具。
46 「**ガイシ**の誤り」を心して文を書く。
47 合格の吉報を**カクシュ**して待つ。
48 不況で**カクシュ**された後輩を雇う。

35 揺籃
36 洋蘭
37 異臭
38 蝟集
39 卯
40 鵜
41 興
42 熾
43 海溝
44 邂逅
45 碍子
46 亥豕
47 ・鶴首
48 馘首

書き取り④

目標時間 25分
合格ライン 39点
得点 ／48
月　日

● 次の傍線部分の**カタカナ**を**漢字**で記せ。

1 社内改革に**オオナタ**を振るった。
2 道の真ん中で**ウズクマ**る。
3 **クズアン**を使った料理を好む。
4 **クビキ**を逃れるべく行動した。
5 民衆の**イビ**たる様が見て取れる。
6 暖炉に薪を**ク**べる。
7 **ハコウ**している馬の様子を見る。
8 **ギセイ**世帯の定義を知る。
9 **エンマチョウ**を想像する。
10 **ガンジガラ**めで動けなくなる。

解答

1 大鉈
2 蹲（踞）
3 葛餡
4 軛・衡（頸木）
5 萎靡
6 焼
7 跛行
8 擬制
9 閻魔帳
10 雁字搦

11 兄の眼が**ランラン**と光る。
12 大量のチラシを**バラマ**く。
13 最悪の結果を**モタラ**した。
14 **フコ**を殺める。
15 そろそろ**ウラボンエ**の時期だ。
16 **セキレキ**とした様を描く。
17 親友が**シンニ**に燃える。
18 **キュウサン**のような拍手を聞く。
19 咄嗟に**キホウ**をかわす。
20 素敵な着物を**コシラ**える。

解答

11 爛爛（爛々）
12 散蒔（撒）
13 齎
14 不辜
15 盂蘭盆会
16 淅瀝
17 瞋（嗔）恚
18 急霰
19 機鋒
20 拵

21 **リョウジ**乍ら進言する。
22 **ヘキスウチ**に家を建てる。
23 外科手術で**ケッサツ**する。
24 **トシトクジン**を礼拝する社だ。
25 **カノエイヌ**は干支の一つである。
26 **アミダクジ**で順番が決まった。
27 世間を**マンチャク**した罪は重い。
28 大臣の**フウカン**に耳を傾ける。
29 数人の**ホウカン**が入室する。
30 **コウロ**を囲んで話をする。
31 喫煙は**ハツガン**のリスクが高い。
32 自分の失敗を他人に**カズ**ける。
33 話に**オヒレ**を付けて話す癖がある。
34 郷里に**ヒッソク**し静かに暮らす。

21 聊爾
22 僻陬地
23 結紮
24 歳徳神（年徳神）
25 庚戌
26 阿弥陀籤
27 瞞着（著）
28 諷諌
29 幇間
30 紅炉
31 発癌
32 被
33 尾鰭
34 •逼塞

35 蒲公英の花を髪に**カザ**した少女。
36 小手を**カザ**して遠方を見つめる。
37 **ギガ**は風刺を含んだ滑稽な絵だ。
38 その山容は**ギガ**として険しかった。
39 瓢箪は中央部に**クビ**れがある。
40 病を苦にして自ら**クビ**れ果てた。
41 切り株に躓き**コ**けてしまった。
42 げっそりと頬が**コ**ける。
43 **カジカ**蛙は谷川の岩間に棲む。
44 渓流で**カジカ**釣りを楽しんだ。
45 長編小説に**コウガイ**を添付する。
46 悪人の跋扈を**コウガイ**し悲しむ。
47 劣勢の方に**サタン**して戦う。
48 友人の粘り強さに**サタン**する。

35 挿頭
36 翳
37 戯画
38 巍峨
39 括
40 縊
41 倒（転）
42 •痩
43 •河鹿
44 鰍（鮖・杜父魚）
45 •梗概
46 慷慨
47 左袒
48 嗟嘆（歎）

書き取り⑤

目標時間 25分

合格ライン 39点

得点 ／48

月　日

● 次の傍線部分の**カタカナ**を**漢字**で記せ。

1 耳を**ツンザ**く声が聞こえる。

2 彼女が**サンサン**と涙を流す。

3 不正を**テッケツ**する所存だ。

4 各所で**サイシ**が執り行われる。

5 **ギョジ**が押された文書がある。

6 宴**タケナワ**を迎えることとなる。

7 凶暴な相手を**ケシカ**ける。

8 見事な**ドンス**の帯。

9 日々**ケンサン**を怠らない。

10 昨日から**モヤ**が晴れない。

解答

1 髣・髴
2 潸潸・潸々
3 剔抉
4 祭祀
5 御璽
6 闌・酣
7 嗾
8 緞子
9 研鑽
10 靄

11 朝のうちに**ヨシズ**を出す。

12 **バイリン**の季節になった。

13 子どもを宥め**スカ**した。

14 買ったばかりの**シオリ**を使う。

15 **ユウスイ**なる山々を見やる。

16 風紀を**ブンラン**した罪は重い。

17 **シンシ**とした木々も一興だ。

18 人目を**ハバカ**って生きる。

19 **センモウ**となり病院に運ばれる。

20 強い**マナジリ**に驚く。

解答

11 葭簀・葦簀（簾）
12 梅霖
13 賺
14 栞
15 幽邃
16 紊乱
17 参差
18 憚
19 譫妄
20 眥・睚

21 **ダビ**に付して涙する。
22 小さな我が子を**カシズ**く。
23 **ヒ**ねた考え方の少年だ。
24 圧倒的な**リョリョク**を振るう。
25 公爵に**シセキ**することとなる。
26 **インシン**を極めた都がある。
27 **ゾウヨウ**を課せられ民が苦しむ。
28 炎天下で**ツルハシ**を振り上げる。
29 屋敷で**メイエン**を催す。
30 **フンユ**に足を踏み入れる。
31 隣国と**キンタン**を啓く。
32 心配は**キユウ**に終わってほしい。
33 旅行**カタガタ**墓参をする。
34 こうだと決めたら**テコ**でも動かない。

21 荼毘
22 傅
23 陳
24 膂力
25 咫尺
26 殷賑
27 雑徭
28 鶴嘴
29 茗宴
30 枌楡
31 釁端
32 杞憂
33 旁
34 梃（梃子）

---

35 旧来の**カンコウ**に従う。
36 公表するまで**カンコウ**令を敷く。
37 **キシ**鮮明な政策が支持された。
38 己の未熟さに**キシ**する思いだ。
39 吉事と凶事に使う**ケイチョウ**費。
40 **ケイチョウ**浮薄な風潮を悲しむ。
41 恭しく宮中に**シコウ**する。
42 父が**シコウ**する飲物は洋酒である。
43 作家としての**セイカ**を高めた小説。
44 **セイカ**丹田に力を込める。
45 伽藍は**シンゲン**として静寂だった。
46 **シンゲン**は戒めとなる短句である。
47 薬草を**セン**じて飲む。
48 今さら白状しても**セン**ないことだ。

35 慣行
36 箝（鉗・拑）口
37 旗幟
38 愧死
39 慶弔
40 軽佻
41 伺候
42 嗜（耆）好
43 声価
44 臍下
45 森厳
46 箴言
47 ・煎
48 ・詮

書き取り⑥

目標時間 25分
合格ライン 39点
得点 /48
月 日

● 次の傍線部分の**カタカナ**を**漢字**で記せ。

1 集団から**ハグ**れてしまう。
2 先ほどの発言を**イブカ**る。
3 **ユカン**の方法を知る。
4 **ヒトサラ**いが起きたとの噂だ。
5 この結果は**ギャクト**し難い。
6 耳鼻**インコウ**科を探す。
7 **フツゼン**として立ち上がる。
8 相手に**ニジ**り寄る。
9 重要な**リンギ**を起案する。
10 大量の**ソダ**を運ぶ。

解答
1 逸
2 訝
3 湯灌
4 人攫(掠)
5 逆睹(覩)
6 咽喉
7 怫然
8 躙
9 稟議
10 粗(麤)朶

11 **ヨセンカイ**で歌うことになった。
12 何も**ヤマ**しいことはしていない。
13 脹脛に**ケイレン**を起こす。
14 大事な問題を**ワイショウ**化する。
15 酷暑の**ミギリ**ご自愛ください。
16 神事を行う前に**ミソギ**をする。
17 高い吊り橋の上で立ち**スク**む。
18 転んで膝に**アザ**ができた。
19 **カケヒ**を伝う水を田圃に入れる。
20 神社の参道で**カガリビ**を焚く。

解答
11 予餞会
12 疚(疾)
13 痙攣
14 矮小
15 砌
16 禊
17 竦
18 痣(黶)
19 筧(懸樋)
20 篝火

21 **バンソウコウ**で傷口を保護する。
22 自慢話を**ルル**綿々と聞かされた。
23 梨園の**キシュク**と仰がれる女形だ。
24 **コムラ**返りは水泳中に起きやすい。
25 審議が**コウチャク**し打開策を探る。
26 **エンジ**色のスクールカラー。
27 長湯をして**ウ**だってしまった。
28 **ホウレン**草をお浸しにする。
29 柿の**ヘタ**を取って皮を剥く。
30 **バラ**には香気も棘もある。
31 味噌仕立ての**シジミ**汁を飲む。
32 **シンキロウ**で有名な北陸の町。
33 **チッキョ**閉門の刑に処される。
34 正直で**テラ**いのない文章である。

21 絆創膏
22 縷縷・縷々
23 耆宿
24 腓
25 膠着（著）
26 臙（燕）脂
27 茹
28 菠薐・法蓮・鳳蓮
29 蔕
30 薔薇
31 蜆
32 蜃気楼
33 蟄居
34 衒

35 俳聖・芭蕉の**センショウ**を踏む。
36 神の名を**センショウ**し悪事を働く。
37 長身**ソウク**の力士は珍しい。
38 志を捨て、権力者の**ソウク**となる。
39 左右に高層ビルが**タイジ**している。
40 母体は健康で**タイジ**の発育もよい。
41 大地震で**トウカイ**した高速道路。
42 **トウカイ**癖のある人は御し難い。
43 平和記念公園は**バクシン**地にある。
44 **バクシン**する蒸気機関車を撮る。
45 餌を啄む鶏の**ヒナ**。
46 都から**ヒナ**に流謫された。
47 **ミョウガ**に余る御利益を授かる。
48 **ミョウガ**を薬味として使う。

35 先蹤
36 僭称
37 痩軀
38 走狗
39 対峙
40 胎児
41 倒壊（潰）
42 韜晦
43 爆心
44 驀進
45 雛
46 鄙
47 冥加
48 茗荷

書き取り⑦

● 次の傍線部分の**カタカナ**を**漢字**で記せ。

1 小麦粉に水を加えて**コ**ねる。
2 彼は名声**サクサク**たる作家だ。
3 **ギジョウヘイ**が元首を警護する。
4 建物に重大な**カシ**が見つかる。
5 澄んだ夜空に**スバル**が輝く。
6 **トウイス**に腰掛け、庭を眺める。
7 旧弊な慣習の**クビキ**から解放される。
8 **フゲキ**が一心に祈禱を行う。
9 独立の気運が社会に**ハイタイ**した。
10 民衆の**エンサ**の声が高まる。

解答
1 捏
2 嘖嘖（嘖々）
3 儀仗兵
4 瑕疵
5 昴
6 籐椅（倚）子
7 軛・衡（頸木）
8 巫覡
9 胚胎
10 怨嗟

11 **マジロ**ぎもせず音の鳴る方を見つめる。
12 満月を過ぎて、**キボウ**の月が昇る。
13 帯状**ホウシン**の治療を受ける。
14 赤い**ユウヤク**が印象的な小鉢だ。
15 仲の良い二人を**ハヤ**し立てる。
16 その評論は**コウケイ**に中っている。
17 異国で三度**キュウカツ**を易う。
18 節は**ショショ**に入り暑さが和らぐ。
19 宮大工としての**キョウジ**を持つ。
20 政敵が失脚し、**ホクソエ**む。

解答
11 瞬
12 既望
13 疱疹
14 釉薬
15 囃
16 肯綮
17 裘葛
18 処暑
19 矜恃（持）
20 北叟笑

21 大声で**ドウカツ**されても動じない。
22 幼子が**アカダナ**に花を供える。
23 館内は**ヒトイキ**れでむっとする。
24 驚いて石像のように**チョリツ**する。
25 **ルシャナ**仏の開眼供養が営まれる。
26 **テンダイ**の筆を揮って啓蒙に努める。
27 蕎麦を**ザル**に盛る。
28 作戦に失敗し**フリョ**となった。
29 **チョウシュウシャ**流のやり口に我慢ならない。
30 家庭内の不快な**フンウン**に悩む。
31 加齢と共に舌の**ミライ**が損なわれる。
32 犯人を逃して**ハギシ**りする。
33 世紀末的な**タイトウ**趣味に陶酔する。
34 酒の肴に浅蜊と分葱の**ヌタ**を作る。

21 恫喝（愒）
22 閼伽棚
23 人熱（熅）
24 佇立
25 盧（廬）舎那
26 椽大
27 笊
28 俘虜
29 長袖者
30 紛紜
31 味蕾
32 歯軋
33 頽唐
34 饅

35 大病を患いわずかに**ザンゼン**を保つ。
36 **ザンゼン**として頭角を現す。
37 驕る権力者に**ヒッチュウ**を加える。
38 彼の博学は**ヒッチュウ**を見ない。
39 稲の実を玄米と**モミ**に分ける。
40 クリスマスには**モミ**の木を飾る。
41 湖の**ヨウセイ**に出会う童話である。
42 教え子の**ヨウセイ**を悼む。
43 交通事故の負傷者を**タンカ**で運ぶ。
44 江戸っ子が**タンカ**を切る。
45 結婚して**インセキ**関係となった。
46 流星が燃え尽きず**インセキ**となる。
47 **カンタン**相照らし、友情が深まる。
48 人生は**カンタン**の夢の如し。

35 残喘
36 嶄然
37 筆誅
38 匹儔
39 籾
40 樅
41 妖精
42 夭逝
43 担架
44 啖呵
45 姻戚
46 隕石
47 肝胆
48 邯鄲

書き取り⑦

国字①

● 次の傍線部分の**カタカナ**を**国字**で記せ。

1 着物の**ツマ**を取って歩く。
2 **イスカ**の嘴。
3 伝統的な**カザリ**職の技を受け継ぐ。
4 外では**コガラシ**が吹き荒れている。
5 足袋の**コハゼ**を掛ける。
6 墓前に**シキミ**と花を供える。
7 横柄な態度が**シャク**に障る。
8 名古屋城の金の**シャチホコ**は有名だ。
9 **ソマ**木を運び出す。
10 浜辺で**チドリ**が悲しげに鳴く。

解答
1 褄　2 鶍　3 錺　4 凩　5 鞐　6 梻　7 癪　8 鯱　9 杣　10 鵆

11 入り口が狭くて荷物が**ツカ**える。
12 一**デシリットル**の水で薄める。
13 琵琶《びわ》湖を**ニオ**の海ともいう。
14 **ヤガ**て実りの季節を迎える。
15 **エソ**は上等な蒲鉾の原料に使われる。
16 父の**オモカゲ**を伯父の笑顔に見た。
17 赤城**オロシ**は上州の名物だ。
18 おせち料理に**カズノコ**は欠かせない。
19 **カマス**には穀物や肥料を入れる。
20 **キス**は天麩羅にするとおいしい。

解答
11 閊　12 竕　13 鳰　14 軈　15 鱛　16 俤　17 颪　18 鯑　19 叺　20 鱚

目標時間 20分
合格ライン 39点
得点 ／48
月　日

21 秋の林の中で**クヌギ**や樫の実を拾う。
22 **ゴザ**の上で弁当を広げる。
23 **ゴリ**の甘露煮は美味だ。
24 谷がさらに狭まった所を**サコ**という。
25 伝統的な**ササラ**踊りを受け継ぐ。
26 **サテ**、そろそろ仕事を始めようか。
27 私の言うことを**シカ**と聞きなさい。
28 母親は**シツケ**に厳しかった。
29 洗った反物を**シンシ**張りで乾かす。
30 彼は**スイ**臓を悪くして入院した。
31 屋根から雪が**スベ**り落ちてきた。
32 吹雪の中、**ソリ**を走らせた。
33 着物に**タスキ**掛けで仕事をする。
34 左手首に**トモ**を付けて弓を射る。

21 椚
22 蓙
23 鮴
24 逧
25 簓
26 扨
27 聢
28 躾
29 籡
30 膵
31 辷
32 艝・轌
33 襷
34 鞆

35 四**トン**積みのトラックで引っ越す。
36 一**フィート**は約三十糎である。
37 山の**フモト**に一軒の家がある。
38 家の回りをブロック**ベイ**で囲んだ。
39 若武者は**ホロ**を靡かせ馬を駆った。
40 一**ミリグラム**は一グラムの千分の一。
41 庭先に生えた雑草を**ムシ**り取る。
42 一**モンメ**は三・七五グラムの重さである。
43 白壁に真っ青な窓**ワク**が美しい。
44 **イカル**の嘴は太くて黄色い。
45 **イリ**を作って水量を調節する。
46 美しい**ウン**繝錦の織物である。
47 上州は**カカア**天下と空っ風が有名だ。
48 **カケス**は樫の実を好んで食べる。

35 瓲・噸
36 呎
37 梺
38 塀
39 袰
40 瓱
41 毟・挘
42 匁
43 枠
44 鵤
45 圦
46 繧
47 嬶
48 鵥

国字②

● 次の傍線部分の**カタカナ**を**国字**で記せ。

1 子は**カスガイ**。
2 **カスリ**の着物に兵児帯がよく似合う。
3 **ガロン**は、体積の単位である。
4 **キクイタダキ**は極めて小型の鳥だ。
5 五**キログラム**の減量に成功した。
6 **クルマ**引きが観光客を乗せて走る。
7 弟子に伝統技術を教え**コ**んだ。
8 **コチ**は暖かい海の砂地にすむ魚だ。
9 **コノシロ**はコハダとも言い、鮨種になる。
10 **セガレ**が家業を継いでくれた。

解答

1 鎹
2 緕・綛
3 呏
4 鶎
5 瓩
6 俥
7 込
8 鯒・鮲
9 鮗
10 躮

11 猫が炬**タツ**の中で寝ている。
12 **テ**爾遠波を間違えずに使う。
13 粉末を一**デシグラム**ずつ分包する。
14 **ウグイ**は赤腹や赤魚とも呼ばれる。
15 将棋では**トテ**も君にはかなわない。
16 **ナマズ**に瓢簞。
17 **ハタハタ**をしょっつる鍋に入れる。
18 刀身が抜けないよう**ハバキ**をはめこむ。
19 **サバ**の味噌煮は大好物だ。
20 **ムロ**は杜松《ねず》の古名で、常緑針葉樹である。

解答

11 燵
12 弖
13 瓰
14 鯎・鯏
15 迚
16 鯰・鮎
17 鱩・鰰
18 鎺
19 鰚
20 榁

目標時間 20分

合格ライン 39点

得点 ／48

月 日

21 くさやは材料に**ムロアジ**を使う。
22 **ヤナ**を仕掛けて鮎をとる。
23 背広の**ユキ**を調整してもらう。
24 敵ながら**アッパレ**な戦いぶりだった。
25 **アワビ**の刺身を食べる。
26 **アンコウ**の吊し切りは有名だ。
27 うどんは**ウン**飩のンが略されたものだ。
28 **エビ**で鯛を釣る。
29 魚の通路に**エリ**を仕掛ける。
30 官軍は**オオヅツ**で幕府軍を攻めた。
31 **オオボラ**は名前の変わる出世魚だ。
32 緋**オドシ**の鎧を身に着けて出陣した。
33 木綿糸を**カセ**に巻き取る。
34 **カミシモ**は江戸時代の武士の正装。

21 鯥
22 簗
23 裄
24 遖
25 鮑
26 鮟鱇
27 饂
28 蛯
29 魞
30 熕
31 鯱
32 縅
33 桛・綛
34 裃

35 一**キロリットル**は千リットルである。
36 **コウ**纈は古くからの染色法である。
37 **コウジ**は醤油や酒造りに欠かせない。
38 壁の下地に**コマイ**を組む。
39 **サカホコ**は国産みに使われたという。
40 **シギ**が水辺で餌を探している。
41 氷柱の先から**シズク**が滴り落ちる。
42 山羊の乳を**シボ**る。
43 お上の御**ジョウ**でござる。
44 亀裂を防ぐため壁土に**スサ**を混ぜる。
45 社会に寄生する**ダニ**のような人物だ。
46 **ツグミ**は秋に北方から渡ってくる。
47 話の**ツジツマ**が合わない。
48 修理を終えた機械を稼**ドウ**させる。

35 竏
36 纐
37 糀
38 椙
39 鑓
40 鴫
41 雫
42 搾
43 諚
44 莇
45 蟎
46 鶫
47 辻褄
48 働

国字③

● 次の傍線部分の**カタカナ**を**国字**で記せ。

1 **トウゲ**からの眺望は抜群だ。
2 **ドジョウ**鍋を柳川とも言う。
3 **ナタ**で下枝打ちをした。
4 登山道の**マタ**に差し掛かる。
5 食卓に**ヌカミソ**漬は欠かさない。
6 二国間の**ハザマ**で対処に苦慮する。
7 広大な麦**バタケ**が広がる。
8 **ハンゾウ**に水を入れて口や手を洗う。
9 **ブリキ**製の玩具を収集する。
10 **ヘクトリットル**は一立の百倍である。

解答

1 峠
2 鯲
3 鉈
4 俣
5 粏
6 硲
7 畠・畑
8 椣
9 錻
10 竡

11 北海道では泥炭地を俗に**ヤチ**という。
12 **アサリ**の酒蒸しを作る。
13 渓流で**イワナ**を釣る。
14 **トキ**は天然記念物で国際保護鳥だ。
15 お上が定めた**オキテ**に従う。
16 **カシ**の果実は俗にどんぐりという。
17 **カジカ**は清らかな水の流れを好む。
18 今は機械で**サク**乳するようになった。
19 **ハラカ**は鱒や鯇の異名と言われる。
20 **スバシリ**とは鯔の稚魚のことである。

解答

11 萢
12 蜊
13 鮇
14 鴇
15 掟
16 樫
17 鮖
18 搾
19 鰚
20 鮁

21 甲状**セン**ホルモン分泌が低下する。

22 一**センチグラム**は一グラムの百分の一。

23 二十**センチメートル**の定規を使う。

24 糀**タ**味噌を作る。

25 一**デカグラム**の砂糖を量る。

26 五**デカリットル**の寸胴鍋を使う。

27 **トチ**の実で団子を作る。

28 夕**ナギ**の時の蒸し暑さは一入だ。

29 台所からよい**ニオ**いが流れてきた。

30 一**ヘクトグラム**は一瓦の百倍。

31 緑色の**マス**目の原稿用紙に書く。

32 **マロ**は、自分を指して言う語。

33 大さじ一杯は十五**ミリリットル**である。

34 米を脱穀して**モミ**がらを取る。

21	22	23	24	25	26	27	28	29	30	31	32	33	34
・腺	瓱	糎	粏	瓧	竍	・栃	凪	・匂	瓸	枡	麿	竓	籾

35 氷に穴をあけて**ワカサギ**を釣る。

36 **アオサバ**は焼いても煮てもおいしい。

37 お上の**オオ**せである。

38 俺の**カカ**は料理がうまい。

39 砲**コウ**は大砲のことである。

40 一**センチリットル**は一立の百分の一。

41 一**ヘクトメートル**は百米である。

42 写真を画**ビョウ**で止めた。

43 **マテ**は二枚貝の一種である。

44 **イサザ**は淡水魚である。

45 **シャチ**はくじらの仲間である。

46 一**デカメートル**毎に印をつけた。

47 **ヤリ**の名手と呼ばれる。

48 **ニエ**のきらきらした輝きに見入る。

35	36	37	38	39	40	41	42	43	44	45	46	47	48
鰙	鯖	諚	嬶	熕	竰	粨	鋲	鮇	魦	鯱	籵	鑓	錵

国字③

語選択 書き取り①

目標時間 20分

合格ライン 28点

得点 ／34

月 日

● 次の意味を的確に表す語を、左の□から選び、**漢字**で記せ。

1 才能や地位などを包み隠すこと。

2 不快に感じて顔をしかめること。

3 横から口を出すこと。

4 周囲をにらみつけること。

5 意志が固く人と妥協しないこと。

6 いろいろ経験を積み、悪賢いこと。

7 春風の肌寒いさま。

けんかい・こうかい・ぜいげん・そしゃく
とうかい・ひんしゅく・へいげい
ようかい・りょうしょう・ろうかい

解答

1 韜晦《とうかい》
2 顰蹙《ひんしゅく》
3 容喙《ようかい》
4 睥睨《へいげい》・俾倪
5 狷介《けんかい》
6 老獪《ろうかい》
7 料峭《りょうしょう》

8 悲しみで大声をあげて泣くこと。

9 素早く荒々しいこと。

10 長い間治らない病気のこと。

11 退屈なこと。

12 わざと事実を偽って告げること。

13 他機関などに意見を求めること。

14 性質が残忍で荒々しいこと。

こうまい・しじゅん・しゅくあ・しんし
だほ・どうこく・どうもう・ひょうかん
ぶこく・ぶりょう

解答

8 慟哭《どうこく》
9 剽《ひょう》(慓)悍《かん》
10 宿痾《しゅくあ》
11 無聊《ぶりょう》
12 誣告《ぶこく》
13 諮《し》(咨)詢《じゅん》
14 獰猛《どうもう》

15 おぎない、役立つこと。
16 失敗すること。
17 山が高くけわしい様子。
18 広く世の中に知れ渡ること。
19 気ままに振る舞うこと。
20 気分が少しすぐれないこと。
21 面白く気の利いたことば。
22 学識などをひけらかす心持ち。
23 限りなく広い様子。
24 奥深くてもの静かなこと。

かいぎゃく・かいしゃ・かつもく
きょうまん・げんき・けんらん・さてつ
しょうしゅん・ぜんどう・ひえき・びよう
ひょうびょう・ほうらつ・ゆうすい

15 裨《ひ》（俾）益《えき》
16 蹉跌《さてつ》
17 峭峻《しょうしゅん》
18 膾炙《かいしゃ》
19 放埒《ほうらつ》
20 微恙《びよう》
21 諧謔《かいぎゃく》
22 衒気《げんき》
23 縹緲《ひょうびょう》（渺・眇）
24 幽邃《ゆうすい》

25 落ちぶれた境遇になること。
26 のけものにすること。
27 縮めてひきしめること。
28 けちで欲ばりなこと。
29 からかうこと。
30 そしること。
31 すっきりとしてあかぬけた様子。
32 涙がとめどなく流れる様子。
33 書画・詩文が力強く勢いのよいこと。
34 目先の安楽をむさぼること。

かつもく・がんしゅう・げんうん
けんどん・しゅうれん・しょうしゃ
ちんりん・てんゆ・とうあん・ひぼう
ひんせき・ぼうだ・やゆ・ゆうこん

25 沈淪《ちんりん》
26 擯斥《ひんせき》
27 収斂《しゅうれん》
28 慳貪《けんどん》
29 揶揄《やゆ》
30 誹謗《ひぼう》
31 瀟洒《しょうしゃ》（灑）
32 滂沱《ぼうだ》
33 雄渾《ゆうこん》
34 偸安《とうあん》

語選択　書き取り②

●次の意味を的確に表す語を、左の□から選び、**漢字**で記せ。

1　味方したり、加勢すること。
2　忙しく働き暇のないこと。
3　導き助けること。
4　不正や過失などをとがめしかること。
5　品位や体面のこと。
6　特に目をかけること。
7　同様の性質のものが含まれる領域。

おうしょう・おえつ・けんこ・けんせき こけん・さたん・ざんし・はんちゅう ほうへん・ゆうえき

解答

1　左《さ》袒《たん》
2　鞅《おう》掌《しょう》
3　誘《ゆう》掖《えき》
4　譴《けん》責《せき》
5　沽《こ》(估)券《けん》
6　眷《けん》顧《こ》
7　範《はん》疇《ちゅう》

8　動けないほどつかれ弱ること。
9　頭の働きがすぐれ、かしこいこと。
10　冬ごもりの虫が地中から出るころ。
11　天子の政治をたすけること。
12　敵の軍用品・兵器を奪い取ること。
13　蓄えた深い学問や知識。
14　うちこらしめること。

うんちく・えんざい・けいちつ じゅうりん・しょうりょう・ひはい ほひつ・ようちょう・れいり・ろかく

解答

8　疲《ひ》憊《はい》
9　怜《れい》悧《り》・伶俐
10　啓《けい》蟄《ちつ》
11　輔《ほ》(補)弼《ひつ》
12　鹵《ろ》獲《かく》
13　蘊《うん》(薀)蓄《ちく》
14　膺《よう》懲《ちょう》

目標時間　20分

合格ライン　28点

得　点　／34

月　日

15 他人の言いなりで利用される者。
16 続いていたことがとぎれること。
17 事情や心情を十分に考えること。
18 前の時代の実例のこと。
19 世の人を教え導く人。
20 人の仲が悪くなること。
21 人の心をひきつけたぶらかすこと。
22 人々の心をうまくとらえること。
23 深く恥じ入ること。
24 心中をうちあけること。

あつれき・いんしん・かいらい
こうじつ・こわく・じくじ・しゅうらん
しょうよう・しんしゃく・せんしょう
とぜつ・ひれき・へんさ・ぼくたく

15 傀儡《かいらい》
16 杜《と》（途）絶《ぜつ》
17 斟酌《しんしゃく》
18 先蹤《せんしょう》
19 木鐸《ぼくたく》
20 軋轢《あつれき》
21 蠱惑《こわく》
22 収攬《しゅうらん》
23 忸怩《じくじ》
24 披瀝《ひれき》

25 心が曲がり、人にへつらうこと。
26 飾り気がなく無口なこと。
27 筆で書画を書くこと。
28 獣などがほえたけること。
29 主義・主張などを公然と示すこと。
30 実際に見ること。
31 自分を信じて抱く誇りのこと。
32 詩や書画などが力強いこと。
33 妨げとなる困難のこと。
34 思うようにいかずあせること。

あいろ・かんねい・きごう・きょうじ
きょごう・けいがい・しそう
しょうそう・ちんめん・ひょうぼう
ほうこう・ぼくとつ・もくと・ゆうけい

25 奸《かん》（姦）佞《ねい》
26 朴《ぼく》（木）訥《とつ》
27 揮毫《きごう》
28 咆哮《ほうこう》
29 標榜《ひょうぼう》
30 目睹《もくと》
31 矜恃《きょうじ》（持）
32 雄勁《ゆうけい》
33 隘路《あいろ》
34 焦燥《しょうそう》（躁）

語選択 書き取り③

目標時間 20分

合格ライン 28点

得点 ／34

月　日

● 次の意味を的確に表す語を、左の□から選び、**漢字**で記せ。

1 思いのままに動きまわること。
2 思いがけなく出あうこと。
3 罪をあがなうこと。
4 罪ある者を攻め討つこと。
5 困っている者を助け、恵むこと。
6 多くの人々が行動を共にすること。
7 物事の本質などを考えること。

かいこう・きゅうじゅつ・けいけん
さんたん・しい・しょくざい・ちてい
ちゅうちょう・ちゅうばつ・れんべい

解答
1 馳騁《ちてい》
2 邂逅《かいこう》
3 贖罪《しょくざい》
4 誅伐《ちゅうばつ》
5 救恤《きゅうじゅつ》
6 連《れん》(聯)袂《べい》
7 思惟《しい》

8 見識が狭くかたくなな様子。
9 互いに利害関係が密接であること。
10 呼吸時に出るぜいぜいという雑音。
11 月日が次第に過ぎてゆくさま。
12 決断をためらうこと。
13 欠点や悪事をあばきだすこと。
14 欠点やきずのこと。

かし・げんうん・こうかつ・ころう
しゅんじゅん・しんし・じんぜん
ぜんめい・てっけつ・ほうへん

解答
8 固陋《ころう》
9 唇歯《しんし》
10 喘鳴《ぜんめい》
11 荏苒《じんぜん》
12 逡巡《しゅんじゅん》
13 剔抉《てっけつ》
14 瑕疵《かし》

15 つまずいて転ぶさま。
16 苦しんでうめくこと。
17 区別がはっきりしていること。
18 過度に物惜しみすること。
19 驚きあきれて目をみはること。
20 教訓や戒めとなる短い言葉。
21 他を陥れるために嘘を言うこと。
22 逆らいもとること。
23 いつわって欺くこと。
24 俸給が僅かなこと。また、度量の狭いこと。

いんしん・かいれい・がんしゅう・けっさ
こうじつ・さだ・ざんぶ・しんぎん
しんげん・しんし・せつぜん
どうじゃく・とそう・りんしょく

15 蹉跎《さだ》
16 呻吟《しんぎん》
17 截然《せつぜん》
18 吝嗇《りんしょく》
19 瞠若《どうじゃく》
20 箴言《しんげん》
21 讒誣《ざんぶ》
22 乖戻《かいれい》
23 譎詐《けっさ》
24 斗筲《とそう》

25 くどくどと述べること。
26 そばで干渉して自由に行動させないこと。
27 官職などをとりあげること。
28 楽器の音などが冴え渡る様子。
29 楽しげに事をする様子。
30 学問の深い人のこと。
31 老いて学徳・経験のそなわった老人。
32 帝位などを掠取すること。
33 表現などが遠回しなこと。
34 見知って頂いていること。

えんきょく・きしゅく・きんぜん・こうじゅ
さんだつ・しょうしゃ・じょくち
じょせつ・せいちゅう・ちだつ・ちんめん
てんゆ・りゅうりょう・りょこう

25 絮説《じょせつ》
26 掣肘《せいちゅう》
27 褫奪《ちだつ》
28 嚠喨《りゅうりょう》
29 欣《きん》(忻)然《ぜん》
30 鴻儒《こうじゅ》
31 耆宿《きしゅく》
32 簒奪《さんだつ》
33 婉曲《えんきょく》
34 辱知《じょくち》

四字熟語①

目標時間 20分

合格ライン 54点

得点 ／60

月　日

● 次の四字熟語について、問1～問4に答えよ。

問1 次の四字熟語の（1～10）に入る適切な語を左の□から選び**漢字二字**で記せ。

ア（1）追従
イ（2）虚喝
ウ（3）奔放
エ（4）落月
オ（5）同音
カ 切歯（6）
キ 造次（7）
ク 桃李（8）
ケ 暴虎（9）
コ 隔靴（10）

あゆ・おくりょう・しょうけい
せいけい・そうよう・てんぱい
どうぎ・ひょうが・ふき
やくわん

解答

1 阿諛追従《あゆついしょう》
2 恫疑虚喝《どうぎきょかつ》
3 不羈奔放《ふきほんぽう》
4 屋梁落月《おくりょうらくげつ》
5 笙磬同音《しょうけいどうおん》
6 切歯扼腕《せっしやくわん》
7 造次顚沛《ぞうじてんぱい》
8 桃李成蹊《とうりせいけい》
9 暴虎馮河《ぼうこひょうが》
10 隔靴掻痒《かっかそうよう》（癢）

問3 次の四字熟語の（1～10）に入る適切な語を左の□から選び**漢字二字**で記せ。

ア（1）羽衣
イ（2）・臆測
ウ（3）兼道
エ（4）蒼生
オ（5）万鈞
カ 鬼哭（6）
キ 宵衣（7）
ク 星火（8）
ケ 竜頭（9）
コ 老驥（10）

かんしょく・げいしょう・げきしゅ
しま・しゅうしゅう・しんや
ふくれき・らいてい・りょうげん
りんう

解答

1 霓裳羽衣《げいしょううい》
2 揣摩臆測《しまおくそく》
3 晨夜兼道《しんやけんどう》
4 霖雨蒼生《りんうそうせい》
5 雷霆万鈞《らいていばんきん》
6 鬼哭啾啾《きこくしゅうしゅう》（々）
7 宵衣旰食《しょういかんしょく》
8 星火燎原《せいかりょうげん》
9 竜頭鷁首《りゅうとうげきしゅ》
10 老驥伏櫪《ろうきふくれき》

問2 次の1～5の**解説・意味**にあてはまる四字熟語を後の□から選び、その**傍線部分だけの読み**を**ひらがな**で記せ。

1 非常に珍しい話。

2 賢人や美人の死のたとえ。

3 動くものがなく、静まりかえった様子のこと。

4 礼儀が欠ける振る舞い。

5 わずかな俸禄。

異聞奇譚・鴉雀無声・槐門棘路
斗斛之禄・佩韋佩弦・蘭摧玉折
郢書燕説・袒裼裸裎

解答

1 きたん（異《い》聞《ぶん》奇《き》譚《たん》）

2 らんさい（蘭《らん》摧《さい》玉《ぎょく》折《せつ》）

3 あじゃく（鴉《あ》雀《じゃく》無《む》声《せい》）

4 たんせき（袒《たん》裼《せき》裸《ら》裎《てい》）

5 とこく（斗《と》斛《こく》之《の》禄《ろく》）

問4 次の1～5の**解説・意味**にあてはまる四字熟語を後の□から選び、その**傍線部分だけの読み**を**ひらがな**で記せ。

1 戦いをやめて、文治によって太平な世の中を築くこと。

2 時は貴重で大切であることのたとえ。

3 礼儀や形式が細々として煩雑であること。

4 美しいものが目の前に溢れていること。

5 苦学のたとえ。

琳琅満目・偃武修文・禍福倚伏
繁文縟礼・尺璧非宝・英姿颯爽
車胤聚蛍・意識朦朧

解答

1 えんぶ（偃《えん》武《ぶ》修《しゅう》文《ぶん》）

2 せきへき（尺《せき》璧《へき》非《ひ》宝《ほう》）

3 じょくれい（繁《はん》文《ぶん》縟《じょく》礼《れい》）

4 りんろう（琳《りん》琅《ろう》満《まん》目《もく》）

5 しゅうけい（車《しゃ》胤《いん》聚《しゅう》蛍《けい》）

四字熟語②

- 次の四字熟語について、問1～問4に答えよ。

問1 次の四字熟語の（1～10）に入る適切な語を左の□から選び**漢字二字**で記せ。

ア （1）不遇
イ （2）蹐地
ウ （3）蛇行
エ （4）下石
オ （5）同心

カ 曲突（6）
キ 豪放（7）
ク 春風（8）
ケ 寸草（9）
コ 蒼蠅（10）

かんか・きび・きょくてん ししん・しゅんき・たいとう とせつ・らいらく・らくせい りくりょく

解答

1 轗軻《かんか》不遇《ふぐう》
2 跼《きょく》（局）天蹐地《てんせきち》
3 斗折《とせつ》蛇行《だこう》
4 落穽《らくせい》下石《かせき》
5 戮力《りくりょく》同心《どうしん》
6 曲突《きょくとつ》徙薪《ししん》
7 豪放《ごうほう》磊落《らいらく》
8 春風《しゅんぷう》駘蕩《たいとう》
9 寸草《すんそう》春暉《しゅんき》
10 蒼蠅《そうよう》驥尾《きび》

問3 次の四字熟語の（1～10）に入る適切な語を左の□から選び**漢字二字**で記せ。

ア （1）・虎頸
イ （2）千金
ウ （3）黄馘
エ （4）蓬矢
オ （5）相和

カ 衆口（6）
キ 舞文（7）
ク 狗尾（8）
ケ 瞻望（9）
コ 一気（10）

えんがん・かせい・きんしつ こうこう・しさ・しゃくきん そうこ・ぞくちょう・へいそう ろうほう

解答

1 燕頷《えんがん》虎頸《こけい》
2 弊《へい》（敝）帚千金《そうせんきん》
3 槁項《こうこう》黄馘《こうかく》
4 桑弧《そうこ》蓬矢《ほうし》
5 琴瑟《きんしつ》相和《そうわ》
6 衆口《しゅうこう》鑠金《しゃくきん》
7 舞文《ぶぶん》弄法《ろうほう》
8 狗尾《くび》・続貂《ぞくちょう》
9 瞻望《せんぼう》咨嗟《しさ》
10 一気《いっき》呵成《かせい》

目標時間 20分

合格ライン 54点

得点 ／60 月 日

問2 次の1〜5の**解説・意味**にあてはまる四字熟語を後の□から選び、その**傍線部分だけの読み**を**ひらがな**で記せ。

1 固く意志を守って、他人を受け入れないこと。

2 寝ても冷めても忘れないこと。

3 意思が強く、飾り気のないこと。

4 心静かでわだかまりがなく、さっぱりしていること。

5 無実の疑いをかけられること。

剛毅木訥・虚静恬淡・窃玉偸香
狷介固陋・薏苡明珠・蹈常襲故
彗氾画塗・寤寐思服

解答

1 ころう（狷介固陋《けんかいころう》）

2 ごび（寤寐思服《ごびしふく》）

3 ぼくとつ（剛毅木訥《ごうきぼくとつ》）

4 てんたん（虚静恬淡《きょせいてんたん》）

5 よくい（薏苡明珠《よくいめいしゅ》）

問4 次の1〜5の**解説・意味**にあてはまる四字熟語を後の□から選び、その**傍線部分だけの読み**を**ひらがな**で記せ。

1 自然を通じて、風流を愛すること。

2 書画や文章の勢いがあること。

3 風雨にさらされ、苦労して働くこと。

4 金銀宝石などで飾り付けた美しい髪飾りのこと。

5 かやぶきの垣根がある粗末な田舎の家。

宝鈿玉釵・嘯風弄月・茅堵蕭然
迦陵頻伽・兎起鶻落・大貉小貉
懐宝迷邦・風鬟雨鬢

解答

1 しょうふう（嘯風弄月《しょうふうろうげつ》）

2 こつらく（兎起鶻落《ときこつらく》）

3 ふうかん（風鬟雨鬢《ふうかんうびん》）

4 ぎょくさい（宝鈿玉釵《ほうでんぎょくさい》）

5 ぼうと（茅堵蕭然《ぼうとしょうぜん》）

四字熟語③

目標時間 20分

合格ライン 54点

得点 ／60
月　日

● 次の四字熟語について、問1～問4に答えよ。

問1 次の四字熟語の（1～10）に入る適切な語を左の□から選び**漢字二字**で記せ。

ア（1）斉駆
イ（2）三絶
ウ（3）取義
エ（4）蟬噪
オ（5）来臨
カ 因循（6）
キ 右顧（7）
ク 横行（8）
ケ 海市（9）
コ 桑田（10）

あめい・いへん・おうが
かっぽ・こうしょ・さべん
しんろう・そうかい・だんしょう
へいが

解答
1 並駕斉駆《へいがせいく》
2 韋編三絶《いへんさんぜつ》
3 断章取義《だんしょうしゅぎ》
4 蛙鳴蟬噪《あめいせんそう》
5 枉駕来臨《おうがらいりん》
6 因循苟且《いんじゅんこうしょ》
7 右顧左眄《うこさべん》
8 横行闊歩《おうこうかっぽ》
9 海市蜃楼《かいししんろう》
10 桑田滄海《そうでんそうかい》

問3 次の四字熟語の（1～10）に入る適切な語を左の□から選び**漢字二字**で記せ。

ア（1）雷鳴
イ（2）大悟
ウ（3）災梨
エ（4）籠鳥
オ（5）万丈
カ 拳拳（6）
キ 光風（7）
ク 載籍（8）
ケ 七縦（9）
コ 炊金（10）

かそう・かつぜん・がふ
かんえん・こうかん・しちきん
せいげつ・せんぎょく・はらん
ふくよう

解答
1 瓦釜雷鳴《がふらいめい》
2 豁然大悟《かつぜんたいご》
3 禍棗災梨《かそうさいり》
4 檻猿籠鳥《かんえんろうちょう》
5 波瀾万丈《はらんばんじょう》
6 拳拳服膺《けんけんふくよう》
7 光風霽月《こうふうせいげつ》
8 載籍浩瀚《さいせきこうかん》
9 七縦七擒《しちしょうしちきん》
10 炊金饌玉《すいきんせんぎょく》

問2 次の1〜5の**解説・意味**にあてはまる四字熟語を後の□から選び、その**傍線部分だけの読み**を**ひらがな**で記せ。

1 美しい人のこと。
2 見渡す限り、ものさびしい様子。
3 国が滅ぶことを悲しむこと。
4 自分本来を忘れて他人のまねをして、両方うまくいかなくなること。
5 状況に応じた適切な対応をすること。

銅駝荊棘・満目蕭条・怨女曠夫
曼理皓歯・氷姿雪魄・磊磊落落
深厲浅掲・邯鄲之歩

解答

1 まんり（曼理皓歯《まんりこうし》）
2 しょうじょう（満目蕭条《まんもくしょうじょう》）
3 けいきょく（銅駝荊棘《どうだけいきょく》）
4 かんたん（邯鄲之歩《かんたんのほ》）
5 しんれい（深厲浅掲《しんれいせんけい》）

問4 次の1〜5の**解説・意味**にあてはまる四字熟語を後の□から選び、その**傍線部分だけの読み**を**ひらがな**で記せ。

1 贅沢を極めること。
2 やかましく騒ぎたててうるさい様子。
3 戦いが終わって平和になったこと。
4 学問や才能にすぐれた女性。
5 いたるところに悪人がいること。

閨英闈秀・嘔啞嘲哳・面折廷諍
倒載干戈・金塊珠礫・按図索驥
蠹居棊処・魑魅魍魎

解答

1 しゅれき（金塊珠礫《きんかいしゅれき》）
2 ちょうたつ（嘔啞嘲哳《おうあちょうたつ》）
3 かんか（倒載干戈《とうさいかんか》）
4 いしゅう（閨英闈秀《けいえいいしゅう》）
5 ときょ（蠹居棊処《ときょきしょ》）

四字熟語④

● 次の四字熟語について、問1～問4に答えよ。

問1 次の四字熟語の（1～10）に入る適切な語を左の□から選び**漢字二字**で記せ。

ア（1）塩車
イ（2）舜木
ウ（3）千里
エ（4）添花
オ（5）深識

カ 酔歩（6）
キ 草満（7）
ク 彫心（8）
ケ 彫虫（9）
コ 肉山（10）

きふく・ぎょうこ・きんじょう・こうらん・じくろ・てんこく・ほりん・まんさん・るこつ・れいご

解答

1 驥服塩車《きふくえんしゃ》
2 尭鼓舜木《ぎょうこしゅんぼく》
3 舳艫千里《じくろせんり》
4 錦上添花《きんじょうてんか》
5 洽覧深識《こうらんしんしき》
6 酔歩蹣跚《すいほまんさん》
7 草満囹圄《そうまんれいご》（圉）
8 彫心鏤骨《ちょうしんるこつ》
9 彫虫篆刻《ちょうちゅうてんこく》
10 肉山脯林《にくざんほりん》

問3 次の四字熟語の（1～10）に入る適切な語を左の□から選び**漢字二字**で記せ。

ア（1）素餐
イ（2）簡明
ウ（3）不食
エ（4）折衝
オ（5）三顧

カ 博引（6）
キ 八面（7）
ク 被髪（8）
ケ 飛揚（9）
コ 筆削（10）

えいかん・しい・せいせつ・そうろ・そんそ・ちょくせつ・ばっこ・ぼうしょう・ほうへん・れいろう

解答

1 尸位素餐《しいそさん》
2 直截簡明《ちょくせつかんめい》
3 井渫不食《せいせつふしょく》
4 樽《そん》（尊）俎折衝《そせっしょう》
5 草廬三顧《そうろさんこ》
6 博引旁証《はくいんぼうしょう》
7 八面玲瓏《はちめんれいろう》
8 被髪纓冠《ひはつえいかん》
9 飛揚跋扈《ひようばっこ》
10 筆削褒貶《ひっさくほうへん》

目標時間 20分

合格ライン 54点

得点 ／60

月　日

問2 次の1～5の**解説・意味**にあてはまる四字熟語を後の□から選び、その**傍線部分だけの読み**を**ひらがな**で記せ。

1 人品が気高く、衆にすぐれていること。

2 人の欠点を強引に探すこと。

3 才能や徳を見せつけないようにすること。

4 本質を見抜くのが大切である。

5 文字を書き間違えること。

瑶林瓊樹	曾母投杼	吹毛求疵
綢繆未雨	烏焉魯魚	太羹玄酒
衣錦尚絅	牝牡驪黄	

解答

1 けいじゅ（瑶林瓊樹《ようりんけいじゅ》）

2 すいもう（吹毛求疵《すいもうきゅうし》）

3 しょうけい（衣錦尚絅《いきんしょうけい》）

4 りこう（牝牡驪黄《ひんぼりこう》）

5 うえん（烏焉魯魚《うえんろぎょ》）

問4 次の1～5の**解説・意味**にあてはまる四字熟語を後の□から選び、その**傍線部分だけの読み**を**ひらがな**で記せ。

1 農業に精を出すこと。

2 文章のすぐれた部分を味わい理解すること。

3 国や物事が崩れ壊れること。

4 事情が複雑で問題解決が困難なこと。

5 凶悪で残忍な人相。

鴟目虎吻	含英咀華	槃根錯節
冢中枯骨	朝耕暮耘	晨星落落
駑馬十駕	魚爛土崩	

解答

1 ぼうん（朝耕暮耘《ちょうこうぼうん》）

2 しょか（含英咀華《がんえいしょか》）

3 ぎょらん（魚爛土崩《ぎょらんどほう》）

4 ばんこん（槃根錯節《ばんこんさくせつ》）

5 しもく（鴟目虎吻《しもくこふん》）

四字熟語⑤

● 次の四字熟語について、問1～問4に答えよ。

目標時間 20分

合格ライン 54点

得点 ／60

月　日

問1 次の四字熟語の（1～10）に入る適切な語を左の□から選び**漢字二字**で記せ。

ア（1）雑言
イ（2）万里
ウ（3）熱罵
エ（4）同眠
オ（5）聴従
カ 筆力（6）
キ 風声（7）
ク 伏竜（8）
ケ 閉月（9）
コ 冒雨（10）

えんべん・かくれい・こうてい
しゅうか・せんきゅう・ばり
びょうそ・ほうすう・ほうてい
れいちょう

解答

1 罵詈雑言《ばりぞうごん》
2 鵬程万里《ほうていばんり》
3 冷嘲熱罵《れいちょうねつば》
4 猫鼠同眠《びょうそどうみん》
5 婉娩聴従《えんべんちょうじゅう》
6 筆力扛鼎《ひつりょくこうてい》
7 風声鶴唳《ふうせいかくれい》
8 伏竜鳳雛《ふくりょうほうすう》
9 閉月羞花《へいげつしゅうか》
10 冒雨剪韭《ぼううせんきゅう》

問3 次の四字熟語の（1～10）に入る適切な語を左の□から選び**漢字二字**で記せ。

ア（1）朴訥
イ（2）犬吠
ウ（3）之明
エ（4）模糊
オ（5）流爛
カ 麻姑（6）
キ 万目（7）
ク 夢幻（8）
ケ 面折（9）
コ 勇気（10）

あいまい・えんまん・がいさい
ごうき・そうよう・ていそう
ねんさい・ほうよう・りんりん
ろめい

解答

1 剛毅朴訥《ごうきぼくとつ》
2 驢鳴犬吠《ろめいけんばい》
3 燃犀之明《ねんさいのめい》
4 曖昧模糊《あいまいもこ》
5 衍曼《えんまん》（漫）流爛《りゅうらん》
6 麻姑掻痒《まこそうよう》（癢）
7 万目睚眥《ばんもくがいさい》
8 夢幻泡影《むげんほうよう》
9 面折廷諍《めんせつていそう》（争）
10 勇気凜凜《ゆうきりんりん》（凜々）

問2 次の1～5の**解説・意味**にあてはまる四字熟語を後の□から選び、その**傍線部分だけの読み**を**ひらがな**で記せ。

1 努力して学問の真理に近づいていくこと。

2 仏の三十二相の一。

3 まったくあてにできないこと。

4 物事の前兆。

5 母と子の気持ちが通じ合っている。

烏瑟膩沙・磑風舂雨・河清難俟・噬指棄薪・鏃礪括羽・蹈常襲故・鞭辟近裏・揺頭擺尾

解答

1 べんぺき（鞭辟近裏《べんぺききんり》）

2 にしゃ（烏瑟膩沙《うしつにしゃ》）

3 なんし（河清難俟《かせいなんし》）

4 しょうう（磑風舂雨《がいふうしょうう》）

5 ぜいし（噬指棄薪《ぜいしきしん》）

問4 次の1～5の**解説・意味**にあてはまる四字熟語を後の□から選び、その**傍線部分だけの読み**を**ひらがな**で記せ。

1 自己を捨てあるがままに身を任せる。

2 玉に瑕の類義。

3 男女が愛情を通わせ合う。

4 滝の壮大さの形容。

5 兄弟の反目。

衍曼流爛・婉娩聴従・金塊珠礫・銀河倒瀉・狐裘羔袖・自然法爾・投瓜得瓊・桃傷李仆

解答

1 ほうに（自然法爾《じねんほうに》）

2 こうしゅう（狐裘羔袖《こきゅうこうしゅう》）

3 とくけい（投瓜得瓊《とうかとくけい》）

4 とうしゃ（銀河倒瀉《ぎんがとうしゃ》）

5 りふ（桃傷李仆《とうしょうりふ》）

四字熟語⑥

目標時間 20分
合格ライン 54点
得点 /60
月 日

● 次の四字熟語について、問1～問4に答えよ。

問1 次の四字熟語の（1～10）に入る適切な語を左の□から選び**漢字二字**で記せ。

ア（1）陣馬
イ（2）仏性
ウ（3）不設
エ（4）鮮明
オ（5）狐鳴
カ 繁文（6）
キ 懸崖（7）
ク 擠陥（8）
ケ 雲壌（9）
コ 明眸（10）

きし・げつべつ・こうか
こうし・ざんぶ・しつう
じょくれい・ふうしょう
れいしゅ・ろくば

解答

1 風《ふう》檣《しょう》陣《じん》馬《ば》
2 悉《しつ》有《う》仏《ぶっ》性《しょう》
3 醴《れい》酒《しゅ》不《ふ》設《せつ》
4 旗《き》幟《し》鮮《せん》明《めい》
5 篝《こう》火《か》狐《こ》鳴《めい》
6 繁《はん》文《ぶん》縟《じょく》礼《れい》
7 懸《けん》崖《がい》勒《ろく》馬《ば》
8 擠《せい》陥《かん》讒《ざん》誣《ぶ》
9 雲《うん》壌《じょう》月《げっ》鼈《べつ》
10 明《めい》眸《ぼう》皓《こう》歯《し》

問3 次の四字熟語の（1～10）に入る適切な語を左の□から選び**漢字二字**で記せ。

ア（1）皆空
イ（2）蒿里
ウ（3）匿瑕
エ（4）走肉
オ（5）以徳
カ 天宇（6）
キ 麟角（7）
ク 党同（8）
ケ 一暴（9）
コ 比肩（10）

かいろ・きんゆ・こうし・ごうん
じっかん・ずいしょう・ちろ
どうし・ばつい・ほうし

解答

1 五《ご》蘊《うん》皆《かい》空《くう》
2 薤《かい》露《ろ》蒿《こう》里《り》
3 瑾《きん》瑜《ゆ》匿《とく》瑕《か》
4 行《こう》尸《し》走《そう》肉《にく》
5 道《どう》之《し》以《い》徳《とく》
6 天《てん》宇《う》地《ち》廬《ろ》
7 麟《りん》角《かく》鳳《ほう》嘴《し》
8 党《とう》同《どう》伐《ばつ》異《い》
9 一《いち》暴《ばく》十《じっ》寒《かん》
10 比《ひ》肩《けん》随《ずい》踵《しょう》

問2 次の1〜5の**解説・意味**にあてはまる四字熟語を後の□から選び、その**傍線部分だけの読み**を**ひらがな**で記せ。

1 見識がせまく世間知らずな人のたとえ。

2 きわめて質素なこと。

3 全身で喜びをあらわす。

4 幼子と老人のこと。

5 親が年老いたことを悲しむこと。

藜杖韋帯・垂髫戴白・飽食煖衣
伯兪泣杖・梟趨雀躍・談天雕竜
甕裡醯鶏・馬鹿慇懃

解答

1 けいけい（甕裡醯鶏《おうりけいけい》）

2 れいじょう（藜杖韋帯《れいじょういたい》）

3 ふすう（梟趨雀躍《ふすうじゃくやく》）

4 すいちょう（垂髫戴白《すいちょうたいはく》）

5 はくゆ（伯兪泣杖《はくゆきゅうじょう》）

問4 次の1〜5の**解説・意味**にあてはまる四字熟語を後の□から選び、その**傍線部分だけの読み**を**ひらがな**で記せ。

1 丸のみにして味得しない。

2 政治に私情を差し挟まないこと。

3 天子の使者が勅状を携える。

4 遠く離れた夫婦が思い合うこと。

5 強欲で残酷な人。

鳳凰銜書・南橋北枳・門巷塡隘
漿酒霍肉・封豕長蛇・巫雲蜀雨
渾崙呑棗・孔翊絶書

解答

1 どんそう（渾崙呑棗《こんろんどんそう》）

2 こうよく（孔翊絶書《こうよくぜっしょ》）

3 がんしょ（鳳凰銜書《ほうおうがんしょ》）

4 ふうん（巫雲蜀雨《ふうんしょくう》）

5 ほうし（封豕長蛇《ほうしちょうだ》）

四字熟語⑦

● 次の四字熟語について、問1～問4に答えよ。

問1 次の四字熟語の(1～10)に入る適切な語を左の□から選び**漢字二字**で記せ。

ア (1)曲水
イ (2)骨立
ウ (3)沈滞
エ (4)巻舒
オ (5)千里
カ 稲麻(6)
キ 因果(7)
ク 雲竜(8)
ケ 円木(9)
コ 延頸(10)

あいき・いっしゃ・いび
きょしょう・けいちん
せいあ・せいき・ちくい
てきめん・りゅうしょう

解答

1 流觴曲水《りゅうしょうきょくすい》
2 哀毀骨立《あいきこつりつ》
3 委《い》(萎)靡沈滞《びちんたい》
4 旌旗巻舒《せいきけんじょ》
5 一瀉千里《いっしゃせんり》
6 稲麻竹葦《とうまちくい》
7 因果覿面《いんがてきめん》
8 雲竜井蛙《うんりょうせいあ》
9 円木警枕《えんぼくけいちん》
10 延頸挙踵《えんけいきょしょう》

問3 次の四字熟語の(1～10)に入る適切な語を左の□から選び**漢字二字**で記せ。

ア (1)十起
イ (2)看戯
ウ (3)長蛇
エ (4)死灰
オ (5)徇私
カ 往事(6)
キ 河図(7)
ク 臥竜(8)
ケ 海底(9)
コ 茅屋(10)

いっき・えんえん・おうほう
こうぼく・さいてん・ほうすう
ぼうぼう・らくしょ・ろうげつ
わいし

解答

1 一饋十起《いっきじっき》
2 矮子看戯《わいしかんぎ》
3 蜿蜒長蛇《えんえんちょうだ》
4 槁木死灰《こうぼくしかい》
5 枉法徇私《おうほうじゅんし》
6 往事茫茫《おうじぼうぼう》
7 河図洛書《かとらくしょ》
8 臥竜鳳雛《がりょうほうすう》
9 海底撈月《かいていろうげつ》
10 茅屋采椽《ぼうおくさいてん》

目標時間 20分
合格ライン 54点
得点 /60
月 日

問2 次の1〜5の**解説・意味**にあてはまる四字熟語を後の□から選び、その**傍線部分だけの読み**を**ひらがな**で記せ。

1 耳障りで意味不明のことば。

2 すぐれた人物になる才能を秘めていること。

3 一つの行動で二つの利益を得ること。

4 文武二様の舞。

5 それとなく相手に注意する。

躡足附耳・俛首帖耳・南蛮鴃舌
喋喋喃喃・帷幄上奏・一箭双雕
璞玉渾金・干戚羽旄

解答

1 げきぜつ（南蛮鴃舌《なんばんげきぜつ》）

2 はくぎょく（璞玉渾金《はくぎょくこんきん》）

3 そうちょう（一箭双雕《いっせんそうちょう》）

4 うぼう（干戚羽旄《かんせきうぼう》）

5 じょうそく（躡足附耳《じょうそくふじ》）

問4 次の1〜5の**解説・意味**にあてはまる四字熟語を後の□から選び、その**傍線部分だけの読み**を**ひらがな**で記せ。

1 男女の情交。

2 一所不在の境涯。

3 老人のこと。

4 大望のために身を落とすこと。

5 賢人たちが相伴って朝廷に出る。

于公高門・浮家泛宅・和羹塩梅
尨眉皓髪・衆賢茅茹・雲雨巫山
伊尹負鼎・孤独矜寡

解答

1 ふざん（雲雨巫山《うんうふざん》）

2 はんたく（浮家泛宅《ふかはんたく》）

3 ぼうび（尨眉皓髪《ぼうびこうはつ》）

4 いいん（伊尹負鼎《いいんふてい》）

5 ぼうじょ（衆賢茅茹《しゅうけんぼうじょ》）

四字熟語⑧

目標時間 20分
合格ライン 54点
得点 ／60
月　日

● 次の四字熟語について、問1～問4に答えよ。

問1 次の四字熟語の（1～10）に入る適切な語を左の□から選び**漢字二字**で記せ。

ア（1）積玉
イ（2）尽瘁
ウ（3）捕影
エ（4）捧心
オ（5）一炊
カ 乾坤（6）
キ 侃侃（7）
ク 換骨（8）
ケ 関関（9）
コ 含飴（10）

いってき・がくがく・きっきゅう
けいふう・こうりょう
しょきゅう・せいし・たいきん
だったい・ろうそん

解答

1 堆金積玉《たいきんせききぎょく》
2 鞠躬尽瘁《きっきゅうじんすい》
3 繋《けい》(係)風捕影《ふうほえい》
4 西施捧心《せいしほうしん》
5 黄粱一炊《こうりょういっすい》
6 乾坤一擲《けんこんいってき》
7 侃侃諤諤《かんかんがくがく》
8 換骨奪胎《かんこつだったい》
9 関関雎鳩《かんかんしょきゅう》
10 含飴弄孫《がんいろうそん》

問3 次の四字熟語の（1～10）に入る適切な語を左の□から選び**漢字二字**で記せ。

ア（1）当路
イ（2）偸光
ウ（3）切磋
エ（4）名人
オ（5）同時
カ 玩物（6）
キ 規矩（7）
ク 脚下（8）
ケ 櫛風（9）
コ 喧喧（10）

ごうごう・さいろう・さくへき
じゅんじょう・しょうこ
しれい・せきし・そうし
そったく・もくう

解答

1 豺狼当路《さいろうとうろ》
2 鑿壁偸光《さくへきとうこう》
3 砥礪《しれい》(厲)切磋《せっさ》
4 碩師名人《せきしめいじん》
5 啐啄同時《そったくどうじ》
6 玩物喪志《がんぶつそうし》
7 規矩準縄《きくじゅんじょう》
8 脚下照顧《きゃっかしょうこ》
9 櫛風沐雨《しっぷうもくう》
10 喧喧囂囂《けんけんごうごう》(囂々)

問2 次の1～5の**解説・意味**にあてはまる四字熟語を後の□から選び、その**傍線部分だけの読み**を**ひらがな**で記せ。

1 限りなく長生きをすること。

2 何度も聞きすぎて飽きること。

3 手紙で議論するのにすぐれていること。

4 風雨にさらされ苦労すること。

5 樹木がおい茂った暗い林。

崎嶇坎坷・狐裘蒙戎・万寿無疆
緇林杏壇・厭聞飫聴・櫛風沐雨
鑿歯尺牘・酒甕飯嚢

解答

1 むきょう（万寿無疆《ばんじゅむきょう》）
2 よちょう（厭聞飫聴《えんぶんよちょう》）
3 せきとく（鑿歯尺牘《さくしせきとく》）
4 しっぷう（櫛風沐雨《しっぷうもくう》）
5 しりん（緇林杏壇《しりんきょうだん》）

問4 次の1～5の**解説・意味**にあてはまる四字熟語を後の□から選び、その**傍線部分だけの読み**を**ひらがな**で記せ。

1 きつい労働。

2 目的に向かってひたすら前進する。

3 災いは小さいうちに取り除くべきだ。

4 夫婦仲がいつまでも良いこと。

5 生きもののこと。とくに虫や鳥のたぐい。

霑体塗足・跂行喙息・勇往邁進
華胥之夢・偕老同穴・毫毛斧柯
遏悪揚善・渭樹江雲

解答

1 てんたい（霑体塗足《てんたいとそく》）
2 まいしん（勇往邁進《ゆうおうまいしん》）
3 ふか（毫毛斧柯《ごうもうふか》）
4 かいろう（偕老同穴《かいろうどうけつ》）
5 かいそく（跂行喙息《きこうかいそく》）

四字熟語⑨

● 次の四字熟語について、問1～問4に答えよ。

問1 次の四字熟語の（1～10）に入る適切な語を左の□から選び**漢字二字**で記せ。

ア（1）離裏
イ（2）不振
ウ（3）渉河
エ（4）成風
オ（5）括羽
カ 流金（6）
キ 頑廉（7）
ク 竜攘（8）
ケ 乾端（9）
コ 黄中（10）

いっけつ・うんきん・こはく
こんげい・さんし・しゃくせき
ぞくもう・ぞくれい・だりつ
ないじゅん

解答

1 属毛離裏《ぞくもうりり》
2 一蹶不振《いっけつふしん》
3 三豕渉河《さんししょうか》
4 運斤成風《うんきんせいふう》
5 鏃礪括羽《ぞくれいかつう》
6 流金鑠石《りゅうきんしゃくせき》
7 頑廉懦立《がんれんだりつ》
8 竜攘虎搏《りゅうじょうこはく》
9 乾端坤倪《けんたんこんげい》
10 黄中内潤《こうちゅうないじゅん》

問3 次の四字熟語の（1～10）に入る適切な語を左の□から選び**漢字二字**で記せ。

ア（1）絶塵
イ（2）低唱
ウ（3）贔屓
エ（4）一闢
オ（5）誅求
カ 南郭（6）
キ 環堵（7）
ク 寸善（8）
ケ 簞食（9）
コ 曠日（10）

いっこう・えこ・かれん
こしょう・しゃくま
しょうぜん・せんしん
ちょういつ・びきゅう・らんすい

解答

1 超逸絶塵《ちょういつぜつじん》
2 浅斟低唱《せんしんていしょう》
3 依怙贔屓《えこひいき》
4 一闔一闢《いっこういちびゃく》
5 苛斂誅求《かれんちゅうきゅう》
6 南郭濫吹《なんかくらんすい》
7 環堵蕭然《かんとしょうぜん》
8 寸善尺魔《すんぜんしゃくま》
9 簞食壺漿《たんしこしょう》
10 曠日弥久《こうじつびきゅう》

目標時間 20分

合格ライン 54点

得点 ／60

月　日

問2 次の1〜5の**解説・意味**にあてはまる四字熟語を後の□から選び、その**傍線部分だけの読み**を**ひらがな**で記せ。

1 つまらない事でこだわり争うこと。

2 優れた客人が二人同時に訪れること。

3 条件が整っていれば成功しやすいということ。

4 小さな生物の誠意。

5 他人の欠点や過失を真剣に探すこと。

図南鵬翼・蝸角之争・多銭善賈
連璧賁臨・澆季末世・洗垢索瘢
朱墨爛然・螻蟻之誠

解答

1 かかく（蝸角《かかく》之《の》争《あらそい》）

2 ひりん（連璧賁臨《れんぺきひりん》）

3 ぜんこ（多銭善賈《たせんぜんこ》）

4 ろうぎ（螻蟻《ろうぎ》之《の》誠《せい》）

5 せんこう（洗垢索瘢《せんこうさくはん》）

問4 次の1〜5の**解説・意味**にあてはまる四字熟語を後の□から選び、その**傍線部分だけの読み**を**ひらがな**で記せ。

1 水が油のように静かによどんで、深緑色に見える様子。

2 非常に素早いことのたとえ。

3 心の底から待ち望むこと。

4 愚か者に道理を説いても無意味なこと。

5 人や車の往来が激しいようす。

渟膏湛碧・肩摩轂撃・鶴立企佇
兎起鳧挙・対驢撫琴・天地開闢
扇枕温衾・杯盤狼藉

解答

1 たんぺき（渟膏湛碧《ていこうたんぺき》）

2 ふきょ（兎起鳧挙《ときふきょ》）

3 きちょ（鶴立企佇《かくりつきちょ》）

4 たいろ（対驢撫琴《たいろぶきん》）

5 こくげき（肩摩轂撃《けんまこくげき》）

四字熟語⑩

● 次の四字熟語について、問1～問4に答えよ。

問1 次の四字熟語の（1～10）に入る適切な語を左の□から選び**漢字二字**で記せ。

ア （1）手低
イ （2）尽瘁
ウ （3）竹簡
エ （4）臥轍
オ （5）吠尭
カ 頭童（6）
キ 白髪（7）
ク 一望（8）
ケ 重熙（9）
コ 篳路（10）

がんこう・きっきゅう・しかつ
せいしん・せきく・そくせき
はんえん・むぎん・らんる
るいこう

解答

1 眼高手低《がんこうしゅてい》
2 鞠躬尽瘁《きっきゅうじんすい》
3 束晳竹簡《そくせきちくかん》
4 攀轅臥轍《はんえんがてつ》
5 跖狗吠尭《せきくはいぎょう》
6 頭童歯豁《とうどうしかつ》
7 白髪青衫《はくはつせいしん（せいさん）》
8 一望無垠《いちぼうむぎん》
9 重熙累洽《ちょうきるいこう》
10 篳路藍縷《ひつろらんる》

問3 次の四字熟語の（1～10）に入る適切な語を左の□から選び**漢字二字**で記せ。

ア （1）赤火
イ （2）青鞋
ウ （3）傴煦
エ （4）落溷
オ （5）狼貪
カ 金声（6）
キ 高牙（7）
ク 年災（8）
ケ 揺頭（9）
コ 軽妙（10）

ぎょくしん・げつおう
しゃだつ・だいとう・ついいん
はいび・はくと・ふべつ
ようこん・よくふ

解答

1 白荼赤火《はくとせきか》
2 布韈青鞋《ふべつせいあい》
3 翼覆傴煦《よくふうく》
4 墜茵落溷《ついいんらくこん》
5 羊很狼貪《ようこんろうどん》
6 金声玉振《きんせいぎょくしん》
7 高牙大纛《こうがだいとう／たいとう》
8 年災月殃《ねんさいげつおう》
9 揺頭擺尾《ようとうはいび》
10 軽妙洒脱《けいみょうしゃだつ》

目標時間 20分

合格ライン 54点

得点 ／60

月 日

問2 次の1～5の**解説・意味**にあてはまる四字熟語を後の□から選び、その**傍線部分だけの読み**を**ひらがな**で記せ。

1 勢いがあってすばやいこと
2 部下を手あつくいたわること。
3 書道で筆力がはげしく、気迫がこもっていること。
4 喋ることが非常にうまい。
5 戦いの準備をいつも怠らないこと。

枕戈待旦・剣抜弩張・折花攀柳・弁才無礙・霹靂閃電・被髪左衽・吮疽之仁・和気藹藹

解答

1 へきれき（霹靂閃電《へきれきせんでん》）
2 せんそ（吮疽之仁《せんそのじん》）
3 どちょう（剣抜弩張《けんばつどちょう》）
4 むげ（弁才無礙《べんざいむげ》）
5 ちんか（枕戈待旦《ちんかたいたん》）

問4 次の1～5の**解説・意味**にあてはまる四字熟語を後の□から選び、その**傍線部分だけの読み**を**ひらがな**で記せ。

1 どのような困難にあってもくじけないこと。
2 歴史に名前が残るような功績や手柄。
3 身の危険を顧みず、激しく議論を戦わせること。
4 得意げな様子。
5 色々なところから多くの意見が出ること。

攘臂疾言・韓信匍匐・七嘴八舌・垂名竹帛・不撓不屈・雲烟飛動・危言覈論・一觴一詠

解答

1 ふとう（不撓不屈《ふとうふくつ》）
2 ちくはく（垂名竹帛《すいめいちくはく》）
3 かくろん（危言覈論《きげんかくろん》）
4 じょうひ（攘臂疾言《じょうひしつげん》）
5 しちし（七嘴八舌《しちしはちぜつ》）

熟字訓・当て字①

目標時間 20分

合格ライン 51点

得点 ／63

月　日

● 次の熟字訓・当て字の読みを記せ。

※熟字訓・当て字では、平成22年の常用漢字表の改定で新たに常用漢字となった漢字にマークは付けていません。

1 樹懶
2 海扇
3 羊栖菜
4 花楸樹
5 踏鞴
6 翻車魚
7 石決明
8 胡頽子
9 信天翁

解答
1 なまけもの
2 ほたてがい
3 ひじき
4 ななかまど
5 たたら
6 まんぼう・ウキギ
7 あわび
8 ぐみ
9 あほうどり

10 馬酔木
11 秧鶏
12 浮塵子
13 山毛欅
14 酸漿
15 胡簶
16 翌檜
17 虎魚
18 紅娘

解答
10 あせび・あしび
11 くいな
12 うんか
13 ぶな
14 ほおずき
15 やなぐい
16 あすなろ
17 おこぜ
18 てんとうむし

19 善知鳥
20 天牛
21 黄楊
22 柳葉魚
23 孑孑
24 海参
25 木天蓼
26 覆盆子
27 海驢

解答
19 うとう
20 かみきりむし・かみきり
21 つげ
22 シシャモ
23 ぼうふら・ぼうふり
24 いりこ
25 またたび
26 いちご
27 あしか

28 豪猪
29 木乃伊
30 合歓
31 慈姑
32 馴鹿
33 醤蝦
34 熨斗
35 裲襠
36 蟒蛇
37 鬼灯
38 天鵞絨
39 三和土

28 やまあらし
29 ミイラ
30 ねむ・ねむのき
31 くわい
32 トナカイ
33 あみ
34 のし
35 うちかけ
36 うわばみ
37 ほおずき
38 ビロード
39 たたき

40 朱欒
41 罌粟
42 蟀谷
43 水鶏
44 香蕈
45 細魚
46 飯匙倩
47 蜚蠊
48 鹿尾菜
49 辛夷
50 水雲
51 翻筋斗

40 ザボン
41 けし
42 こめかみ
43 くいな
44 しいたけ
45 さより
46 はぶ
47 ごきぶり・あぶらむし
48 ひじき
49 こぶし
50 もずく
51 もんどり

52 吃逆
53 山梔子
54 蜀魂
55 拳螺
56 沢瀉
57 虎杖
58 顳顬
59 木菟
60 海鞘
61 忍冬
62 石竜子
63 檸檬

52 しゃっくり
53 くちなし
54 ほととぎす
55 さざえ
56 おもだか
57 いたどり
58 こめかみ
59 みみずく・このはずく
60 ほや
61 すいかずら
62 とかげ
63 レモン

熟字訓・当て字②

目標時間 20分
合格ライン 51点
得点 ／63
月 日

● 次の熟字訓・当て字の読みを記せ。

1 雲呑
2 狗母魚
3 金襖子
4 流鏑馬
5 赤目魚
6 山蘿蔔
7 行器
8 白頭鳥
9 乙甲

解答
1 ワンタン
2 えそ
3 かじかがえる・かじか
4 やぶさめ
5 めなだ
6 まつむしそう
7 ほかい
8 ひよどり
9 めりかり

10 木綿垂
11 西班牙
12 梭子魚
13 厚皮香
14 絡新婦
15 規尼涅
16 戯奴
17 白膠木
18 諾威

解答
10 ゆうしで
11 スペイン
12 かます
13 もっこく
14 じょろうぐも
15 キニーネ
16 わけ
17 ぬるで
18 ノルウェー

19 海胆
20 沙蚕
21 海狸
22 八仙花
23 牽牛花
24 白地
25 瞿麦
26 雪花菜
27 覇王樹

解答
19 うに
20 ごかい
21 ビーバー
22 あじさい
23 あさがお
24 あからさま
25 なでしこ
26 おから・きらず
27 サボテン

28 石榴
29 海嘯
30 軍鶏
31 螻蛄
32 褞袍
33 羊歯
34 哨吶
35 映日果
36 酢漿草
37 金雀児
38 鳶尾
39 長尾驢

28 ざくろ
29 つなみ
30 しゃも
31 けら・おけら
32 どてら
33 しだ
34 チャルメラ・チャルメル
35 いちじく
36 かたばみ
37 えにしだ
38 いちはつ
39 カンガルー

40 秋桜
41 飛白
42 豆娘
43 海豹
44 蝲蛄
45 蕃椒
46 鱲子
47 厚皮香
48 後朝
49 大口魚
50 海鼠
51 凌霄花

40 コスモス
41 かすり
42 いととんぼ
43 あざらし
44 ざりがに
45 とうがらし
46 からすみ
47 もっこく
48 きぬぎぬ
49 たら
50 なまこ
51 のうぜんかずら

52 仙人掌
53 繁縷
54 魚籠
55 燭魚
56 鴨脚樹
57 山葵
58 莫大小
59 瓊脂
60 年魚
61 木通
62 公魚
63 鹹草

52 サボテン
53 はこべ・はこべら
54 びく
55 はたはた
56 いちょう
57 わさび
58 メリヤス
59 ところてん
60 あゆ
61 あけび
62 わかさぎ
63 あしたば

熟字訓・当て字③

目標時間 20分
合格ライン 51点
得点 ／63
月 日

● 次の**熟字訓・当て字**の**読み**を記せ。

1 鶏魚
2 甘蕉
3 梔子
4 玉筋魚
5 蛤仔
6 糸葱
7 告天子
8 苜蓿
9 虎耳草

解答
1 いさき
2 バナナ
3 くちなし
4 いかなご
5 あさり
6 あさつき
7 ひばり
8 うまごやし・まごやし
9 ゆきのした

10 水蠆
11 蠑螈
12 鳳蝶
13 蚯蚓
14 枸橘
15 鶤鶏
16 鮎魚女
17 土瀝青
18 猟虎

解答
10 やご
11 いもり
12 あげはちょう
13 みみず
14 からたち・からたちばな
15 とうまる
16 あいなめ
17 アスファルト
18 らっこ

19 風信子
20 牛膝
21 小火
22 木槿
23 虎落
24 羅漢柏
25 菟葵
26 坩堝
27 鶚鶏

解答
19 ヒヤシンス
20 いのこずち
21 ぼや
22 むくげ
23 もがり
24 あすなろ・あすはひのき
25 いそぎんちゃく
26 るつぼ
27 みそさざい

28 瓢虫
29 海星
30 堅魚
31 羊駝
32 九十九折
33 螽斯
34 舎人
35 鳩尾
36 雪洞
37 仏掌薯
38 羚羊
39 蜥蜴

28 てんとうむし
29 ひとで
30 かつお
31 ラマ
32 つづらおり
33 きりぎりす
34 とねり
35 みぞおち・みずおち
36 ぼんぼり
37 つくねいも
38 かもしか
39 とかげ

40 驀地
41 蘭草
42 野木瓜
43 矮鶏
44 時鳥
45 泛子
46 自鳴琴
47 石斑魚
48 玄鳥
49 仕舞屋
50 蝙蝠
51 壁蝨

40 まっしぐら
41 ふじばかま
42 むべ
43 チャボ
44 ほととぎす
45 うき
46 オルゴール
47 うぐい
48 つばめ
49 しもたや・しもうたや
50 こうもり
51 だに

52 青花魚
53 大角豆
54 海鼠腸
55 海蘿
56 東雲
57 鼓子花
58 金縷梅
59 縮緬
60 燕子花
61 冬青
62 鳳梨
63 躑躅

52 さば
53 ささげ
54 このわた
55 ふのり
56 しののめ
57 ひるがお
58 まんさく
59 ちりめん
60 かきつばた
61 そよご・そよぎ・ふくらしば
62 パイナップル
63 つつじ

熟字訓・当て字④

目標時間 20分
合格ライン 51点
得点 ／63 月 日

● 次の**熟字訓・当て字**の**読み**を記せ。

1 土筆
2 山桜桃
3 雲雀
4 面皰
5 天糸瓜
6 連枷
7 雲脂
8 河豚
9 朱鷺

解答
1 つくし・つくしんぼ
2 ゆすらうめ
3 ひばり
4 にきび
5 へちま
6 からさお・からざお
7 ふけ
8 ふぐ
9 とき

10 弥撒
11 胡蜂
12 只管
13 澪標
14 直衣
15 紫薇
16 不如帰
17 蝌蚪
18 獅子女

解答
10 ミサ
11 すずめばち
12 ひたすら
13 みおつくし・みおじるし
14 のうし
15 さるすべり
16 ほととぎす
17 おたまじゃくし
18 スフィンクス

19 鉄漿
20 型録
21 海狸
22 角鴟
23 苹果
24 紫丁香花
25 耶悉茗
26 山茶花
27 老海鼠

解答
19 おはぐろ・かね
20 カタログ
21 ビーバー
22 みみずく・ずく
23 りんご
24 ライラック
25 ジャスミン
26 さざんか
27 ほや

28 三鞭酒
29 蟾蜍
30 番瀝青
31 馬尾藻
32 卓袱台
33 牡蠣
34 洋墨
35 蜈蚣
36 天蚕糸
37 南風
38 膃肭臍
39 黄櫨

28 シャンパン
29 ひきがえる
30 ペンキ
31 ほんだわら
32 ちゃぶだい
33 かき
34 インク・インキ
35 むかで
36 てぐす・てぐすいと
37 はえ
38 おっとせい
39 はぜのき・はぜ

40 梭尾螺
41 紙撚
42 珠鶏
43 守宮
44 生姜
45 燐寸
46 角子
47 塘蒿
48 木瓜
49 鱠残魚
50 満天星
51 旗魚

40 ほらがい
41 こより
42 ほろほろちょう
43 やもり
44 しょうが
45 マッチ
46 みずら
47 セロリ
48 ぼけ
49 しらうお
50 どうだんつつじ
51 かじき

52 萵苣
53 聒聒児
54 水爬虫
55 茅蜩
56 掏摸
57 零余子
58 蕪菁
59 蒲公英
60 交喙
61 胡孫眼
62 梅花皮
63 草石蚕

52 ちさ・ちしゃ
53 くつわむし
54 たがめ
55 ひぐらし
56 すり
57 むかご・ぬかご
58 かぶ・かぶら
59 たんぽぽ
60 いすか
61 さるのこしかけ
62 かいらぎ
63 ちょろぎ

熟字訓・当て字⑤

目標時間 20分
合格ライン 51点
得点 /63 月 日

● 次の**熟字訓・当て字**の**読み**を記せ。

1 紅絹
2 冬眠鼠
3 百日紅
4 儒艮
5 文身
6 蕃瓜樹
7 蝦虎魚
8 馬陸
9 胼胝

解答
1 もみ
2 やまね
3 さるすべり
4 ジュゴン
5 いれずみ
6 パパイア
7 はぜ
8 やすで
9 たこ

10 金翅雀
11 杜宇
12 狼煙
13 鳳尾松
14 山小菜
15 嘉魚
16 仮漆
17 月代
18 鼓豆虫

解答
10 ひわ
11 ほととぎす
12 のろし
13 そてつ
14 ほたるぶくろ
15 いわな
16 ニス
17 さかやき
18 みずすまし

19 鴨跖草
20 望潮
21 障泥
22 蘿蔔
23 倍良
24 日照雨
25 行器
26 蛇舅母
27 金雀枝

解答
19 つゆくさ
20 しおまねき
21 あおり
22 すずしろ
23 べら
24 そばえ
25 ほかい
26 かなへび
27 えにしだ

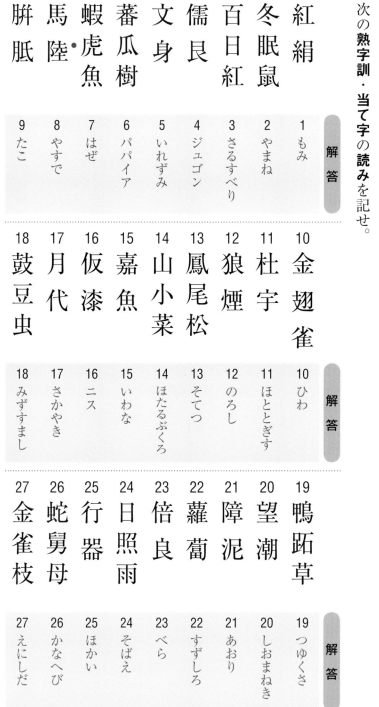

28 鉄刀木
29 側金盞花
30 金鐘児
31 赤楝蛇
32 魚狗
33 椿象
34 雀鷂
35 稲架
36 九面芋
37 没分暁漢
38 石蓴
39 僂麻質斯

28 たがやさん
29 ふくじゅそう
30 すずむし
31 やまかがし
32 かわせみ
33 かめむし
34 つみ
35 はさ・はざ
36 やつがしら
37 わからずや
38 あおさ
39 リウマチ

40 天魚
41 葦雀
42 髻華
43 懸鉤子
44 行縢
45 接骨木
46 尸童
47 五倍子
48 二合半
49 鈎樟
50 抽斗
51 白及

40 あまご
41 よしきり
42 うず
43 きいちご
44 むかばき
45 にわとこ
46 よりまし
47 ふし
48 こなから
49 くろもじ
50 ひきだし
51 しらん

52 伯剌西爾
53 回鶻
54 以色列
55 聖林
56 華盛頓
57 捏巴爾
58 牙買加
59 哥倫比亜
60 加布爾
61 西班牙
62 威内斯
63 呉呂茶

52 ブラジル
53 ウイグル
54 イスラエル
55 ハリウッド
56 ワシントン
57 ネパール
58 ジャマイカ
59 コロンビア
60 カブール
61 スペイン
62 ベニス
63 クロアチア

熟語の読み・一字訓読み①

● 次の**熟語**の**読み**と、その**語義**にふさわしい**訓読み**を（送りがなに注意して）**ひらがな**で記せ。

〈例〉健勝……勝れる → けんしょう / すぐ

ア 1 均霑……2 霑う
イ 3 緇衣……4 緇い
ウ 5 抉剔……6 剔る
エ 7 芟除……8 芟る
オ 9 薨去……10 薨る
カ 11 佩剣……12 佩びる

解答
1 きんてん 2 うるお(う)
3 しい・しえ 4 くろ(い)
5 けってき 6 えぐ(る)
7 さんじょ・せんじょ 8 か(る)
9 こうきょ 10 みまか(る)
11 はいけん 12 お(びる)

キ 13 戡定……14 戡つ
ク 15 懿徳……16 懿しい
ケ 17 遒勁……18 遒い
コ 19 秉燭……20 秉る
サ 21 虧盈……22 虧ける
シ 23 勍敵……24 勍い
ス 25 慴伏……26 慴れる

解答
13 かんてい 14 か(つ)
15 いとく 16 うるわ(しい)
17 しゅうけい 18 つよ(い)
19 へいしょく 20 と(る)
21 きえい 22 か(ける)
23 けいてき 24 つよ(い)
25 しょうふく 26 おそ(れる)

目標時間 20分

合格ライン 53点

得点 ／66

月　日

セ
27 爨室
28 爨ぐ

ソ
29 屯蹇
30 蹇む

タ
31 刪修
32 刪る

チ
33 儁傑
34 儁れる

ツ
35 慙恚
36 恚る

テ
37 浚渫
38 浚う

ト
39 愆戻
40 愆る

ナ
41 燔書
42 燔く

ニ
43 蠢動
44 蠢く

ヌ
45 估価
46 估う

27 さんしつ
28 かし(ぐ)
29 ちゅんけん
30 なや(む)
31 さんしゅう
32 けず(る)
33 しゅんけつ
34 すぐ(れる)
35 ざんい
36 いか(る)
37 しゅんせつ
38 さら(う)
39 けんれい
40 あやま(る)
41 はんしょ
42 や(く)
43 しゅんどう
44 うごめ(く)
45 こか
46 あきな(う)

ネ
47 嗤笑
48 嗤う

ノ
49 英雋
50 雋れる

ハ
51 杳渺
52 杳か

ヒ
53 綢繆
54 綢う

フ
55 斫営
56 斫る

ヘ
57 忸怩
58 忸じる

ホ
59 長嘶
60 嘶く

マ
61 擣碪
62 擣つ

ミ
63 遯竄
64 竄れる

ム
65 覬覦
66 覬む

47 ししょう
48 わら(う) あざわら(う)
49 えいしゅん
50 すぐ(れる)
51 ようびょう
52 はる(か)
53 ちゅうびゅう
54 まと(う)
55 しゃくえい
56 き(る)
57 じくじ
58 は(じる)
59 ちょうせい
60 いなな(く)
61 とうちん
62 う(つ)
63 とんざん
64 のが・かく(れる)
65 きゆ
66 のぞ(む)

熟語の読み・一字訓読み②

目標時間 **20**分

合格ライン **53**点

得点　　／66　月　日

● 次の**熟語の読み**と、その**語義**にふさわしい**訓読み**を（送りがなに注意して）**ひらがな**で記せ。

〈例〉健勝……勝れる → けんしょう／すぐ

ア 1 惻怛 …… 2 怛む

イ 3 説懌 …… 4 懌ぶ

ウ 5 呵譴 …… 6 譴める

エ 7 倦憊 …… 8 憊れる

オ 9 朝覲 …… 10 覲える

カ 11 輓馬 …… 12 輓く

解答

1 そくだつ　2 いた（む）

3 えつえき　4 よろこ（ぶ）

5 かけん　6 せ（める）とが（める）

7 けんぱい　8 つか（れる）

9 ちょうきん　10 まみ（える）

11 ばんば　12 ひ（く）

キ 13 賻助 …… 14 賻る

ク 15 覬覦 …… 16 覦む

ケ 17 饌米 …… 18 饌える

コ 19 推覈 …… 20 覈べる

サ 21 仄日 …… 22 仄く

シ 23 荐臻 …… 24 荐りに

ス 25 訐直 …… 26 訐く

解答

13 ふじょ　14 おく（る）

15 きゆ　16 のぞ（む）

17 せんまい　18 そな（える）

19 すいかく　20 しら（べる）

21 そくじつ　22 かたむ（く）

23 せんしん　24 しき（りに）

25 けっちょく　26 あば（く）

セ 27 躋攀 …… 28 躋る
ソ 29 怜悧 …… 30 悧しい
タ 31 目睹 …… 32 睹る
チ 33 衛戍 …… 34 戍る
ツ 35 勁草 …… 36 勁い
テ 37 耘耕 …… 38 耘る
ト 39 燻蒸 …… 40 燻す
ナ 41 燮理 …… 42 燮げる
ニ 43 赧顔 …… 44 赧める
ヌ 45 覘望 …… 46 覘う

27 せいはん 28 のぼ(る)
29 れいり 30 さか(しい)
31 もくと 32 み(る)
33 えいじゅ 34 まも(る)
35 けいそう 36 つよ(い)
37 うんこう 38 くさぎ(る)
39 くんじょう 40 いぶ(す)
41 しょうり 42 やわら(げる)
43 たんがん 44 あから(める)
45 てんぼう 46 うかが(う)

ネ 47 瑩徹 …… 48 瑩らか
ノ 49 竦然 …… 50 竦れる
ハ 51 憔悴 …… 52 憔れる
ヒ 53 貽訓 …… 54 貽す
フ 55 黜陟 …… 56 黜ける
ヘ 57 嶷立 …… 58 嶷い
ホ 59 嬋娟 …… 60 娟しい
マ 61 猜忌 …… 62 猜む
ミ 63 吮疽 …… 64 吮う
ム 65 窘迫 …… 66 窘しむ

47 えいてつ 48 あき(らか)
49 しょうぜん 50 おそ(れる)
51 しょうすい 52 やつ(れる)
53 いくん 54 のこ(す)
55 ちゅっちょく 56 しりぞ(ける)
57 ぎょくりつ 58 たか(い)
59 せんけん 60 うつく(しい)
61 さいき 62 そね・ねた(む)
63 せんそ 64 す(う)
65 きんぱく 66 くる(しむ)

熟語の読み・一字訓読み③

● 次の**熟語の読み**と、その**語義**にふさわしい**訓読み**を（送りがなに注意して）**ひらがな**で記せ。

〈例〉健勝……勝れる → けんしょう／すぐ

ア 1 寤寐……2 寤める
イ 3 粥獄……4 粥ぐ
ウ 5 摶飯……6 摶める
エ 7 釐務……8 釐める
オ 9 吶喊……10 喊ぶ
カ 11 娶嫁……12 娶る

解答

1 ごび
2 さ（める）
3 いくごく
4 ひさ（ぐ）
5 たんぱん
6 まる（める）
7 りむ
8 おさ（める）
9 とっかん
10 さけ（ぶ）
11 しゅか
12 めと（る）

キ 13 勠力……14 勠せる
ク 15 象嵌……16 嵌める
ケ 17 賑恤……18 恤む
コ 19 陞叙……20 陞る
サ 21 簒逆……22 簒う
シ 23 鑿井……24 鑿つ
ス 25 笞撻……26 撻つ

解答

13 りくりょく
14 あわ（せる）
15 ぞうがん
16 は（める）
17 しんじゅつ
18 めぐ（む）
19 しょうじょ
20 のぼ（る）
21 さんぎゃく
22 うば（う）
23 さくせい
24 うが（つ）
25 ちたつ
26 むちう（つ）

目標時間 20分

合格ライン 53点

得点 ／66

月　日

セ 27 妝梳 …… 28 妝う
ソ 29 仍世 …… 30 仍ねる
タ 31 泛駕 …… 32 泛す
チ 33 俶儻 …… 34 俶れる
ツ 35 麤笨 …… 36 笨い
テ 37 崔嵬 …… 38 嵬い
ト 39 攫取 …… 40 攫む
ナ 41 鐫勒 …… 42 鐫る
ニ 43 噬臍 …… 44 噬む
ヌ 45 殄滅 …… 46 殄きる

27 しょうそ 28 よそお(う)
29 じょうせい 30 かさ(ねる)
31 ほうが 32 くつがえ(す)
33 てきとう 34 すぐ(れる)
35 そほん 36 あら(い)
37 さいかい 38 たか(い)
39 かくしゅ 40 つか(む)
41 せんろく 42 ほ(る)
43 ぜいせい 44 か(む)
45 てんめつ 46 つ(きる)

ネ 47 霾翳 …… 48 霾る
ノ 49 •諧謔 …… 50 謔れる
ハ 51 剪定 …… 52 剪る
ヒ 53 汚衊 …… 54 衊す
フ 55 陋巷 …… 56 陋い
ヘ 57 褫魄 …… 58 褫う
ホ 59 饕餮 …… 60 饕る
マ 61 宦官 …… 62 宦える
ミ 63 抔飲 …… 64 抔う
ム 65 鬯浹 …… 66 鬯びる

47 ばいえい 48 つちふ(る)
49 かいぎゃく 50 たわむ(れる)
51 せんてい 52 き(る)
53 おべつ 54 けが(す)
55 ろうこう 56 せま(い)
57 ちはく 58 うば(う)
59 とうてつ 60 むさぼ(る)
61 かんがん 62 つか(える)
63 ほういん 64 すく(う)
65 ちょうしょう 66 の(びる)

対義語・類義語①

目標時間 **25**分

合格ライン **39**点

得　点 ／48 月 日

● 次の**対義語**、**類義語**を後の□の中から選び、**漢字**で記せ。□の中の語は一度だけ使うこと。

対義語

1 剛毅
2 恬澹
3 帰納
4 雇傭
5 少壮

類義語

6 逆睹
7 正鵠
8 乾坤
9 凄絶
10 尺牘

えんえき・かくしゅ・がんしょ
きょうだ・こうけい・しつよう
しょうじょう・しれつ・たんげい
ろうもう

解答

1 怯懦《きょうだ》
2 執拗《しつよう》
3 演繹《えんえき》
4 馘首《かくしゅ》
5 老耄《ろうもう》
6 端倪《たんげい》
7 肯綮《こうけい》
8 霄壌《しょうじょう》
9 熾烈《しれつ》
10 雁書《がんしょ》

対義語

11 長生
12 野趣
13 齟齬
14 栄達
15 黄昏

類義語

16 専有
17 脱稿
18 鶴首
19 碧空
20 奢侈

かくひつ・がち・ぎょうぼう
ぜいたく・そうきゅう・ふんごう
ようせい・らくはく・れいめい
ろうだん

解答

11 夭逝《ようせい》
12 雅致《がち》
13 吻合《ふんごう》
14 落魄《らくはく》
15 黎明《れいめい》
16 壟《ろう》(隴)断《だん》
17 擱筆《かくひつ》
18 翹望《ぎょうぼう》
19 蒼穹《そうきゅう》
20 贅沢《ぜいたく》

対義語

21 過疎
22 恢復
23 巨大
24 広闊
25 犀利
26 善良
27 披瀝

類義語

28 慙愧
29 瀰漫
30 狡猾
31 聳動
32 躊躇
33 鏖殺
34 雕琢

あくらつ・きょうあい・じくじ
しょうけつ・しんがい・せんめつ
ちぎ・ちゅうみつ・とうかい
どどん・りかん・ろうかい
ろうこく・わいしょう

解答

21 稠《ちゅう》(綢)密《みつ》
22 罹患《りかん》
23 矮小《わいしょう》
24 狭隘《きょうあい》
25 駑鈍《どどん》
26 悪辣《あくらつ》
27 韜晦《とうかい》
28 忸怩《じくじ》
29 猖獗《しょうけつ》
30 老獪《ろうかい》
31 震駭《しんがい》
32 遅疑《ちぎ》
33 殲滅《せんめつ》
34 鏤刻《ろうこく》《るこく》

対義語

35 肥沃
36 劈頭
37 恪勤
38 繋留
39 苗裔
40 喧擾
41 安泰

類義語

42 叮嚀
43 威嚇
44 逸品
45 嬰児
46 越権
47 音物
48 悔悛

いんぎん・がいてい・かいらん
きたい・けたい・こうぶ・ざんげ
せいひつ・せんえつ・ちょうび
どうかつ・のうそ・ほうしょ
ゆうぶつ

解答

35 荒蕪《こうぶ》
36 掉尾《ちょうび》《とうび》
37 懈怠《けたい》
38 解纜《かいらん》
39 曩祖《のうそ》
40 静謐《せいひつ》
41 危殆《きたい》
42 慇懃《いんぎん》・殷勤
43 恫喝《どうかつ》(愒)
44 尤物《ゆうぶつ》
45 孩提《がいてい》
46 僭越《せんえつ》
47 苞苴《ほうしょ》
48 懺悔《ざんげ》

対義語・類義語②

次の**対義語**、**類義語**を後の□の中から選び、**漢字**で記せ。□の中の語は一度だけ使うこと。

目標時間 25分

合格ライン 39点

得点 ／48

月　日

対義語

1 興隆

2 麤笨

3 重痾

4 醇朴

5 隠逸

類義語

6 忸怩

7 夫婦

8 躊躇

9 読経

10 瞬息

こうれい・さいち・ざんき・しゅつろ・てきちょく・とっさ・びよう・ふじゅ・りょうち・ろうかい

解答

1 陵遅《りょうち》
2 細緻《さいち》
3 微恙《びよう》
4 老獪《ろうかい》
5 出廬《しゅつろ》
6 慙愧《ざんき》
7 伉儷《こうれい》
8 躑躅《てきちょく》
9 諷誦《ふじゅ》
10 咄嗟《とっさ》

対義語

11 沃地

12 少食

13 扶掖

14 頑丈

15 静謐

類義語

16 乱雑

17 懐剣

18 便所

19 卑猥

20 戒飭

いんび・きゃしゃ・けんせき・けんたん・ししょう・せいちゅう・せきど・そうきょう・ひしゅ・ろうぜき

解答

11 瘠土《せきど》
12 健啖《けんたん》
13 掣肘《せいちゅう》
14 華奢《きゃしゃ》
15 躁狂《そうきょう》
16 狼藉《ろうぜき》
17 匕首《ひしゅ》
18 廁牀《ししょう》
19 淫《いん》(婬)靡《び》
20 譴責《けんせき》

対義語

21 終末
22 仰瞻
23 直截
24 狷狭
25 嶮岨
26 裨益
27 低劣

類義語

28 居然
29 天性
30 嘲・弄
31 号泣
32 斧鉞
33 邪推
34 流暢

えんきょく・かいびゃく
こうまい・さいぎ・すいこう
たんい・どうこく・とうとう
とがい・ひんしつ・ふかん
ぶりょう・やゆ・らいらく

解答

21 開闢《かいびゃく》
22 俯瞰《ふかん》
23 婉曲《えんきょく》
24 磊落《らいらく》
25 坦夷《たんい》
26 蠹害《とがい》
27 高邁《こうまい》
28 無聊《ぶりょう》
29 稟質《ひんしつ》
30 揶《や》(邪)揄《ゆ》
31 慟哭《どうこく》
32 推敲《すいこう》
33 猜疑《さいぎ》
34 滔滔《とうとう》

対義語

35 散佚
36 不偏
37 奇禍
38 大廈
39 快諾
40 明・瞭
41 安閑

類義語

42 蕭条
43 鬱・勃
44 輔佐
45 気儘
46 仄日
47 淵源
48 樊籠

あいまい・えこ・ぎょうこう
しし・しっこく・しゅうしゅう
しゅんきょ・せきりょう
はつらつ・ほうらつ・ゆうえき
らっき・らんしょう・ろうきょ

解答

35 蒐《しゅう》(収)集《しゅう》
36 依怙《えこ》
37 僥倖《ぎょうこう》
38 陋居《ろうきょ》
39 峻拒《しゅんきょ》
40 曖《あい》・昧《まい》
41 孜《し》孜《し》
42 寂寥《せきりょう》
43 潑剌《はつらつ》(溂)
44 誘掖《ゆうえき》
45 放埒《ほうらつ》
46 落暉《らっき》
47 濫觴《らんしょう》
48 桎梏《しっこく》

対義語・類義語③

目標時間 25分

合格ライン 39点

得点 /48 月 日

● 次の**対義語**、**類義語**を後の□の中から選び、**漢字**で記せ。□の中の語は一度だけ使うこと。

対義語

1 夥多
2 麤餐
3 利達
4 無着
5 下司

類義語

6 往還
7 狼狽
8 検覈
9 不稽
10 樵蘇

こうたん・じょうろう
すうじょう・ぜんしゅう
せんしょう・せんめい・そらい
たくらく・どうよく・はいぼう

解答

1 鮮《せん》（尠）少《しょう》
2 膳羞《ぜんしゅう》
3 拓落《たくらく》
4 胴欲《どうよく》（慾）
5 上﨟《じょうろう》
6 徂来《そらい》（徠）
7 廃忘《はいぼう》（敗亡）
8 闡明《せんめい》
9 荒誕《こうたん》
10 芻蕘《すうじょう》

対義語

11 潔浄
12 斬新・
13 周到
14 懶惰
15 麤笨

類義語

16 濫觴
17 教唆
18 遊女
19 冀求
20 嫣然

うかつ・おわい・かくごん
かんじ・けんよ・しそう
しょき・せいち・ちんとう
ひょうし

解答

11 汚穢《おわい》
12 陳套《ちんとう》
13 迂闊《うかつ》
14 恪勤《かくごん》
15 精緻《せいち》・
16 権輿《けんよ》
17 指《し》（使）嗾《そう》
18 嫖子《ひょうし》
19 庶幾《しょき》
20 莞爾《かんじ》

対義語

21 都邑
22 謙譲
23 蘊藉
24 大過
25 饒舌
26 禅譲
27 開豁

類義語

28 熟睡
29 民草
30 掌握
31 壟断
32 無聊
33 与同
34 目蓋

がんけん・かんみん・かんもく
きょうあい・きょうまん
けんかい・さいきん・さたん
しゅうらん・せんせん・そうぼう
たいくつ・へきすう・ほうばつ

解答

21 僻陬《へきすう》
22 驕慢《きょうまん》
23 狷介《けんかい》
24 細瑾《さいきん》
25 緘黙《かんもく》
26 放伐《ほうばつ》
27 狭隘《きょうあい》
28 酣眠《かんみん》
29 蒼氓《そうぼう》
30 収攬《しゅうらん》
31 専占《せんせん》
32 退屈《たいくつ》
33 左袒《さたん》
34 眼瞼《がんけん》

対義語

35 永劫
36 不党
37 鄙俗
38 生誕
39 疎遠
40 黎明
41 年甫

類義語

42 権輿
43 遅疑
44 稟質
45 阿漕
46 泰斗
47 造詣
48 儔侶

あくらつ・うんちく・きゅうろう
こうし・さいはい・じっこん
しゅうえん・しゅんじゅん
せきじゅ・せつな・てんし・とが
はくぼ・へんぱ

解答

35 刹那《せつな》
36 偏頗《へんぱ》
37 都雅《とが》
38 終焉《しゅうえん》
39 昵懇《じっこん》
40 薄暮《はくぼ》
41 旧臘《きゅうろう》
42 嚆矢《こうし》
43 逡巡《しゅんじゅん》
44 天資《てんし》
45 悪辣《あくらつ》
46 碩儒《せきじゅ》
47 蘊《うん》（薀）蓄《ちく》
48 儕輩《さいはい》《せいはい》

対義語・類義語④

●次の**対義語**、**類義語**を後の□の中から選び、**漢字**で記せ。□の中の語は一度だけ使うこと。

対義語

1 稀有
2 桑楡
3 敬信
4 報恩
5 邑落

類義語

6 育英
7 妹背
8 擱坐
9 体面
10 煢煢

からく・けいしん・けつけつ・こうさ・こうれい・こけん・さいぎ・せいが・つうず・はんぜい

解答

1 通途《つうず》（塗）
2 鶏晨《けいしん》
3 猜疑《さいぎ》
4 反噬《はんぜい》
5 花《か》（華）洛《らく》
6 菁莪《せいが》
7 伉儷《こうれい》
8 膠沙《こうさ》
9 沽《こ》（估）券《けん》
10 孑孑《けつけつ》（孑々）

対義語

11 旰昃
12 曩祖
13 遺却
14 樗散
15 摂受

類義語

16 潤筆
17 菲才
18 翛然
19 淑慝
20 筆耕

きごう・こうこん・しゃくぶく・しゅっこつ・しゅんぼう・しんめい・せんろく・ぞうひ・ふねい・そうこ

解答

11 晨明《しんめい》
12 後昆《こうこん》
13 鐫録《せんろく》
14 駿髦《しゅんぼう》
15 折伏《しゃくぶく》
16 揮毫《きごう》
17 不佞《ふねい》
18 倏《しゅっ》（儵）忽《こつ》
19 臧否《ぞうひ》
20 操觚《そうこ》

目標時間 25分

合格ライン 39点

得点 ／48

月 日

対義語

21 岳麓
22 褒讃
23 恭謙
24 遅疑
25 汲汲
26 安佚
27 哄笑

類義語

28 来駕
29 挂冠
30 自儘
31 匡弼
32 倥偬
33 供物
34 書簡

おうしょう・かんい・きょうだい
さんてん・ざんぼう・しゃくしゃく
しんせん・せきとく・ちし
どうこく・はんげき・ひりん
ほうらつ・ゆうえき

解答

21 山巓《さんてん》(顚)
22 讒謗《ざんぼう》
23 矜大《きょうだい》
24 敢為《かんい》
25 綽綽《しゃくしゃく》
26 鞅掌《おうしょう》
27 慟哭《どうこく》
28 賁臨《ひりん》
29 致仕《ちし》
30 放埒《ほうらつ》
31 誘掖《ゆうえき》
32 繁劇《はんげき》
33 神饌《しんせん》
34 尺牘《せきとく》

対義語

35 誚譲
36 盈満
37 称讃
38 出廬
39 稠密
40 玉砕
41 悠悠

類義語

42 天河
43 師表
44 黄白
45 駿逸
46 誘掖
47 別懇
48 絶筆

あくせく・あとぶつ・いんとん
かくりん・きかん・きけつ
ぎょうそ・ぎんかん・しんじつ
せんぜん・そかく・ばげん
ほひつ・ゆうめん

解答

35 宥免《ゆうめん》
36 虧欠《きけつ》
37 罵言《ばげん》
38 隠遁《いんとん》
39 疎《そ》(疏)隔《かく》
40 甎全《せんぜん》
41 齷齪《あくせく》・偓促《あくせく》
42 銀漢《ぎんかん》
43 亀鑑《きかん》
44 阿堵物《あとぶつ》
45 翹楚《ぎょうそ》
46 輔《ほ》(補)弼《ひつ》
47 親昵《しんじつ》
48 獲麟《かくりん》

故事・諺①

目標時間 25分
合格ライン 39点
得点 ／48 月 日

● 次の故事・成語・諺の**カタカナ**の部分を**漢字**で記せ。

1 怒髪冠を**ツ**く。
2 **インカン**遠からず。
3 鬼の**カクラン**。
4 **アウン**の呼吸。
5 **アザミ**の花も一盛り。
6 **アツウン**の曲。
7 痘痕も**エクボ**。
8 **イツボウ**の争い。
9 魚を得て**セン**を忘る。
10 **セッカク**の屈するは以て信びんことを求むるなり。

解答
1 衝
2 殷鑑
3 霍(癨)乱
4 阿吽
5 薊
6 遏雲
7 靨(笑窪)
8 鷸蚌
9 筌
10 尺蠖

11 **クンユウ**は器を同じくせず。
12 **シノギ**を削る。
13 **ソウリン**実ちて囹圄空し。
14 **ソクイン**の心は仁の端なり。
15 大旱の**ウンゲイ**を望むが若し。
16 **タデ**食う虫も好き好き。
17 **シモク**大なれど視ること鼠に若かず。
18 **リンゲン**汗の如し。
19 我が身を**ツネ**って人の痛さを知れ。
20 牛が**イナナ**き馬が吼える。

解答
11 薫蕕
12 鎬
13 倉廩(稟)
14 惻隠
15 雲霓
16 蓼
17 鴟目
18 綸言
19 抓
20 嘶

21 **ウダツ**が上がらぬ。
22 **カイドウ**睡り未だ足らず。
23 **カンナン**汝を玉にす。
24 九仞の功を**イッキ**に虧く。
25 **キンカ**一日の栄。
26 兄弟牆に**セメ**げども外其の務りを禦ぐ。
27 心正しければ則ち**ボウシ**瞭らかなり。
28 **カショ**の国に遊ぶ。
29 千金の**キュウ**は一狐の腋に非ず。
30 千日の**カンバツ**に一日の洪水。
31 立てば**シャクヤク**座れば牡丹。
32 他人の**センキ**を頭痛に病む。
33 豆腐に**カスガイ**、糠に釘。
34 **トソウ**の人、何ぞ算うるに足らんや。

21 梲(卯建)
22 海棠
23 艱難
24 一簣
25 槿花
26 鬩
27 眸子
28 華胥
29 裘
30 旱(干)魃
31 芍薬
32 疝気(疝)
33 鎹
34 斗筲

---

35 **フンケイ**の交わり。
36 **ホウロク**千に槌一つ。
37 法螺と**ラッパ**は大きく吹け。
38 目の上の**コブ**。
39 **ヤスリ**と薬の飲み違い。
40 **リュウジョ**飛ぶの時花城に満つ。
41 飽かぬは君の**ゴジョウ**。
42 秋の日は**ツルベ**落とし。
43 **アコギ**が浦に引く網。
44 餡を**ネブ**らせて口をむしる。
45 過ちを改むるのに**ヤブサ**かにせず。
46 過ちては則ち改むるに**ハバカ**ること勿れ。
47 粟とも**ヒエ**とも知らず。
48 鉤を窃む者は**チュウ**せられ、国を窃む者は諸侯となる。

35 刎頸
36 焙(炮)烙
37 喇叭
38 瘤(瘻・癭)
39 鑢
40 柳絮
41 御諚
42 釣瓶
43 阿漕
44 舐
45 吝(悋・嗇)
46 憚
47 稗
48 誅

故事・諺②

目標時間 25分
合格ライン 39点
得点 ／48
月　日

● 次の故事・成語・諺のカタカナの部分を漢字で記せ。

1 **ケンロ**の技。
2 白頭新の如く、**ケイガイ**故の如し。
3 **シュヒ**終に向かって曲げず。
4 君子は**オクロウ**に愧じず。
5 **オクビ**にも出さず。
6 同じ穴の**ムジナ**。
7 **ガイフウ**南よりして彼の棘心を吹く。
8 **カギュウ**角上の争い。
9 **イガグリ**も内から割れる。
10 木に付く虫は木を**カジ**り、萱に付く虫は萱を啄む。

解答
1 黔驢
2 傾蓋
3 手臂
4 屋漏
5 噯（噯気・噫・噫気）
6 狢（貉）
7 凱風
8 蝸牛
9 毬栗
10 齧（囓）

11 画竜**テンセイ**を欠く。
12 **ダツ**多ければ則ち魚みだる。
13 枳棘は**ランポウ**の棲む所に非ず。
14 **カツモク**して相待つ。
15 **キンカ**一朝の夢。
16 **フヨウ**は面のごとく、柳は眉のごとし。
17 **ケ**にも晴れにも歌一首。
18 倹約と**リンショク**は水仙と葱。
19 **リッスイ**の地無し。
20 **サイロウ**路に当たる、安んぞ狐狸を問わん。

解答
11 点睛
12 獺
13 鸞鳳
14 刮目
15 槿花
16 芙蓉
17 褻
18 吝嗇
19 立錐
20 豺狼

21 **コハク**は腐芥を取らず。
22 **コンニャク**で石垣を築く。
23 **ココ**の声をあげる。
24 触らぬ神に**タタ**りなし。
25 往事**ビョウボウ**としてすべて夢に似たり。
26 **ブンボウ**牛羊を走らす。
27 **ナメクジ**に塩。
28 **シャショク**墟となる。
29 **ジンコウ**も焚かず屁もひらず。
30 **タンゲイ**すべからず。
31 **チチュ**が網を張りて鳳凰を待つ。
32 朝菌は**カイサク**を知らず。
33 亭主の好きな赤**エボシ**。
34 三十輻**イッコク**を共にす。其の無なるに当たりて車の用あり。

21 琥珀
22 蒟（菎）蒻
23 呱呱（呱々）
24 祟
25 渺茫
26 蚊虻
27 蛞蝓
28 社稷
29 沈香
30 端倪
31 蜘蛛
32 晦朔
33 烏帽子
34 一轂

35 貂なき森の**イタチ**。
36 天網**カイカイ**疎にして漏らさず。
37 鳥なき里の**コウモリ**。
38 泥棒を捕らえて縄を**ナ**う。
39 名を**チクハク**に垂る。
40 珠玉の**ガレキ**に在るが如し。
41 **ヌカ**の中で米粒探す。
42 後悔**ホゾ**をかむ。
43 瑾瑜は**カ**を匿し国君は垢を含む。
44 **ハモ**も一期、海老も一期。
45 両葉去らずんば**フカ**を用うるに至る。
46 **フギョウ**天地に愧じず。
47 降らず照らさず油**コボ**さず。
48 **ベツ**人を食わんとして却って人に食わる。

35 鼬（鼬鼠）
36 恢恢（恢々）
37 蝙蝠（天鼠）
38 綯
39 竹帛
40 瓦礫
41 糠
42 臍
43 瑕
44 鱧（海鰻）
45 斧柯
46 俯仰
47 零（溢）
48 鼈

故事・諺③

●次の故事・成語・諺の**カタカナ**の部分を**漢字**で記せ。

1 大風が吹けば**オケ**屋が喜ぶ。
2 **モッコウ**にして冠す。
3 病**コウコウ**に入る。
4 **リョウコ**は深く蔵して虚しきが若し。
5 蠅子**キビ**に付く。
6 良馬は**ベンエイ**を見て行く。
7 **リンキ**嫉妬も正直の心より起こる。
8 尾に**ヒレ**を付ける。
9 口に**ミツ**あり、腹に剣あり。
10 鳩に三枝の礼あり烏に**ハンポ**の孝あり。

解答
1 桶
2 沐猴
3 膏肓
4 良賈
5 驥尾
6 鞭影
7 悋気
8 鰭
9 蜜
10 反(返)・哺

11 **コウサ**は拙誠にしかず。
12 後の祭り、七日**ニギ**やか。
13 余所の**ゴボウ**で法事する。
14 **マ**かぬ種は生えぬ。
15 **シトク**の愛。
16 **ハクケイ**のかけたるは尚磨くべし。
17 合羽着て**ナ**でても見たき柳かな。
18 書を**タシナ**むは酒をたしなむがごとし。
19 白壁の**ビカ**。
20 **ヒョウフウ**は朝を終えず、驟雨は日を終えず。

解答
11 巧詐
12 賑(殷)
13 牛蒡
14 蒔(播)
15 舐犢
16 白圭
17 撫
18 嗜(耆)
19 微瑕
20 飄風

目標時間 25分
合格ライン 39点
得点 ／48
月 日

21 常に**リョウウン**の志あり。
22 **マナイタ**の上の鯉。
23 **ナベブタ**と鼈。
24 玉を食らい桂を**カシ**ぐ。
25 空谷の**キョウオン**。
26 **キュウソ**猫を噛む。
27 **キネ**で当たり、杓子で当たる。
28 下手の横**ヤリ**。
29 危うきこと**ルイラン**の如し。
30 千丈の堤も**ロウギ**の穴を以て潰ゆ。
31 **シャレ**るには金がいる、じゃれるには暇がいる。
32 **リリョウ**頷下の珠。
33 **サイ**は投げられた。
34 その子乃ち**カショク**の艱難を知らず。

21 凌（陵）雲
22 俎（俎板・真魚板）
23 鍋蓋
24 炊
25 跫音
26 窮鼠
27 杵
28 槍（鎗・鑓）
29 累卵
30 螻蟻
31 洒落
32 驪竜
33 賽（骰・采）
34 稼穡

35 われ鍋にとじ**ブタ**。
36 煽てと**モッコ**には乗るな。
37 天に**セグクマ**り地に蹐す。
38 敢えて**キショウ**せざるは孝の始めなり。
39 議論は真理の**フルイ**である。
40 千里 糧を**モタラ**さず。
41 海枯れ 石**タダ**る。
42 闇夜の**ツブテ**。
43 朝鳶に**ミノ**を着よ。
44 まず**キビ**をくらい、後に桃をくらう。
45 **ヒニク**の嘆。
46 猫の歯に**ノミ**。
47 **セイカ**丹田に力を入れる。
48 **ネイゲン**は忠に似たり、姦言は信に似たり。

35 蓋
36 畚
37 跼
38 毀傷
39 篩
40 齎
41 爛（糜）
42 礫（飛礫）
43 蓑（簑）
44 黍（稷・粢）
45 髀（脾）肉
46 蚤
47 臍下
48 佞言

故事・諺④

● 次の故事・成語・諺の**カタカナ**の部分を**漢字**で記せ。

1 **コウシツ**の交わり。
2 内**クルブシ**は蚊に食われても悪い。
3 うつつにも**ムビ**にも忘れず。
4 **シュウオ**の心は、義の端なり。
5 月に**ムラクモ**花に風。
6 蚊の**マツゲ**に巣くう。
7 **ノミシラミ**　馬の尿する枕もと。
8 我に妻子**ケンゾク**なし、ただ書画あり。
9 船盗人を**カチ**で追う。
10 人固より一死あり、或いは**コウモウ**よりも軽し。

解答
1 膠漆
2 踝
3 夢寐
4 羞悪
5 叢雲
6 睫（睫毛）
7 蚤蝨（虱）
8 眷族（属）
9 徒歩
10 鴻毛

11 **ヨウラン**から墓場まで。
12 猛火**リョウゲン**より甚だし。
13 自信は成功の第一の**ヒケツ**である。
14 盗人に糧を**モタラ**す。
15 **シ**も舌に及ばず。
16 **シャカ**に説法、孔子に悟道。
17 **フソン**にして以て勇と為す者を悪む。
18 寒**ブリ**・寒鰡・寒鰈。
19 **ヒョウタン**から駒が出る。
20 **ヨバ**を仮る者は足を労せずして千里を致す。

解答
11 揺籃
12 燎原
13 秘訣
14 齎
15 駟
16 釈迦
17 不遜
18 鰤
19 瓢箪
20 輿馬

目標時間
25分

合格ライン
39点

得点
/48
月　日

21 **ウド**の大木。
22 狡兎死して**ソウク**烹らる。
23 一富士二鷹三**ナスビ**。
24 呉牛月に**アエ**ぐ。
25 人に接すべき態度は温良**キョウ**倹譲。
26 **スウジョウ**に詢る。
27 山の芋**ウナギ**とならず。
28 **イッサン**を博す。
29 **ショウチ**本来定主無し。
30 普天の下、**ソット**の浜。
31 **シタゴシラ**えも味の中。
32 **ムツ**まじき中に垣をせよ。
33 労働は苦痛に対する**タコ**をつくる。
34 自由は**サンテン**の空気に似ている。

21 独活
22 走狗
23 茄子
24 喘（嘽）
25 恭
26 芻蕘
27 鰻
28 一粲
29 勝地
30 率土
31 下拵
32 ・睦
33 胼胝（胼・胝）
34 山巓

35 騏驎も老いては**ドバ**に劣る。
36 親父の夜歩き、息子の**カンキン**。
37 傘と**チョウチン**は戻らぬつもりで貸せ。
38 上古は**ケツジョウ**して治まる。
39 **カニ**は甲羅に似せて穴を掘る。
40 **セキトク**の書疏は千里の面目なり。
41 亀の年を鶴が**ウラヤ**む。
42 礼は以て身を**カバ**う。
43 **ドンシュウ**の魚は枝流に游がず。
44 **キンシツ**相和す。
45 **チン**を飲みて渇を止む。
46 **シット**は愛の王国の暴君である。
47 **ケイコ**春秋を知らず。
48 是非の声は翼無くして飛び、損益の名は**スネ**無くして走る。

35 駑馬
36 看経
37 提（挑）灯
38 結縄
39 蟹
40 尺牘
41 ・羨
42 庇
43 呑舟
44 琴瑟
45 鴆（酖）
46 ・嫉・妬
47 蟪蛄
48 脛（臑・骭）

故事・諺⑤

目標時間 25分
合格ライン 39点
得点 ／48
月 日

●次の故事・成語・諺の**カタカナ**の部分を**漢字**で記せ。

1 **ワラビ**のほだで手を切れば骨まで切れる。
2 **サカネジ**を喰わせる。
3 やはり野に置け**レンゲ**草。
4 棺を**オオ**いて事定まる。
5 悪夢に**ウナ**される。
6 **ボロ**を着ても心は錦。
7 得意そうに鼻を**ウゴメ**かす。
8 **ヨ**りを戻す。
9 禍福は**アザナ**える縄の如し。
10 **コウガイ**死に赴くは易く、従容義に就くは難し。

解答
1 蕨
2 逆捩
3 蓮華
4 蓋
5 魘
6 襤褸（縷）
7 蠢
8 縒
9 糾（糺）
10 慷慨（忼）

11 鋳掛け屋の**テンビン**棒。
12 一擲**ケンコン**を賭す。
13 **ケサ**と衣は心に着よ。
14 窈窕たる淑女は**ゴビ**にこれを求む。
15 五寸の鍵**カイコウ**を制す。
16 臍の緒引き**ズ**る。
17 勧学院の雀は蒙求を**サエズ**る。
18 **ビワ**と焼き魚を一時に食うべからず。
19 **カゼン**の和は、一味に取るにあらず。
20 藜羹を食らう者は**タイロウ**の滋味を知らず。

解答
11 天秤
12 乾坤
13 袈裟
14 寤寐
15 開闔
16 摺
17 囀
18 枇杷
19 嘉膳
20 大（太）牢

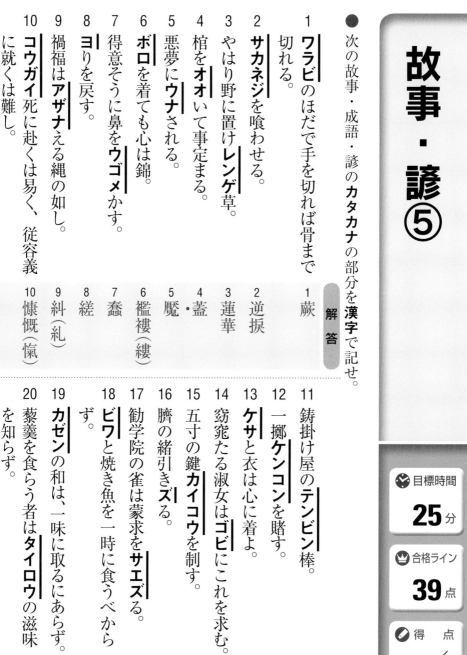

21 駕籠**カ**き駕籠に乗らず。
22 十把ひと**カラ**げ。
23 生死即**ネハン**。
24 花中の**オウゼツ**は花ならずして芳し。
25 **テイヨウ**藩に触る。
26 考えと**ソクイ**は練るほど良い。
27 **キジ**も鳴かずば撃たれまい。
28 **トマ**に寝て土塊を枕とする。
29 梨の**ツブテ**。
30 **ソウカイ**変じて桑田となる。
31 **ギョウシュン**の子に聖人なし。
32 **ヒスイ**は羽を以て自ら害なわる。
33 **キヨ**相半ばす。
34 **ソシ**をくらい水を飲み肱を曲げて之を枕とす。

21 舁
22 絡
23 涅槃
24 鶯舌
25 羝羊
26 続飯
27 雉（雉子）
28 苫（篷）
29 礫（飛礫）
30 滄（蒼）海
31 尭舜
32 翡翠
33 毀・誉
34 疏（疎・麤・蔬）食

35 芝居は芝居、**ショセン**影にすぎない。
36 一髪**センキン**を引く。
37 **シュウチ**は青春の飾りである。
38 **フカ**を視れば爛尽す。
39 衆説**ロンバク**して互いに見る所を執る。
40 **カンシャク**玉を踏み潰す。
41 **シトク**の愛。
42 礼は未然の前に禁じ、法は**イゼン**の後に施す。
43 **キシ**連抱にして数尺の朽あるも良工は棄てず。
44 **レイサイ**一点通ず。
45 **カンショ**は楽しんで淫せず。
46 **ロカイ**の立たぬ海もなし。
47 鉄中の錚錚、庸中の**コウコウ**。
48 **オガクズ**も言えば言う。

35 所・詮
36 千鈞
37 羞・恥
38 斧柯
39 論駁（駮）
40 癇癪
41 舐犢
42 已然
43 杞梓
44 霊犀
45 関雎
46 櫓（艪）櫂
47 佼佼（佼々）
48 大鋸屑

故事・諺⑥

目標時間 25分
合格ライン 39点
得点 /48
月 日

●次の故事・成語・諺の**カタカナ**の部分を**漢字**で記せ。

1 明珠**ロウボウ**に出ず。
2 釣りして綱せず、**ヨク**して宿を射ず。
3 **ラッキョウ**食うて口を拭う。
4 **ソウユ**且に迫らんとす。
5 湯の**ジギ**は水になる。
6 乳狗人を搏ち、**フクケイ**狸を搏つ。
7 **テンキ**洩漏すべからず。
8 滄浪の水清まば以て吾が**エイ**を濯うべし。
9 大弁は**トツ**なるが如し。
10 **ショウリョウ**深林に巣くうも一枝に過ぎず。

解答
1 老蚌
2 弋
3 辣韮・薤
4 桑楡
5 辞儀(宜)
6 伏鶏
7 天機
8 纓
9 訥
10 鷦鷯

11 **クンシュ**山門に入るを許さず。
12 擦ったの、**モ**んだの。
13 **カンカ**を交える。
14 **アブ**蜂取らず。
15 **カンタン**の夢。
16 **コウリョウ**一炊の夢。
17 **エンソ**河に飲むも腹を満たすに過ぎず。
18 **エンオウ**の契り。
19 虎**ウソブ**けば谷風至る。
20 道なるものは**シュユ**も離るべからざるなり。

解答
11 葷酒
12 揉
13 干戈
14 虻
15 邯鄲
16 黄粱
17 偃(鼴)鼠
18 鴛鴦
19 嘯
20 須臾

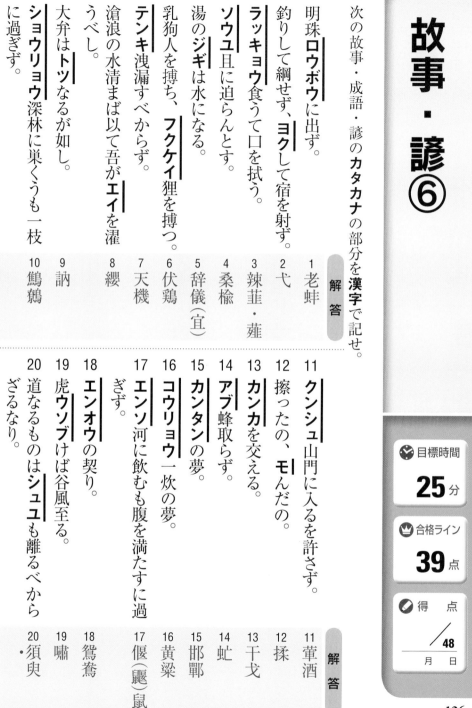

21 **シュウレン**の臣あらんよりは寧ろ盗臣あれ。
22 **ケンカ**玉樹に倚る。
23 君は**ウ**の如く、民は水の如し。
24 **ウショウ**を飛ばす。
25 **ブンゼイ**膚を咬み虎狼肉を食らう。
26 師の拠る所**ケイキョク**生ず。
27 焼け野の**キギス**夜の鶴。
28 既往は**トガ**めず。
29 臥榻の側、他人の**カンスイ**を容れず。
30 **コウ**竜雲雨を得。
31 追う手を防げば**カラ**め手が回る。
32 **キョウラン**を既倒に廻らす。
33 **カンゼン**として氷釈す。
34 **ランジャ**の室に入る者は自ら香ばし。

21 聚斂
22 蒹葭
23 盂
24 羽觴
25 蚊蚋
26 荊棘
27 雉子
28 咎
29 鼾睡
30 蛟
31 搦
32 狂瀾
33 渙然
34 蘭麝

35 鷙鳥百を累ぬとも**イチガク**に如かず。
36 自惚れと**カサケ**の無い者はない。
37 孔丘**トウセキ**倶に塵埃。
38 常常**キラ**の晴れ着なし。
39 **ケイヨウ**は少なきを以て貴なりとし、石礫は多きを以て賤しとす。
40 瑠璃も**ハリ**も照らせば光る。
41 **エイ**を含み華を咀う。
42 **ホウタイ**だに毒有り。
43 陶朱**イトン**の富。
44 **ナンカ**の夢。
45 田鼠化して**ウズラ**となる。
46 **タデス**でもいけぬ奴。
47 **コキン**の悲しみ。
48 **シュクユウ**の災い。

35 一鶚
36 瘡気
37 盗跖(蹠)
38 綺羅
39 瓊瑶
40 玻璃
41 英
42 蜂蠆
43 猗頓
44 南柯
45 鶉
46 蓼酢
47 鼓琴
48 祝融

文章題①

● 文章中の傍線（1〜10）の**カタカナ**を**漢字**に直し、波線（ア〜コ）の**漢字**の**読み**を**ひらがな**で記せ。

A　幾年十月の日が射したものか、何処も彼処も[1]**ネズミイロ**に枯れている西の端に、一本の[ア]薔薇が這いかかって、冷たい壁と、暖かい日の間に挟まった花をいくつか着けた。大きな[2]**ベン**は卵色に豊かな波を打って、[イ]蕚から翻る様に口を開けたまま、ひそりと所々に静まり返っている。香《におい》は薄い日光に吸われて、二間の空気の裡に消えて行く。自分はその二間の中に立って、上を見た。薔薇は高く這い上って行く。ネズミイロの壁は薔薇の蔓の届かぬ限りを尽して真直に[3]**ソビ**えている。屋根が尽きた所にはまだ塔がある。日はその又上の[4]**モヤ**の奥から落ちて来る。

（夏目漱石「永日小品」より）

B　登美子は優美《しとや》かに姿勢を作って弓《きゅう》を摩《こす》り初めた。初めは静かに軟かく春風の花に狂う蝶を追う如く美わしい音をうねらしたが、次第に半音階ずつ上って凄まじき冬の夜に断雲の逃ぐるを追い弦月の利《と》鎌《がま》を磨ぐ急風の如く、俄に弓の手激しくなれば風飈《ふうひょう》[5]**タチマ**ち絃上より起って混濁の世に棲める[ウ]魑魅魍魎を吹払うかと怪まれ、岩頭の孤猿は吹落されまじと叫び[エ]塒の小鳥は處を失って啼き走獣は地に伏して[オ]哭し[6]**ヒキン**は翼を破られて逆《さかし》まに落ち海荒れ地裂くる凄まじき間[カ]啾々たる鬼哭の満つるを聞く如く、暫らくにして罪の国は亡び地は青き草木を生じて花薫《くん》じ鳥啼ける楽園に天使舞うて奏づる如く恋の抑々の[7]**コウコツ**として身も魂も溶《とろ》くるような楽《たのしみ》は人寰を吹荒す猛風虐雨に傷《やぶ》られて果敢《はか》なく成果つる恨めしさ

目標時間 **10**分

合格ライン **16**点

得　点 ／20

月　日

をも一と度有漏無漏《うろむろ》を離れて心地一転すれば花も月も風も雨も恋ならざるはなき情《こころ》を細かに現わした。

初めは自分も浮《うわ》の空でヰオリンの音が耳に入らなかッたが、冴えたる伎倆《うでまえ》にいつか聞惚れて陶然として酒に酔えるように現《うつつ》となって、キ恰も宛転として滑かなる8ハリ盤上に金鈴を転ばす如く美わしく、又ク朝暾の輝ける麗かな大空に丹頂の舞うて啼ける如く愛《めで》たく曲を撥《おわ》った時は左《さ》らぬだに波濤に揉まるる船に似たる心の幾度かケ掀翻せられて奈落に沈むかとばかり魂《たま》消えしのち汪洋たる大洋の大うねりに載せられたような心地がした。

（内田魯庵「かた鶉」より）

C

かくて道元は諸法実相の思想を徹底させる。「この山河大地みな仏性海なり。」山河大地はそのままに「仏性海のかたち」なのである。山河を見るはすなわち仏性を見るのであり、仏性を見るとは9ロバのコ顋、馬の口を見ることである。ここに現象と本体との区別は全然10ハツムされる。世俗諦《せぞくたい》（シナにおいてはこの語は自然的態度における真理の義に解された）と、勝義諦《しょうぎたい》あるいは第一義諦との区別もない。有るものはただ仏性のみである。否、「有るものは」と言うこともできない。ただ「仏性」である。ただ「悉有」である。

（和辻哲郎「日本精神史研究」より）

解答

1 鼠色
2 瓣
3 聳
4 靄
5 忽
6 飛禽
7 恍惚
8 玻璃
9 驢馬
10 撥無(撫)
ア ばら
イ がく・うてな・はなぶさ
ウ ちみもうりょう
エ ねぐら・とや
オ こく
カ しゅうしゅう
キ あたか
ク ちょうとん
ケ きんぱん・きんぽん
コ あご・あぎと

文章題②

目標時間	合格ライン	得点
10分	16点	/20

月　日

● 文章中の傍線（1～10）の**カタカナ**を**漢字**に直し、波線（ア～コ）の**漢字**の**読み**を**ひらがな**で記せ。

A

この時代にありて天下に横行する野蛮の種族なる者は、古書に載する所を見て、明《あきらか》にその気風性質を[1]**ツマビ**らかにし難しといえども、当時の事情を推察してこれを按ずるに、豪気[ア]慓悍にして人情を知らず、その無識[2]**アング**なること[3]**ホトン**ど[イ]禽獣に近き者の如し。然りといえども今一歩を進めて、その内情に就き細《こまか》に砕きてこれを吟味すれば、このアング慓悍の内に、自《おのず》から[ウ]豪邁[4]**コウガイ**の気を存して、[エ]不羈独立の風あり。けだしこの気風は、人類の本心より来りしものにて、即ち自《みず》から認めて、独一個《どくいっこ》の男子と思い、自《みず》から[5]**ユカイ**を覚《おぼゆ》るの心なり。大丈夫の志なり。心志の発生、留めんとして留むべからざるの勇気なり。

（福沢諭吉「文明論之概略」より）

B

月がいいので或る晩行一は戸外を歩いた。地形がいい工合に傾斜を作っている原っぱで、スキー装束をした男が二人、月光を浴びながらかわるがわる滑走しては跳躍した。

昼間、子供達が板を尻に当てて棒で[6]**カジ**をとりながら、行列して滑る有様を信子が話していたが、その切通し板はその傾斜の地続きになっていた。其処は[7]**カッセキ**を塗ったように気味悪く光っていた。

バサバサと凍った雪を踏んで、月光のなかを、彼は美しい想念に[オ]涵りながら歩いた。その晩行一は細君にロシアの短篇作家の書いた話をしてやった。——

「乗せてあげよう」

少年が少女を[8]**ソリ**に誘う。其処から二人は汗を出して長い傾斜を牽いてあがった。其処から滑り降りるのだ。

——ソリは段々速力を増す。首巻がハタハタはためきはじめる。風がビュビュと耳を過ぎる。

（梶井基次郎「雪後」より）

C むかしむかし、貉[カ]と猿と獺[キ]の三人がつれ立って、弥彦[9]**マイ**りに出かけたことがあるそうです。其途中で三人は拾い物をしました。その拾い物は莚[ク]が一枚、塩が一叺[ケ]と豆が一升とでありました。是をどういう風に分配したらよいか。なかなか相談が纏まらなかったそうです。そのうちに貉は賢いからこう言いました。猿さんはこの莚を持って、山の樹の上に登ってひろげて、方々を眺めたらいいじゃないか。獺さんはこの塩をどこか魚のいそうな池へ持って行って撒[コ]いて、魚を浮かせて捕ったらいいじゃないか。私は残りの豆を貰って食べようと言いますと、他の二人はうっかりと賛成してしまいました。猿は喜んで樹の上へ莚を持って行って、それを敷いて見物をしようとしますと、直ぐにすべってしまって、猿も木から落ちました。そうして足を挫いてしまいました。獺は池を見付けて一叺の塩を打ち込み、其の後から水の中に入って見ますと、塩水が眼にしみて真赤に[10]**タダ**れてしまいました。これは飛んだ物を背負い込んだ。全体貉がずるいからいけないと、二人で苦情を言いに貉のうちへ行きました。

（柳田国男「日本の昔話」より）

解答

1 詳（審）
2 暗愚
3 殆
4 慷慨
5 愉快
6 楫（舵・梶）
7 滑石
8 橇（轌・艝）
9 詣
10 爛

ア ひょうかん
イ きんじゅう
ウ ごうまい
エ ふき
オ ひた
カ むじな
キ かわうそ
ク ござ
ケ かます
コ こま

文章題③

●文章中の傍線（1〜10）の**カタカナ**を**漢字**に直し、波線（ア〜コ）の**漢字**の**読み**を**ひらがな**で記せ。

目標時間 **10**分

合格ライン **16**点

得点 ／20

月　日

A　たとえばサッカレー、それからシェイクスピアはもちろん、文芸[ア]廃頽期の詩人もまた、（と言っても、いずれの時か廃頽期でなかろう）物質主義に対する反抗のあまりいくらか茶道の思想を受け入れた。たぶん今日においてもこの「不完全」を[イ]真摯に静観してこそ、東西相会して互いに慰めることができるであろう。

　道教徒はいう、「無始」の始めにおいて「心」と「物」が決死の争闘をした。ついに大日輪黄帝《こうてい》は闇と地の[1]**ジャシン**祝融に打ち勝った。その巨人は死苦のあまり頭を[2]**テンガイ**に打ちつけ、硬玉の青天を粉砕した。星はその場所を失い、月は夜の[3]**セキバク**たる天空をあてもなくさまようた。失望のあまり黄帝は、遠く広く天の修理者を求めた。捜し求めたかいはあって東方の海から女媧《じょか》という女皇、角をいただき竜尾をそなえ、火の[4]**カッチュウ**をまとって[ウ]燦然たる姿で現われた。

（岡倉覚三「茶の本」より）

B　彼等は第一に自然の讃美者であった。日本国民の中でこれ程山花水月に憧れて、自然の中に[5]**イシャ**を求め自己を認め、永遠の生命を感得した者はない。古《いにしえ》の王朝の人々も讃美者であったが、多くは自然に[エ]諂い若くは巫山戯《ふざけ》るに過ぎなかった。併し平家の人々には自然は生気であった。彼等は自然と共に呼吸した。[オ]而して彼等は殊に月に憧れ、霞に酔うた、小宰相が[6]**オボロ**月夜に海に沈んで了う、惟《これ》盛《もり》中将も春の海に憧れ出でて其身を投げる、『海路遙に霞み渡りて哀を催すたぐい哉』の一句は正に人の心を蕩[カ]かす。横笛も亦春の月夜に其恋人の跡を尋ねる、『比《ころ》は二月二十日あまりのことなれば梅津の里の春風によその匂も懐かしく大井川の月影も霞にこめてオボロなり、一方《ひとかた》ならぬあわれさも誰故《たれゆえ》とこそ思いけめ』の一聯の句は明らかに日本文学の中の絶唱で、これ程モダーンで哀感的に人を動かす詞は鮮[キ]なかろう。其外平家は屋島でも太宰府でも一の谷でも到る處花と月に[7]**ショウヨウ**した。あわれこの一事既にロマンチクの第一の特徴を表わして居る、獨逸《どいつ》のロマンチクの詩人チークやヘルデルリンやノワーリス等は凡てこんな春とこんな月影に酔うたではなかったか。

（斎藤野の人「日本文学のロマンチク趣味」より）

C わたしは提げてきた正宗の罎[ク]を口につけて喇叭[ケ]飲みしながら潯陽江頭夜送[コ]㆑客、楓葉荻花秋瑟々と酔いの発するままにこえを挙げて[8]**ギン**じた。そしてギンじながらふとかんがえたことというのはこの[9]**ロテキ**の生いしげるあたりにもかつては白楽天の琵琶行に似たような情景がいくたびか演ぜられたであろうという一事であった。江口や神崎がこの川下のちかいところにあったとすればさだめしちいさな葦分け舟をあやつりながらここらあたりを[10]**ハイカイ**した遊女も少くなかったであろう。

（谷崎潤一郎「蘆刈」より）

解答

1 邪神	6 朧	ア はいたい	カ とろ
2 天蓋	7 逍遥	イ しんし	キ すく
3 寂寞	8 吟	ウ さんぜん	ク びん
4 甲冑	9 蘆荻	エ へつら	ケ らっぱ
5 慰藉	10 徘徊	オ しか	コ じんよう

文章題④

●文章中の傍線（1～10）の**カタカナ**を**漢字**に直し、波線（ア～コ）の**漢字**の**読み**を**ひらがな**で記せ。

目標時間 **10**分

合格ライン **16**点

得点 ／20

月　日

A

ア天稟備わる此程の1**ノウヒツ**を、イ此儘日蔭に置くは如何にも残念と、出入の小商人《あきんど》が2**ツイショウ**に、親父も其気に成って。或る時無心の小太郎を、中村楼の書画会に連れて行き。画牋白紙画帖扇面の嫌いなく、腕に任せて書いてやったが。まだ十一か十二で、去りとは恐ろしい筆力と、見物は舌を捲いて珍重がり、其四辺《あたり》に黒山に成って、吾れも吾れもと3**キゴウ**の依頼。いけ年を喰て頭をウ禿げらかし、斑《ごま》白《しお》髯を左の手にしごきながら、目鏡越《めがねごし》に人を4**ニラ**んで、柳原《やなぎはら》の賣卜者《うらないしゃ》を見る様に、通り掛る者を此方から声かけて、無理に唐詩選の抜書をして居るデモ書家は、為に見世が閑になって、エ徒らに墨の干上る5**スズリ**を恨めしそうに眺めてハ、独りつぶやいて居る始末。

（巌谷小波「当世少年気質」より）

B

旅人宿《はたごや》だけに亀屋の店の障子には灯火《あかり》が明《あか》く射して居たが、6**コヨイ**は客も余りないと見えて内もひっそりとして、おりおり雁頸の太そうな7**キセル**で火鉢の縁を8**タタ**く音がするばかりである。

突然《だしぬけ》に障子をあけて一人の男がのっそり入ッて来た。長火鉢に寄か丶ッて胸算用に余念も無かった主人《あるじ》が驚て此方を向く暇もなく、広い土間を三歩《みあし》ばかりに大股に歩いて、主人の鼻先に突立ッた男は年頃三十には未だ二ツ三ツ足らざるべく、洋服、9**キャハン**、草鞋の旅装《なり》で鳥打帽をかぶり、右の手にオ蝙蝠傘を携え、左に小さな革包《かばん》を持て其を脇に抱て居た。

『一晩厄介になりたい。』

主人は客の風采《みなり》を視《み》て居て未だ何とも言わない、其時奥で手の鳴る音がした。

『六番でお手が鳴るよ。』

哮える様な声で主人は叫んだ。

『何方《どちら》さまで御座います。』

　主人《あるじ》は火鉢に寄かかったままで問うた。客は肩を聳[カ]やかして一寸《ちょっ》と顔をしがめたが、忽ち口の辺《ほとり》に微笑をもらして、

『僕か、僕は東京。』

『それで何方へお越しで御座います。』

『八王子へ行くのだ。』

と答えて客は其処に腰を掛け脚絆の緒《ひも》を解きにかかった。


（国木田独歩「忘れえぬ人々」より）

C　處《ところ》へ扉《どあ》の音もせず、二重廻の**ボタン**[10]をかけかけ急々《せかせか》と出て来たのは中肉中脊の色の白い若紳士で、車夫は一斉に起あがったが、此は俥なしなので、さっさと歩行《てく》で出かけようとする處を、遽《にわか》に可《おそ》恐《ろし》い扉《どあ》の響、同時に、「猿《さ》山《やま》君、猿山君。」と甲高な声で呼んだのは、丈の高い洋服の紳士である。
　立戻った猿山を、じろりと見下して。

「やあ、どうもお待せ申して甚だ済まん訳で。然し君、何ぞ急ぎの用事でもあるのかね。」と突立っている横の方から潜り出たのは、分外に大きい五所紋《いつところもん》の奉書紬の羽織に、細い胸紐、呉撰平《ごせんひら》の袴を乱次《だらしな》く後下りに穿いた三十恰好の、毬栗頭[キ]の男で、頤[ク]に疎髯[ケ]を蓄えた、色の赭[コ]い、目の可恐《おそろし》く光る、一癖ありそうな相貌であるが、地方の新聞記者でなくば、志士でもありそうな人品である。


（徳田秋声「惰けもの」より）

解答

1 能筆	6 今宵	ア てんぴん	カ そび
2 追従	7 煙管	イ まま	キ いがぐり
3 揮毫	8 敲(叩)	ウ は	ク あご・おとがい
4 睨	9 脚絆	エ いたず	ケ そぜん
5 硯	10 釦	オ こうもり	コ あか

文章題⑤

● 文章中の傍線（1～10）の**カタカナ**を**漢字**に直し、波線（ア～コ）の**漢字**の**読み**を**ひらがな**で記せ。

目標時間 **10**分

合格ライン **16**点

得点　　／20

月　日

A　漢の武帝の天漢二年秋九月、騎都尉・李陵は歩卒五千を率い、辺塞遮虜鄣《しゃりょしょう》を発して北へ向った。阿爾泰《アルタイ》山脈の東南端が戈壁《ゴビ》沙漠に没せんとする辺の磽确《こうかく》たる丘陵地帯を縫って北行すること三十日。[ア]朔風は[イ]戎衣を吹いて寒く、如何にも万里孤軍来《きた》るの感が深い。漠北・浚稽山の麓に至って軍は漸く止営した。既に敵[1]**キョウド**の勢力圏に深く進み入っているのである。秋とはいっても北地のこととて、[ウ]苜蓿も枯れ、[2]**ニレ**や檉柳《かわやなぎ》の葉も最早落ちつくしている。木の葉どころか、木そのものさえ（宿営地の近傍を除いては）、容易に見つからない程の、唯沙と岩と[エ]磧と、水の無い河床との荒涼たる風景であった。極目人煙を見ず、稀に訪れるものとては[オ]曠野に水を求める[3]**カモシカ**ぐらいのものである。[4]**トッコツ**と秋空を[カ]劃る遠山の上を高く[5]**カリ**の列が南へ急ぐのを見ても、しかし、将卒一同誰一人として甘い懐郷の情などに唆《そそ》られるものはない。

それ程に、彼等の位置は危険極まるものだったのである。

騎兵を主力とするキョウドに向って、一隊の騎馬兵をも連れずに歩兵ばかり（馬に[6]**マタガ**る者は、陵とその幕僚数人に過ぎなかった）で奥地深く侵入することからして、無謀の極という外は無い。その歩兵も僅か五千、絶えて後援は無く、しかもこの浚稽山は、最も近い[キ]漢塞の居延からでも優に一千五百里（支那《しな》里程）は離れている。統率者李陵への絶対的な信頼と心服とが無かったなら到底続けられるような行軍ではなかった。

（中島敦「李陵」より）

B 貿易ハ即チ貿易ナリ。既ニ貿易ナリ。貿易ノ太陽一タヒ日耳曼帝国ノ中心ヲ照ラストキニハ。彼カ奇々怪々ナル魔術ヲ以テ幻出シタル武備ノ妖星ハ忽然トシテ其光ヲ失ウヤ固ヨリ論ヲ竢タサルナリ。去年九月八日ノ独逸官報ハ記シテ曰ク。吾人ハ十餘年前マテ戦勝ノ利ニ頼ルニ非レハ得難シト信シタル所ノモノヲ今ヤ勧業ノ功ニヨリテ之ヲ得ルノ幸運ニ達セリ」ト。彼ノ独逸人民モソレ今ニシテ悟ル所アルカ。彼ノビスマルクノ強項[ク]傲鷙ナル尚第十九世紀ノ大勢力ニ向テハ泥中ニ[7]**ハイキ**セリ。况ンヤ他ノビスマルクタラント欲スル人ニ於テオヤ。又况ンヤビスマルクタル能ハサル人ニ於テオヤ。世ノ妄庸政治家ヲ願クハ眼ヲ転シテ汝ノ後頭ヲ顧ミヨ。

唯一見セハ欧州ハ腕力ノ世界ナリ。少ク之ヲ観察スル時ニハ裏面ニハ更ニ富ノ世界アルヲ見。兵ト富トハ二個の大勢力ニシテ[8]**イワユル**雙懸日月照乾坤ノ有様ナルヲ見ル可シ。然レトモ更ニ精密ニ之ヲ観察セハ兵ノ太陽ハ其光輝[9]**サンラン**タルカ如シト[10]**イエド**モ[ケ]夕暉既ニ斜ニ西山ニ入ラントスル絶望的ノモノニシテ彼ノ富ノ太陽ハ紅輪杲々トシテ将ニ半天ニ躍リ上ラントスル希望的ノモノナルヲ見ル可シ。而シテ又更ニ一層ノ思考ヲ凝ラス時ハ此ノ絶望的ノ光輝モ。畢竟スルニ彼ノ希望的ノ光輝ニ反映シテ[コ]霎時ニ幻出シタル者ニシテ。

（徳富蘇峰「将来之日本」より）

解答

1 匈奴
2 楡
3 羚羊・氈鹿
4 突兀
5 雁・鴈
6 跨
7 拝跪
8 所謂
9 燦爛
10 雖

ア さくふう
イ じゅうい
ウ うまごやし・もくしゅく
エ かわら
オ こうや
カ くぎ
キ かんさい
ク ごうし
ケ せっき
コ しょうじ

文章題⑥

● 文章中の傍線（1～10）の**カタカナ**を**漢字**に直し、波線（ア～コ）の**漢字**の**読み**を**ひらがな**で記せ。

目標時間 **10**分

合格ライン **16**点

得点　／20

月　日

A

これに反して徒に美人の名に誘われて、目に丁字なしという[ア]輩が来ると、玄機は[イ]毫も[1]**カシャク**せずに、これに侮辱を加えて逐い出してしまう。熟客と共に来た無学の貴介子弟などは、幸にして[ウ]謾罵を[2]**マヌカ**れることが出来ても、坐客があるいは句を聯ねあるいは曲を度する間にあって、自《みず》ら視て欠然たる処から、独り窃に席を逃れて帰るのである。

客と共に謔浪した玄機は、客の散じた後に、[3]**オウオウ**として楽まない。夜が更けても眠らずに、目に涙を[4]**タタ**えている。そういう夜《よ》旅中の温に寄せる詩を作ったことがある。

寄飛卿　　飛卿《ひけい》に寄す

堦砌乱蛩鳴　　堦砌に　[エ]乱蛩鳴き、

庭柯烟露清　　[オ]庭柯に　烟露　清し。

月中隣楽響　　月中に　隣楽　響き、

楼上遠山明　　楼上に　遠山　明かなり。

珍簟涼風到　　[カ]珍簟に　涼風　到り、

瑤琴寄恨生　　瑤琴に　寄恨　生ず。

嵆君《けいくん》懶書札　　嵆君　書札に[キ]懶し、

底物慰秋情　　底物《なにもの》か　秋情を慰めん。

玄機は詩筒を発した後、日夜温の書の来るのを待った。さて日を経て温の書が来ると、玄機は失望したように見えた。これは温の書の罪ではない。玄機は求むる所のものがあって、自らその何物なるかを知らぬのである。

或る夜玄機は例の如く、灯の下に眉を[ク]顰めて[5]**チン**

シしていたが、漸く不安になって席を起ち、あちこち室内を歩いて、机の上の物を取っては、また直《すぐ》に放下しなどしていた。

（森鷗外「魚玄機」より）

B 「否《いえ》な、何も私が意地悪を言うわけではないえ」

と湊屋《みなとや》の女中、前垂の膝を堅くして——傍《かたわら》に柔かな髪の房《ふっさ》りした島田の6**ビン**を重そうに差俯向く……襟足白く冷たそうに、水紅色《ときいろ》の羽二重《はぶたえ》の、無地の長7**ジュバン**の肩が辷って、寒げに背筋の抜けるまで、嫋《なよ》やかに、打悄《うちしお》れた、残んの嫁菜《よめな》の薄紫、浅黄のように目に淡い、藤色8**チリメン**の二枚着で、姿の寂しい、二十《はたち》ばかりの若い芸者を流眄《しりめ》に掛けつつ、

「このお座敷は貰うて上げるから、なあ和女《あんた》、もうちゃっと内へお去《い》にゃ。……島家《しまや》の、あの三重さんやな、和女、お三重さん、お帰り！」

とケ屹と言う。

（泉鏡花「歌行燈」より）

C 文鳥はつと嘴を餌壺の真中に落した。そうして二三度左右に振った。奇麗に平《なら》して入れてあった粟がはらはらと籠の底に零れた。文鳥は嘴を上げた。咽喉《のど》の所で微な音がする。又嘴を粟の真中に落す。又微な音がする。その音が面白い。静かに聴いていると、丸くて細やかで、しかも非常に速《すみや》かである。9**スミレ**程な小さい人が、黄金《こがね》の槌で10**メノウ**の碁石でもつづけ様にコ敲いている様な気がする。

（夏目漱石「夢十夜—文鳥—」より）

解答

1 仮借
2 免
3 快々・快快
4 湛
5 沈思
6 鬢
7 襦袢
8 縮緬
9 菫
10 瑪瑙
ア やから
イ ごう
ウ まんば
エ らんきょう
オ ていか
カ ちんてん
キ ものう・ものぐさ
ク ひそ
ケ きっ
コ たた

COLUMN

平成22年の常用漢字表の改定で
削除された字種と音訓について

平成22年11月に告示された常用漢字表の改定では、昭和56年告示の常用漢字表から、「勺・錘・銑・脹・匁」の５字種と、「畝（訓：せ）・疲（訓：つからす）・浦（音：ホ）」３字の一部の音訓が削除されました。

それに伴い、平成24年６月以降の試験では、JIS第一水準である「勺・錘・銑・脹・匁」の５字種は、準１級の配当漢字になりました。

また、削除となった音訓のうち、「畝（訓：せ）」「浦（音：ホ）」は準１級対象の表外読みとなりました。

●準１級の配当漢字になった5字種

勺（旧：2・準2級）
錘（旧：2・準2級）
銑（旧：2・準2級）
脹（旧：3級）
匁（旧：2・準2級）

●表外読みになったもの

畝（2・準2級）	訓：せ
浦（2・準2級）	音：ホ

付録

とっさに役立つ 1級用資料

※P.142～161で左側に●の付いた漢字は、平成24年からの審査基準の改定で新たに常用漢字となった字種です。２級の配当漢字になりましたが、平成24年６月以降の新試験でも、わずかですが出題されています。なお、表外読みであってもマークを付けています。

四字熟語

1級の出題範囲の四字熟語を50音順に掲載しました。なお、類は類義語、対は対義語を示しています。

あ

曖昧模糊（あいまいもこ）
物事の内容や意味がぼんやりとしていて、はっきりしないさま。「曖昧」は、はっきりしないこと。「模糊」は、ぼんやりとしているさま。

蛙鳴蟬噪（あめいせんそう）
騒騒しいだけで何の役にも立たない議論や文章のたとえ。「蟬噪蛙鳴」ともいう。類 驢鳴犬吠（ろめいけんばい）

阿諛追従（あゆついしょう）
相手に気に入られようとして、こびへつらうこと。類 阿附迎合／阿諛便佞

為虎傅翼（いこふよく）
ただでさえ強い虎に空を自由に飛ぶことのできる翼を付与する意より、強い者がさらに威力を加えること。「傅翼」は翼をつける意。

一饋十起（いっきじっき）
「饋」は食事の意で、一度の食事中に十回も席を立つ意より、熱心に賢者を求めることのたとえ。

一瀉千里（いっしゃせんり）
水が一度流れ出すと一気に千里も流れる意より、物事の進み方が非常に速いことのたとえ。また、文章や弁舌が明快で、よどみがないことのたとえ。「瀉」は水が勢いよく流れ下る意。類 一気呵成

韋編三絶（いへんさんぜつ）
一冊の書物を、なめし革のとじひもが何度も切れるほど、繰り返し繰り返し読むこと。読書や学問に熱心なことのたとえ。

因果覿面（いんがてきめん）
悪事の報いが、即座に目の前に現れること。「因果」は悪行の報い。「覿面」は、結果や効果などがすぐさま現れる意。類 因果歴然

慇懃無礼（いんぎんぶれい）
言葉づかいや態度などが丁寧すぎて、かえって無礼であるさま。また、表面は礼儀正しく丁寧であるように見えるが、内心は尊大で相手を見下しているさま。「慇懃」は非常に礼儀正しいさま。

因循苟且（いんじゅんこうしょ）
古い習慣や方法にとらわれて改めようとせず、一時しのぎの間に合わせで済ませるさま。「因循」はぐずぐずしていて煮えきらないこと。「苟且」は、かりそめの意。類 因循姑息

烏焉魯魚（うえんろぎょ）
よく似ていて、書き誤りやすい文字のこと。また、文字を書き誤ること。類 魯魚章草／魯魚亥豕（がいし）

禹行舜趨（うこうしゅんすう）
禹が歩き舜が走るのをまねるだけで実質が伴わない意より、うわべだけ聖人の動作をまねても、それに伴う徳が備わっていないこと。「禹」「舜」はともに、中国古代の伝説上の聖人。

右顧左眄（うこさべん）
まわりの状況や周囲の思惑などを気にして、なかなか決断できないでいること。「顧」は見まわす意。「眄」は横目でちらりと見ること。類 首鼠（しゅそ）両端

郢書燕説（えいしょえんせつ）
意味のないことについて、あれ

これとこじつけてもっともらしく解説すること。「郢」は春秋戦国時代の楚の都。「燕」は現在の北京の近くにあった国の名。

蜿蜒長蛇（えんえんちょうだ）

行列などが、蛇のようにうねうねと一列に長く続いているさま。「蜿蜒」は蛇などがくねくねと曲がりながら進むさまを表し、「蜿蜿」「蜒蜒」とも書く。「長蛇」は長い列のたとえ。

燕頷虎頸（えんがんこけい）

燕のような頷（あご）と虎のような頸（くび）の意より、遠国の諸侯となるような容貌のこと。また、堂々たる武者の人相のたとえ。

延頸挙踵（えんけいきょしょう）

首を伸ばし、つま先立って待ちわびる意より、人の来訪を待ち望むこと。類鶴立企佇

偃武修文（えんぶしゅうぶん）

武器を伏せて戦いをやめ、文徳によって平和な世を築くこと。「偃武」は武器を伏せて戦いをやめること。「修文」は文徳を修める意。類帰馬放牛

婉娩聴従（えんべんちょうじゅう）

物言いや態度が穏やかで優しく、人の言うことに素直に従うさま。「婉娩」は、言葉や動作が上品で素直であること。「聴従」は、人の言うことを聞いて素直に従う意。

衍曼流爛（えんまんりゅうらん）

悪がはびこり、世の中全体に広がっていくこと。「衍曼」は「衍漫」とも書き、蔓延する意。「流爛」は散り散りになること。

嘔啞嘲哳（おうあちょうたつ）

子供がやかましく騒ぎ立てている声や、調子の狂った聞き苦しい乱雑な音のこと。

枉駕来臨（おうがらいりん）

乗り物の道筋を変えてまで、わざわざお立ち寄りいただき恐縮ですという意の四字句。「枉駕」は乗り物の道筋をまげてわざわざ訪ねてくること。「来臨」は人が来ることの敬語表現。

往事茫茫（おうじぼうぼう）

過ぎ去った昔のことは、遠くかすんで明らかでないということ。昔のことを回顧していう言葉。「往事」は過ぎ去った昔のことの意。「茫茫」は、かすんでぼんやりとしているさま。類往事渺茫（びょうぼう）

温凊定省（おんせいていせい）

親に孝養を尽くすこと。冬は暖かく夏は涼しく暮らせるように配慮し、夜は寝具を整え、朝はご機嫌伺いをする意より。「定省温凊」ともいう。類扇枕温衾（せんちんおんきん）／冬温夏凊

か

海市蜃楼（かいししんろう）

蜃気楼のこと。現実性に乏しい考えや根拠のない物事のたとえ。「海市」「蜃楼」ともに、蜃気楼の意。「蜃楼海市」ともいう。

海底撈月（かいていろうげつ）

海面に映った月を本物であると思いこみ、海底から月をすくいあげようとすること。実現不可能なことをやろうとして、無駄な骨を折ることのたとえ。「撈月」は月をすくいあげる意。

偕老同穴（かいろうどうけつ）

生きてともに老い、死して同じ墓に葬られる意より、夫婦の契りがかたく仲むつまじいことのたとえ。類琴瑟相和／比翼連理／関関雎鳩（しょきゅう）

薤露蒿里（かいろこうり）

人生のはかないことのたとえ。「薤露」「蒿里」とも、葬送のときの挽歌の曲名。

鶴立企佇（かくりつきちょ）

鶴が立っている姿のように首を伸ばし、つま先立ってたたずむ意より、心から待ち望むこと。「企」は、つま先立つこと。「佇」は、たたずむ意。類延頸挙踵

隔靴搔痒（かっかそうよう）

靴を隔てて痒いところを搔く意より、思いどおりにいかなくて非常にはがゆいこと。類掉棒（とうぼう）打星／対麻姑（まこ）搔痒

豁然大悟（かつぜんたいご）
仏教語。迷いや疑いから、にわかに解放されて、真理を悟ること。「豁然」は、からっと開けるさま。

瓦釜雷鳴（がふらいめい）
安物の素焼きの釜が雷のような音を響かせる意より、つまらない人物が幅を利かせ威張り散らすこと。「瓦釜」は素焼きの粗末な釜の意で、小人物のたとえ。

迦陵頻伽（かりょうびんが）
声の非常に美しいもののたとえ。また、美しい声のたとえ。「迦陵頻伽」は人頭鳥身の姿で表される想像上の鳥で、極楽浄土にすみ、極めて美しい声の持ち主であるとされている。

苛斂誅求（かれんちゅうきゅう）
年貢や税金などを容赦なく取り立てること。「斂」は集める・とりたてる、「誅」は責める意。

檻猿籠鳥（かんえんろうちょう）
おりに閉じ込められた猿や籠の中の鳥のように、自由を奪われて、自分の思いどおりに生きられない境遇にあるということ。

轗軻不遇（かんかふぐう）
事が思いどおりに運ばず、地位や境遇に恵まれないこと。「轗軻」は道が平坦でないという意で、事が思うように進まないこと。「坎軻」とも書く。

侃侃諤諤（かんかんがくがく）
遠慮することなく、堂々と議論するさま。また、はばかることなく直言するさま。「侃侃」は剛直なさま。「諤諤」は、はばかることなく直言する意。【類】議論百出／百家争鳴

顔厚忸怩（がんこうじくじ）
大いに恥じ入ること。恥知らずな者の顔にも、ありありと恥じ入る色が出るさま。「忸怩」は心の中で恥ずかしく思う意。

旗幟鮮明（きしせんめい）
主義や主張、態度などがはっきりとしていること。「旗幟」は旗とのぼりのことで、外にあらわれた主義・主張・態度などのたとえ。

鞠躬尽瘁（きっきゅうじんすい）
心身を労して、国事に尽力すること。「鞠躬」は気をつかい骨を折ること。「尽瘁」は力を尽くす・骨を折る意。

驥服塩車（きふくえんしゃ）
名馬が塩を積んだ車を引かせられる意より、才能のある人物が低い地位に置かれ、つまらない仕事をさせられることのたとえ。「驥」は一日に千里を走る駿馬のこと。「塩車」は塩を運ぶ荷車の意。

尭鼓舜木（ぎょうこしゅんぼく）
政治にたずさわる者は、人民の諫めの言葉によく耳を傾けるべきであるというたとえ。また、一般に人の善言は、よく聞くべきであるというたとえ。「尭鼓」は尭帝の設けた太鼓、「舜木」は舜帝の立てた木札の意。

協心戮力（きょうしんりくりょく）
全員の力を結集し、一致協力して物事を行うこと。「協心」は心を合わせて助けあうこと。「戮力」は力を合わせる意。「戮力協心」ともいう。【類】同心戮力

曲水流觴（きょくすいりゅうしょう）
曲折した小川の流れに杯を浮かべ、自分の前にその杯が流れてくるまでの間に詩を作り、杯をとりあげて酒を飲むという風流な遊び。「觴」は、さかずきの意。「流觴曲水」ともいう。

跼天蹐地（きょくてんせきち）
天は高いにもかかわらず背をかがめ、地は厚いのに抜き足差し足で歩く意より、ひどく慎み恐れること。また、肩身を狭くして、世間に気兼ねし暮らすこと。

曲突徙薪（きょくとつししん）
煙突を曲げ、かまどの周囲にある薪を他の場所に移して火事になるのを防ぐ意より、災難を未然に防止すること。「突」は煙突の意、「徙」は物を移動させること。

毀誉褒貶（きよほうへん）
ほめたりけなしたりすること。ほめたりけなしたりする、世間のさまざまな評判。「毀」はそしること。「貶」はけなすこと。

「誉」「褒」はともに、ほめる意。

金甌無欠（きんおうむけつ）
物事が完全で欠点がないこと。特に、外国からの侵略を受けたことがない堅固な国家のこと。「金甌」は黄金の瓶のことで、国家や天子の位のたとえ。類完全無欠

緊褌一番（きんこんいちばん）
気持ちを引き締め、覚悟をもって物事に取り組むこと。大事な勝負などを前にしたときの心構えをいったもの。「緊褌」は、ふんどしを引き締める意。

琴瑟相和（きんしつそうわ）
「瑟」は大形の琴のこと。琴と瑟は合奏すると音がよく調和することより、夫婦の仲がむつまじいことのたとえ。類関関雎鳩

霓裳羽衣（げいしょうういい）
天人や仙女などが身にまとうとされる、薄絹などで作った美しくて軽やかな衣装のこと。また、楽曲の名。「霓裳」は虹のように美しい裳（もすそ）の意。「羽衣」は鳥の羽で作った薄くて軽い衣のこと。

結跏趺坐（けっかふざ）
仏教における坐法の一つ。あぐらをかき、左右の足の甲を反対の足のもも上に交差し、足の裏が上を向くように組むもの。「跏」は足の裏、「趺」は足の甲の意。

喧喧囂囂（けんけんごうごう）
大勢の人が口やかましく騒ぎ立てるさま。「喧喧」「囂囂」ともに、がやがや騒がしいという意。

拳拳服膺（けんけんふくよう）
人の教えや言葉などを心に銘記して、常に忘れないでいること。「拳拳」は両手でささげ持つさま。「服膺」は、よく心に留める意。

阮籍青眼（げんせきせいがん）
心から人を歓迎すること。竹林の七賢の一人である阮籍は、自分の気に入った客は青眼で迎えたが、気に入らない客には白眼で応対したという故事より。

曠日弥久（こうじつびきゅう）
むだに月日を費やして、事を長引かせること。「曠日」は、むだに多くの月日を過ごすこと。「弥久」は長い時間を経る意。

嚆矢濫觴（こうしらんしょう）
物事の始まり。起源。「嚆矢」はかぶら矢のことで、転じて物事の始まりの意。「濫觴」は觴（さかずき）に溢れるほどのわずかな流れのことで、どのような大河もこの小さな流れから始まることから、同じく物事の始まりの意。

光風霽月（こうふうせいげつ）
うららかに吹く風と、雨あがりの晴れわたった空の月の意より、心がさっぱりと澄み切って、何のわだかまりもないさま。「霽」は晴れる意。類明鏡止水／虚心坦懐

豪放磊落（ごうほうらいらく）
気持ちがおおらかで、細かいことにはこだわらないさま。「豪放」「磊落」ともに、度量が大きくてささいなことにこだわらない意。

毫毛斧柯（ごうもうふか）
小さな草木の芽生えも、やがて倒すのに斧が必要なほど大きくなる意より、災いは小さいうちに取り除いておくべきだということ。「毫毛」は非常に細い毛の意で、草木の芽生えのたとえ。「斧柯」は斧の柄の意。

黄粱一炊（こうりょういっすい）
キビが炊ける間に見たつかの間の夢の意より、人の世の栄華がはかないことのたとえ。「黄粱」はオオアワのこと。「一炊」はアワやキビなどを炊く時間の意。類一炊之夢／邯鄲（かんたん）之夢／邯鄲之枕

さ

在邇求遠（ざいじきゅうえん）
人のふみ行うべき道は手近な所にあるのに、とかく人は遠い所に求めようとすること。難しいばかりの理論に、いたずらにとびつく必要はないということ。「邇」は近い所の意。

採薪汲水 (さいしんきゅうすい)

薪を採り、谷川の水を汲むという意から、自然の中で質素に暮らすこと。類一竿(いっかん)風月

載籍浩瀚 (さいせきこうかん)

書物の数が多いこと。また、書物が大部であること。「載籍」は書物。「浩瀚」は書物の量が多い、また、大部・大冊であるという意。類汗牛充棟

鑿壁偸光 (さくへきとうこう)

苦学することのたとえ。前漢の匡衡は若いとき貧乏で灯火の油が買えなかったため、壁に穴をあけ、そこから漏れてくる隣家の灯火の光で読書をしたという故事より。「鑿」は穴をあけること。「偸」は盗む意。

尸位素餐 (しいそさん)

一定の地位に就きながら職責を果たすことなく、いたずらに禄をもらっていること。また、その人。類窃位素餐／伴食宰相

舳艫千里 (じくろせんり)

船の船尾に次の船の船首がくっつくようにして、たくさんの船が長く連なりながら進むさま。

七縦七擒 (しちしょうしちきん)

敵を捕らえたり逃がしたりしながら、やがて味方にとり込んでしまうこと。三国時代、蜀の諸葛亮が敵将である孟獲を七度捕らえては七度逃がしてやって、最終的には心服させた故事より。「縦」は放つ、「擒」は捕虜にする意。「七擒七縦」ともいう。

疾風怒濤 (しっぷうどとう)

強くて激しい風と逆巻く荒波の様子。時代や社会がめまぐるしく変化することのたとえ。類狂瀾怒濤

櫛風沐雨 (しっぷうもくう)

風に髪をくしけずり、雨にゆあみする意より、風雨にさらされながら苦労して働くこと。また、世の中のさまざまな苦労を体験することのたとえ。

鵲巣鳩居 (じゃくそうきゅうきょ)

女性が嫁いで、夫の家をわが家とするたとえ。また、自らは労することもなく、他人の地位を横取りするたとえ。巣作りの上手な鵲(かささぎ)の巣に、巣作りの下手な鳩がすみつく意より。

煮豆燃萁 (しゃとうねんき)

豆を煮るのに、その豆の殻を燃料として用いるということから、兄弟の仲が悪いことのたとえ。「煮豆」は豆を煮ること。「燃萁」は豆殻を燃やす意。

春蛙秋蟬 (しゅんあしゅうぜん)

春の蛙と秋の蟬はどちらもやかましく鳴き騒ぐことより、うるさいだけで何の役にも立たない無用な言論のこと。

春蚓秋蛇 (しゅんいんしゅうだ)

春のみみずや秋の蛇のように、文字や行が曲がりくねっていること。字などが拙いことのたとえ。「蚓」はみみずの意。

蓴羹鱸膾 (じゅんこうろかい)

故郷を懐かしく思う情のこと。「蓴羹」は蓴菜の吸い物。「鱸膾」は鱸(すずき)の切り身料理の意。類胡馬北風／越鳥南枝

春風駘蕩 (しゅんぷうたいとう)

春風がそよそよと、のどかに吹くさま。また、穏やかでのんびりとした人柄のたとえ。対秋霜烈日

笙磬同音 (しょうけいどうおん)

それぞれの楽器の音がよく調和して、美しい音楽を奏でること。転じて、人が心を一つにして仲良くすること。「笙」は、日本の雅楽でも使用される管楽器。「磬」は石製の打楽器。

焦頭爛額 (しょうとうらんがく)

火災の予防策を講ずる者は褒められず、火事を消すために頭を焦がし、額にやけどを負った者だけが称賛される意より、根本を忘れて瑣末なことだけを重要視するたとえ。「焦頭」は頭の毛を焦がす意。「爛額」は額が焼けただれること。「爛額焦頭」ともいう。

嘯風弄月 (しょうふうろうげつ)

風にうそぶき、月をもてあそぶ意より、大自然の風景に親しみ、詩歌や風流を楽しむこと。

芝蘭玉樹（しらんぎょくじゅ）
才能に恵まれた子弟をほめていう語。また、一族から優れた人材が輩出することのたとえ。

神韻縹渺（しんいんひょうびょう）
優れた芸術作品などが、奥深い趣を備えているさま。「神韻」は神わざのようなすばらしい趣の意。「縹渺」は、かすかに見えるさま。「縹渺」は「縹眇」「縹緲」とも書く。

脣歯輔車（しんしほしゃ）
両者がお互いに助け合うことによって成り立つような、極めて密接な関係にあること。もちつもたれつの関係にあること。「脣」は「唇」とも書く。

人心収攬（じんしんしゅうらん）
人々の考えや気持ちをうまくつかんでまとめること。また、人々の信頼を獲得すること。「人心」は多くの人々の気持ちや考え。「収攬」は取りまとめる意。

炊金饌玉（すいきんせんぎょく）
黄金を炊き、玉を食卓に並べる意より、非常に豪華でぜいたくな食事のこと。

酔歩蹣跚（すいほまんさん）
酒に酔って、おぼつかない足取りでふらふら歩くさま。「蹣跚」は「ばんさん」とも読む。

寸草春暉（すんそうしゅんき）
父母の恩や愛情は大きくて、その恩や愛情に子がわずかに報いることさえむずかしいことだというたとえ。「寸草」は、子が親の恩や愛情に報いようとするわずかな気持ちの意。「春暉」は春の陽光のことで、子を思う親の慈愛のたとえ。

旌旗巻舒（せいきけんじょ）
軍旗を巻いたり広げたりする意より、戦いが続くことのたとえ。「旌旗」は旗の総称。「巻舒」は巻くことと広げること。

青天霹靂（せいてんへきれき）
晴れわたった青空に突如として雷鳴がとどろく意より、突発的に起きる大事件や思いがけない変事のたとえ。「青天」は晴れわたった青空、「霹靂」は突然鳴りひびく雷の意。

切磋琢磨（せっさたくま）
学問・技芸・徳行などをよりいっそう磨きあげること。また、友人どうしで励ましあい競いあって、ともに向上すること。

切歯扼腕（せっしやくわん）
歯ぎしりをして腕を握りしめる意より、ひどく残念がったり怒ったりすること。

泉石膏肓（せんせきこうこう）
俗世を離れて自然の中で暮らしたいという気持ちが非常に強いこと。「泉石」は泉水と庭石で、山水のたたずまい。「膏肓」は心臓の下、横隔膜の上にあって、古代にあっては、病気にかかると医者の手当てのほどこしようがないとされていた部位。

戦戦兢兢（せんせんきょうきょう）
恐れてびくびくするさま。何かを恐れて慎むさま。「戦戦」は恐れおののくこと。「兢兢」は恐れて慎む意。「戦戦恐恐」とも書く。類戦戦慄慄

瞻望咨嗟（せんぼうしさ）
遠くを仰ぎ見て、そのすばらしさにため息をつくこと。高貴な人を敬慕し、うらやましいと思うこと。

造次顛沛（ぞうじてんぱい）
とっさの場合。危急の場合。わずかの間。「造次」はあわただしくわずかな時間、「顛沛」はつまずき、ひっくりかえる意。

甑塵釜魚（そうじんふぎょ）
非常に貧しいことのたとえ。長い間、炊事をしていないので、甑（こしき）には塵がたまり、釜には魚がわいているということ。

象箸玉杯（ぞうちょぎょくはい）
ぜいたくな生活をすること。「象箸」は象牙で作った箸、「玉杯」は玉で作った杯の意。

桑田滄海（そうでんそうかい）
桑畑であった所が青海原に変わる意より、世の中の移り変わりが激しいこと。「滄海桑田」ともいう。類桑田碧海／滄桑之変

草満囹圄（そうまんれいご）
牢獄がさびれて草が生い茂っている意より、善政が続いて国がよく治まっていること。「囹圄」は牢獄のことで、「れいぎょ」とも読む。

蒼蠅驥尾（そうようきび）
小人物であっても、優れた人についていけば功名を得ることができるというたとえ。「蒼蠅、驥尾に附して千里を致す」を略したもので、「蒼蠅」は青ばえ、「驥尾」は一日に千里を走るという駿馬のしっぽのこと。

草廬三顧（そうろさんこ）
中国の三国時代、蜀の劉備が諸葛亮の草庵を三度も訪れて出仕を要請した故事より、礼儀を尽くして優れた人材を招くことのたとえ。「顧」は訪れる意。

啐啄同時（そったくどうじ）
熟した機を捉えて、すかさず悟りに導くこと。禅宗の用語で、導く師家と修行者の呼吸がぴったりと合うこと。

樽俎折衝（そんそせっしょう）
宴席でなごやかな談笑のうちに交渉を進め、ことを有利に展開させること。転じて、外交上のかけひき。「樽俎」は酒樽と肉料理をのせる台のことで、転じて宴席の意。「折衝」は敵の兵車の勢いをくじくこと。

た

頽堕委靡（たいだいび）
気力や体力などが、しだいに衰えていくこと。「頽堕」はくずれ落ちること。「委靡」は衰える・元気がなくなる意。

箪食瓢飲（たんしひょういん）
清貧な生活を送ること。粗末な食事のたとえ。類 一汁一菜

魑魅魍魎（ちみもうりょう）
山や水に棲むいろいろな化け物のこと。また、私欲のために悪事をたくらむ者のたとえ。

躊躇逡巡（ちゅうちょしゅんじゅん）
決断することができず、ぐずぐずとためらうこと。「躊躇」はためらうこと。「逡巡」はぐずぐずする意。ほぼ同義の熟語を重ねて意味を強調している。

懲羹吹膾（ちょうこうすいかい）
熱い吸い物を飲んでやけどをしたのに懲りて、冷たいなますまで吹いて食べる意より、一度の失敗に懲りて必要以上に用心深くなることのたとえ。「羹」は熱い吸い物、「膾」は生肉の冷たい和え物のこと。

彫心鏤骨（ちょうしんるこつ）
非常に苦心して詩文などを練りあげること。また、単に身を削るような苦労をすること。「鏤骨」は「ろうこつ」とも読む。

喋喋喃喃（ちょうちょうなんなん）
男女がうちとけて楽しそうに語りあうさま。また、小声で親しそうに話しあうさま。「喃喃喋喋」ともいう。

跳梁跋扈（ちょうりょうばっこ）
悪人などが権勢をほしいままにして、わがもの顔に振る舞うこと。「跋扈跳梁」ともいう。
類 飛揚跋扈／横行闊歩

銅牆鉄壁（どうしょうてっぺき）
銅の垣根と鉄の壁の意より、守りが堅固なこと。また、頑丈なもののたとえ。類 金城鉄壁

銅駝荊棘（どうだけいきょく）
宮殿が破壊されて、銅製の駱駝がいばらの中に埋もれているのを嘆く意より、国の滅亡を嘆くことのたとえ。

桃李成蹊（とうりせいけい）
花や実にひかれて桃や李（すもも）の木の下に自然と小道ができるように、立派な人物のもとにはその徳を慕って自然に人が集まってくるということ。

得隴望蜀（とくろうぼうしょく）
後漢の光武帝が隴の地を手中に収めただけでは満足せず、蜀の地まで手に入れようとした故事より、欲望には際限がないことのたとえ。「隴」は現在の甘粛省、「蜀」は四川省の地域をいう。

図南鵬翼（となんほうよく）
大志を抱くたとえ。大事業や海外進出を企てることのたとえ。

吐哺捉髪（とほそくはつ）
立派な人材を求めるのに熱心なことのたとえ。**類**吐哺握髪／一饋(いっき)十起

な

南轅北轍（なんえんほくてつ）
車のながえは南に向いているのに、わだちは北に向かっている意より、志や目標と実際の行動とが相反していることのたとえ。「轅」は車の二本の梶棒のこと。「轍」は車輪の跡の意。「北轍南轅」ともいう。**類**北轅適楚

南橘北枳（なんきつほくき）
江南に産する橘を江北に移植すると、食べられない枳(からたち)に変わってしまうように、人間も住む環境によって、良くも悪くもなるということ。

肉山脯林（にくざんほりん）
生肉の山と干し肉の林の意より、ぜいたくを極めた宴会のたとえ。「肉」は生肉、「脯」は干し肉のこと。

拈華微笑（ねんげみしょう）
仏教語。言葉を使用することなく、心から心へ伝えること。釈迦が弟子たちに説法しているとき一本の花をひねってみせたところ、迦葉(かしょう)だけがその真意を理解して微笑したという故事より。「拈華」は花をひねる意。**類**以心伝心／不立文字

は

博引旁証（はくいんぼうしょう）
ものごとを説明するにあたり多くの資料を引用し、それらを証拠としてあげながら論ずること。

八面玲瓏（はちめんれいろう）
どこから見ても曇りがなく、美しく輝いているさま。また、心が清らかに澄みきって、何のわだかまりもないさま。

八面六臂（はちめんろっぴ）
仏像などが八つの顔と六本の腕をもつこと。転じて、一人で多方面にわたってめざましい活躍をすること。「八面」は八つの顔、「六臂」は六つのひじ・腕の意。**類**三面六臂

撥乱反正（はつらんはんせい）
乱れた世を治めて、もとの正常な世の中に戻すこと。「撥乱」は乱れを治めること。「反正」は正しい状態に戻す意。

爬羅剔抉（はらてきけつ）
隠れた人材を探し出して用いること。また、人の欠点や秘密などをあばき出すこと。「爬」は爪でかき取ること。「羅」は網で鳥を捕ること。「剔」はそぎとる、「抉」はえぐりとる意。

罵詈雑言（ばりぞうごん）
きたない言葉で悪口を並べ立て、相手をののしること。また、その言葉。「罵詈」は口ぎたない言葉でののしること。「雑言」はさまざまな悪口の意。**類**悪口雑言／罵詈讒謗(ざんぼう)

繁文縟礼（はんぶんじょくれい）
規則や礼儀作法などが、こまごまとしていて煩わしいこと。「繁文」は規則などがこまごまとして面倒なこと。「縟礼」は込み入った礼儀作法の意。

尾大不掉（びだいふとう）
尾があまりに大きいと思いどおりに振り動かすことができないという意より、上に立つ者の力が弱くて、強大な力をもつ下位の者を自由に操れないことのたとえ。「尾大」は尾が大きいこと。「掉」は、振るう・振り動かす意。

筆削褒貶（ひっさくほうへん）
批評の態度が公正で厳しいこと。書き加えるべきところは書き加え、削るべきところは削り、褒めるべきところは褒め、貶すべきところは貶すこと。

筆力扛鼎（ひつりょくこうてい）
文章が力強いことのたとえ。「扛鼎」は鼎を持ち上げる意で、重い鼎でも持ち上げてしまうほど筆の勢いに力強さがあるということ。

被髪纓冠（ひはつえいかん）
髪の毛を振り乱したまま冠のひもを結ぶ意より、非常に急いで行動すること。

牝牡驪黄（ひんぼりこう）

馬の色やおす・めすさえ見分けられないと秦の穆公（ぼっこう）の怒りを買った人物の探し出してきた馬が、実際には世の評判になるような名馬であったという故事より、物事は外見にとらわれず、その本質を見抜くことが肝要であるというたとえ。「驪」は黒い馬の意。

風声鶴唳（ふうせいかくれい）

風の音や鶴の鳴き声を聞いただけで、敵兵の来襲と思い、びくびくとおびえること。わずかなことにも、恐れおののくことのたとえ。**類**草木皆兵

伏竜鳳雛（ふくりょうほうすう）

才能ある優れた人物が機会に恵まれることなく、世間に隠れていることのたとえ。**類**臥竜鳳雛

俛首帖耳（ふしゅちょうじ）

頭を伏せ耳を垂れて愛想をふりまき、相手のご機嫌をとること。人に媚びへつらう卑しい態度のたとえ。「俛首」は「俯首」とも書く。

不撓不屈（ふとうふくつ）

どのような困難に遭遇しても、心がくじけないこと。「不撓」ははたわまない意。「不屈」はくじけないこと。

文質彬彬（ぶんしつひんぴん）

外面にあらわれた美しさと内面の実質が、ほどよく調和しているさま。

焚書坑儒（ふんしょこうじゅ）

書物を焼いて儒学者を生き埋めにする意より、言論や思想・学問などを弾圧すること。

閉月羞花（へいげつしゅうか）

あまりの美しさに月は雲間に隠れ、花も恥じらってしぼんでしまう意より、女性の容姿の美しさが際立っていること。「羞花閉月」ともいう。**類**沈魚落雁

秉燭夜遊（へいしょくやゆう）

人生ははかないものだから、夜も灯火をともして遊び、大いに楽しもうということ。「秉燭」は灯火を手に持つこと。

兵馬倥偬（へいばこうそう）

戦争にあけくれて忙しいさま。「兵馬」は兵器と軍馬のこと。転じて、戦争の意。「倥偬」はあわただしいさま。**類**戎馬倥偬

霹靂閃電（へきれきせんでん）

すばやいことのたとえ。「霹靂」は激しく鳴る雷の意。「閃電」はひらめく稲妻のこと。

冒雨剪韭（ぼううせんきゅう）

雨をいとわずニラを摘み、ごちそうを作る意より、来訪した友人を厚くもてなすこと。

暴虎馮河（ぼうこひょうが）

虎に素手で立ち向かい、大河を徒歩で渡る意より、血気にはやって無謀なことをすること。**類**匹夫之勇／血気之勇

鵬程万里（ほうていばんり）

旅路や道のりが遠く隔たっていることのたとえ。また、果てしなく広がっている大海の形容。

蓬頭垢面（ほうとうこうめん）

ぼさぼさの頭髪と垢だらけの顔。身だしなみに無頓着で、むさくるしいさま。

墨痕淋漓（ぼっこんりんり）

墨を使って表現したものが、生き生きとしてみずみずしいさま。「墨痕」は墨のあとの意。「淋漓」は筆に勢いがあるさま。

ま

麻姑搔痒（まこそうよう）

物事が思いどおりになることのたとえ。「麻姑」は、鳥のような長い爪をもつという中国の神話上の仙女。「搔痒」は痒いところを搔くこと。

万目睚眥（まんもくがいさい）

たくさんの人に睨まれて、居場所がないこと。「万目」は多くの人の目。「睚眥」は憎らしそうに睨む意。

鳴蟬潔飢（めいせんけっき）

高潔な人は、どのような状況にあっても節操を変えないというたとえ。

面折廷諍（めんせつていそう）
君主の面前で臆することなく、政治の誤りなどを諌めること。「廷諍面折」ともいう。

や

邑犬群吠（ゆうけんぐんばい）
つまらない者たちが寄り集まって、あれやこれやと人の悪口を言ったり騒ぎ立てたりすること。

融通無礙（ゆうずうむげ）
考え方や行動がのびのびとしていて、こだわりがないさま。
対 四角四面／杓子定規

余韻嫋嫋（よいんじょうじょう）
音が鳴りやんでもなお残る響きが、細く長く尾を引くように続くさま。また、詩や文章などの表現の背後に感じられる趣や情緒をたとえる言葉としても使用される。「嫋嫋」は音や声が細く長く続くさま。

瑶林瓊樹（ようりんけいじゅ）
玉のように美しい木や林の意より、人品が高潔で人並み優れていることのたとえ。「瑶」「瓊」はともに、美しい玉の意。

ら

落英繽紛（らくえいひんぷん）
散る花びらが、乱れ舞うように散り混じるさま。「落英」は散り落ちる花びら。「繽紛」は花や雪などが乱れ散る意。

濫竽充数（らんうじゅうすう）
才能のない者が、才能があるかのように見せかけること。また、実力もないのに、分不相応な待遇を受けること。「濫竽」は、でまかせに笛を吹くこと。「充数」は必要な人数をそろえる意。
類 南郭濫竽／南郭濫吹

蘭摧玉折（らんさいぎょくせつ）
美しい蘭の花が砕け散り、玉が砕け割れる意より、賢人や美人が死ぬこと。「摧」はくだける意。
対 蕭敷艾栄（しょうふがいえい）

鸞翔鳳集（らんしょうほうしゅう）
鸞や鳳が飛んで集まってくる意より、優れた才能の持ち主が寄り集まってくること。「鸞」と「鳳」はともに中国の想像上の鳥で、ここでは優れた人物のたとえ。

流金鑠石（りゅうきんしゃくせき）
厳しい暑さのたとえ。金属や石を溶かしてしまうほど、暑気がはなはだしいということ。「鑠」は溶かす意。

竜攘・虎搏（りょうじょうこはく）
竜と虎とが戦うように、強い者どうしが激しく争うこと。「攘」は払う、「搏」は打つ・なぐる意。

螻蟻・潰堤（ろうぎかいてい）
ほんのささいなことが原因で、大きな事件や事故が引き起こされることのたとえ。「螻蟻」は、けらとあり。「潰堤」は堤が崩壊する意。

老驥伏櫪（ろうきふくれき）
人が老いてもなお、大きな志を抱くことのたとえ。能力のある者が、それを発揮する機会に恵まれることなく老いるたとえとして用いられることもある。「驥」は一日に千里を走る駿馬のこと。「櫪」は馬小屋の意。

魯魚亥豕（ろぎょがいし）
よく似ていて、書き誤りやすい文字のこと。また、文字を書き誤ること。
類 魯魚章草／烏焉魯魚

驢鳴犬吠（ろめいけんばい）
ろばが鳴き犬が吠える意より、ありふれて取るに足りない文章や、聞くに値しない話のたとえ。「犬吠驢鳴」ともいう。

わ

和気藹藹（わきあいあい）
心と心が通じあい、なごやかで楽しい気分が満ちあふれているさま。「和気」はなごやかな気分。「藹藹」は穏やかなさま。「藹藹」は「靄靄」とも書く。

故事・諺

1級の出題範囲の故事・諺を50音順に掲載しました。なお、類は同じような意味を持つもの、対は反対の意味を持つものを示しています。

あ

阿《あ》吽《うん》の呼《こ》吸《きゅう》

力を合わせて一つの物事をするときの、お互いの微妙な呼吸や調子。また、それが一致すること。「阿」は吐く息、「吽」は吸う息を表す。

飽《あ》かぬは君《きみ》の御《ご》諚《じょう》

主君の命令であれば、どんな無理なことでも嫌だとは思わないということ。「御諚」は貴人の命令・仰せの意。類合わぬは君の仰せ

秋《あき》の日《ひ》は釣《つる》瓶《べ》落《お》とし

秋の日は、井戸の中に釣瓶を落とすように、急速に暮れていくということ。秋の日没が早いことのたとえ。

阿《あ》漕《こぎ》が浦《うら》に引《ひ》く網《あみ》

隠し事も度重なると、広く知れわたってしまうというたとえ。阿漕が浦は三重県津市一帯の海岸で、伊勢神宮に供える魚をとるための禁漁区であったが、ここで密漁を繰り返した漁夫がついには捕らえられてしまったという伝説より。

薊《あざみ》の花《はな》も一《ひと》盛《さか》り

棘（とげ）のある薊にも美しく花開く時期があるように、器量のよくない女性でも、年頃になるとそれなりの魅力が出てくるものであるということ。類蕎麦の花も一盛り／鬼も十八番茶も出花

遏《あつ》雲《うん》の曲《きょく》

空を流れゆく雲までもおしとどめるような、優れた音楽や歌声のこと。秦の時代に秦青という歌の名人のもとに、歌のことは学びつくしたと思い込んで故郷に帰ろうとした弟子がいた。弟子を送っていった町外れで秦青が別離の悲しみを歌ったところ、その響きは空を行く雲をおしとどめるほどすばらしく、弟子は結果として故郷に帰るのを思いとどまったという故事による。

羹《あつもの》に懲《こ》りて膾《なます》を吹《ふ》く

熱い吸い物を飲んでやけどをしたのに懲りて、冷たいなますまで吹いて食べる意より、一度の失敗に懲りて必要以上に用心深くなること。「羹」は熱い吸い物、「膾」は生肉の冷たい和え物のこと。

痘《あば》痕《た》も靨《えくぼ》

好きになった相手のことは、あばたもかわいいえくぼに見える意より、ひいき目で見れば、どんな短所も長所に見えるということ。「惚れた欲目には痘痕も靨」も同義。類惚れた欲目、対坊主憎けりゃ袈裟まで憎い

飴《あめ》を舐《ねぶ》らせて口《くち》をむしる

口先でうまいことを言って、相手から手掛かりや情報などを聞き出すこと。「口をむしる」は、心のうちを明かすように仕向ける意。

過《あやま》ちを改《あらた》むるのに吝《やぶさ》かにせず

過ちを犯したら、ためらうことなく速やかに改めるということ。「吝か」は、ためらうさま。類過ちて改むるに憚ることなかれ

粟《あわ》とも稗《ひえ》とも知《し》らず

アワとヒエの区別もつかないような、何の苦労もない高貴な生活のたとえ。

毬栗《いがぐり》も内《うち》から割《わ》れる

鋭い毬に包まれている栗でも、熟せば自然にはじけて実が出てくるように、女性も年頃になると自然に色気づいて、なまめかしくなるものだということ。類豌豆（えんどう）は日陰でもはじける

生《い》け簀《す》の鯉《こい》

生け簀に飼われている鯉のように、自由を束縛された身の上にあることのたとえ。また、遅かれ早かれ死ぬべき運命にあることのたとえ。類屠所（としょ）の羊

医《い》者《しゃ》の薬《くすり》も匙《さじ》加《か》減《げん》

医者がくれる薬も、調合の分量を誤ると効き目がないように、物事にはほどよい加減が大切であるということ。

鶍《いすか》の嘴《はし》の食《く》い違《ちが》い

鶍のくちばしが上下で食い違っているように、物事が食い違って、思いどおりに運ばないことのたとえ。「鶍」はアトリ科の鳥で、上下が食い違ったくちばしをうまく利用して松の実などを食べる。「鶍の嘴」ともいう。

一《いっ》饋《き》に十《と》度《たび》起《た》つ

一度の食事中に十回も席を立つ意より、熱心に賢者を求めることのたとえ。「饋」は食事の意。

鷸《いつ》蚌《ぼう》の争《あらそ》い

当事者どうしが争っている間に、第三者に利益を横取りされ、共倒れになってしまうような無益な争いのこと。類漁夫の利／犬兎（けんと）の争い

殷《いん》鑑《かん》遠《とお》からず

殷王朝が鑑（かがみ）とすべき手本は、遠くに求めなくても、同じように悪政で滅んだ、すぐ前代の夏王朝にあるという意。戒めとすべき手本は、ごく手近なところにあるというたとえ。「鑑」は手本の意。

魚《うお》を得《え》て筌《せん》を忘《わす》る

魚を得ると不要になった筌のことは忘れ去られてしまうように、目的を達すると、その目的の達成のために役立ったものの功労は顧みられなくなってしまうということ。「筌」は、魚を捕るのに使用する竹製のかごの意。類雨晴れて笠を忘る

牛《うし》が嘶《いなな》き馬《うま》が吼《ほ》える

物事が逆さまであることのたとえ。類石が流れて木の葉が沈む

梲《うだつ》が上《あ》がらぬ

上から頭を押さえつけられて、出世できないことのたとえ。また、いつまでたっても、生活が向上しないことのたとえ。「梲」は、梁の上に立てて棟木を支える短い柱のこと。

鴛《えん》鴦《おう》の契《ちぎ》り

「鴛鴦」はおしどりのこと。おしどりは雌と雄がいつも寄り添って離れないことから、夫婦仲のむつまじいことのたとえ。類関関雎鳩（しょきゅう）／琴瑟（きんしつ）相和／比翼連理

鸚鵡《おうむ》能《よ》く言《い》えども飛鳥《ひちょう》を離《はな》れず

鸚鵡は人間の言葉を真似るのが上手であるが、所詮は鳥でしかない。口先ばかりが達者で、実際の行動が伴わないことのたとえ。

煽《おだ》てと畚《もっこ》には乗《の》るな

うっかり人のおだてに乗って喜んでいると、ひどい目にあうことがあるから、注意せよという戒め。「畚」は縄を網状に編んだものの四隅に綱をつけて棒で吊り、土砂などを運ぶ道具。江戸時代には、死刑囚を刑場に移送する運搬用具としても使用された。

同《おな》じ穴《あな》の貉《むじな》

一見、無関係であるように見えても、実は同類・仲間であることのたとえ。多くは、悪い同類・仲間についていう。**類** 一つ穴の貉／同じ穴の狐／同じ穴の狸

鬼《おに》の霍乱《かくらん》

頑健な鬼が思いもかけず暑気あたりを起こすという意より、ふだんは極めて壮健な人が、珍しく病気にかかること。

か

海棠《かいどう》睡《ねむ》り未《いま》だ足《た》らず

酒に酔って眠った後、まだ眠り足らずにうつろな感じでいる美人のなまめかしい姿を、海棠の花にたとえたもの。唐の玄宗皇帝が酔後の楊貴妃を評した言葉。

凱風《がいふう》南《みなみ》よりして彼《か》の棘心《きょくしん》を吹《ふ》く

母親が愛情をもって子供を養育し、子供はすくすくと育つが、母親はいろいろ苦労するということのたとえ。「凱風」は南から吹いてくる暖かい風のことで、転じて母親の慈愛の意。「棘心」はイバラの木の芽生えのこと。イバラの木は成長しにくいことから、転じて育て上げるのに苦労のいる幼児の意。

蝸牛《かぎゅう》角上《かくじょう》の争《あらそ》い

かたつむりの角の上にある二つの国が領土をめぐって争ったという寓話より、狭い世界で、つまらないことにこだわって争うことのたとえ。「蝸牛」は、かたつむりの意。**類** 蝸角の争い

鉤《かぎ》を窃《ぬす》む者《もの》は誅《ちゅう》せられ、国《くに》を窃《ぬす》む者《もの》は諸侯《しょこう》となる

帯鉤（おびがね）を盗んだ者は罰せられるが、国をぬすみとった者は領主となる意から、道理に合わないことのたとえ。「鉤」は帯を留める金具のこと。

華胥《かしょ》の国《くに》に遊《あそ》ぶ

中国古代の天子黄帝が昼寝の夢の中で、「華胥の国」という理想郷に遊んだという故事より、よい気持ちで昼寝をすること。「華胥」は、無為自然で治まるとされる架空の国の名称。

刮目《かつもく》して相待《あいま》つ

今までの先入観を捨てて、新しい目で相手の進歩や成長を待望すること。「刮目」は目をこすってよく見る意。

画竜点睛《がりょうてんせい》を欠《か》く

最後の大事な仕上げが不十分なために、全体が不完全なものになってしまったり、引き立たなくなってしまったりすることのたとえ。「点睛」は、（最後の仕上げとして）瞳を描くこと。

艱難《かんなん》汝《なんじ》を玉《たま》にす

人間は多くの困難や苦労を乗り越えることによって、初めて立派な人物に成長するものであるということ。「艱難」は、困難にあってつらい思いをすること。

枳棘《ききょく》は鸞鳳《らんぽう》の棲《す》む所《ところ》に非《あら》ず

からたちやいばらの茂みは鸞や鳳のすむところではないという意より、立派な人物は居る場所を選ぶべきであるというたとえ。「枳棘」はカラタチとイバラのこと。「鸞」「鳳」は、ともに中国の想像上の鳥。

木《き》に付《つ》く虫《むし》は木《き》を齧《かじ》り、萱《かや》に付《つ》く虫《むし》は萱《かや》を啄《ついば》む

木に付く虫は好んで木をかじり、萱に付く虫は好んで萱をついばむ意より、物事には切り離すことのできない関係というものがあるというたとえ。

驥尾《きび》に付《つ》く

才知のない者でも、優れた人についていけば功名を得ることができるというたとえ。「驥尾」は、一日に千里も走るという駿馬のしっぽの意。「驥尾に付す」ともいう。

九仞《きゅうじん》の功《こう》を一簣《いっき》に虧《か》く

長い間の努力の積み重ねも、最後のちょっとした油断で台なしになってしまうというたとえ。「九仞」は高さが非常に高いこと。「一簣」は、もっこ一杯の意。「虧く」は、そこなうこと。

胸中《きょうちゅう》正《ただ》しければ則《すなわ》ち眸子《ぼうし》瞭《あき》らかなり

胸の中(心)が正しければ、瞳ははっきりと明るく澄んでいるということ。「眸子」は、ひとみ・瞳孔の意。

槿花《きんか》一日《いちじつ》の栄《えい》

人の世の栄華のはかなさを、朝咲いて夕方にはしぼんでしまう、むくげの花にたとえたもの。「槿花」は、むくげの花の意。
類 槿花一晨(いっしん)の栄え/槿花一朝の夢

葷酒《くんしゅ》山門《さんもん》に入《い》るを許《ゆる》さず

においの強い野菜と酒は心を乱し修行の妨げになるので、寺内に持ち込んではならないということ。禅寺の山門の脇にある戒壇石に刻まれる言葉。「葷」はネギやニラなど、臭みの強い野菜の意。

薫蕕《くんゆう》は器《うつわ》を同《おな》じくせず

香りのよい草と悪臭を放つ草とを同じ器に入れても、調和することはありえないということ。善人と悪人、また、君子と小人とは、同じ場所にいることができないことのたとえ。「薫」は香りのよい草のことで、ここでは善人・君子などの意。「蕕」は悪い臭いのする草のことで、ここでは悪人・小人などの意。

兄弟《けいてい》牆《かき》に鬩《せめ》げども外《そと》其《その》務《あなど》りを禦《ふせ》ぐ

兄弟は、家の中では喧嘩をしていても、外から侮辱を受けるようなことがあれば、力を合わせてそれを防ぐものであるということ。「牆」は土や煉瓦などで築かれた塀、「鬩ぐ」は互いに争う意。

褻《け》にも晴《は》れにも歌一首《うたいっしゅ》

ふだんでも晴れがましい席でも、同じ歌一首しか詠めないという意より、無芸無能の人物であるということ。「褻」は平生・ふだん、「晴れ」は改まった場合の意。

倹約《けんやく》と吝嗇《りんしょく》は水仙《すいせん》と葱《ねぎ》

無駄遣いしないことと過度に物惜しみすることとは、水仙と葱のようによく似ているが、実態はまったく異なるものであるということ。「吝嗇」は、ひどく物惜しみすること。

後悔臍《こうかいほぞ》を噛《か》む

後になって悔やんでも、口はへそに届かないため噛むことができず、どうにもならないという意。ひどく後悔することのたとえ。「臍」は、へその意。類後悔先に立たず

巧詐《こうさ》は拙誠《せっせい》に如《し》かず

巧みに偽り人を欺こうとするよりも、拙くても誠実に対応していくほうがはるかに良いということ。「巧詐」は巧みに偽る意。

呱呱《ここ》の声《こえ》をあげる

誕生すること。また、新しく物事が始まること。「呱呱」は乳児の泣き声を表す語。

琥珀《こはく》は腐芥《ふかい》を取《と》らず

清廉潔白な人物は、不正な金品に手を触れるようなことはしないということのたとえ。琥珀には塵を吸う性質があるが、腐ったごみまで吸うようなことはないという意より。「腐芥」は腐ったごみ。

蒟蒻《こんにゃく》で石垣《いしがき》を築《きず》く

どうやってみても、実現できるはずのないことのたとえ。コンニャクで石垣を築くのは、とても無理なことから。類擂粉木（すりこぎ）で腹を切る／竿竹で星を打つ

さ

豺狼路《さいろうみち》に当《あ》たる、安《いずく》んぞ狐狸《こり》を問《と》わん

大悪人が中央の要路でのさばっているときに、地方の小役人のことなどは問題にしていられないということ。「豺狼」は山犬と狼で、中央にいる大悪人の意。「狐狸」は狐と狸で、地方の小役人こと。

触《さわ》らぬ神《かみ》に祟《たた》りなし

その物事にかかわりさえもたなければ、災いが降りかかることはない。よけいな手出しはするなという教え。類当たらぬ蜂には刺されぬ

三十輻一轂《さんじっぷくいっこく》を共《とも》にす。其《そ》の無《む》なるに当《あ》たりて車《くるま》の用《よう》あり

三十本の輻が車輪の中心にある轂（こしき）に集まっている。その轂に車軸を通す空っぽの空間があるからこそ、車輪の有用性が生まれるのであるという意。「無用の用」を説いた老子の言葉。「輻」は車輪のスポーク。「轂」は車輪の中心にあって、軸を受ける丸い部分のこと。

疾風《しっぷう》に勁草《けいそう》を知《し》り、世《よ》乱《みだ》れて誠臣《せいしん》有《あ》り

激しい風が吹いてはじめて、風にも倒れぬ強い草が見分けることができるように、困難や試練に遭遇してはじめて、その人の節操や意志の堅固さがわかるというたとえ。「疾風」は勢いよく吹く風、「勁草」は強い草のこと。

鎬《しのぎ》を削《けず》る

互いの刀の鎬を削り合うような、激しい斬り合いをすること。転じて、激しく争うこと。「鎬」は、刀の刃と峰の境にある少し盛りあがった部分のこと。

鴟目大《しもくだい》なれども視《み》ること鼠《ねずみ》に若《し》かず

ふくろうは大きな目をもっているが、その視力は目の小さな鼠にも及ばないという意より、大きいものでも小さいものにかなわないことがあるというたとえ。「鴟目」は、ふくろうの目。

社稷墟《しゃしょくきょ》となる

社稷の祭りが絶えて、祭場が荒地になること。国家が滅びること。「社稷」は古代中国で土地の神と五穀の神を表す言葉であるが、天子や諸侯が国家の守り神として祭ったことにより、国家の意に転じた。

菽麦《しゅくばく》を弁《べん》ぜず

豆と麦の区別もできないという意より、非常に愚かであることのたとえ。大ばか者であるということ。「菽麦」は豆と麦。「弁ずる」は、わきまえる・区別する意。

沈香《じんこう》も焚《た》かず屁《へ》もひらず

沈香のようなよい香りもしないが、おならのような悪い臭いもしないという意より、特によいところもなければ悪いところもなく、極めて平凡であることのたとえ。「沈香」は、香木として珍重されるジンチョウゲ科の常緑高木のこと。**類**伽羅(きゃら)も焚かず屁もこかず／毒にも薬にもならぬ

尺蠖《せっかく》の屈《くっ》するは伸《の》びんがため

尺取り虫が体を曲げて縮まるのは、次に体を伸ばして前進するためであるという意より、将来の大発展を期するためには、一時的な屈辱や困難を耐え忍ぶことも必要であるということ。「尺蠖」は尺取り虫のことで、「しゃっかく」とも読む。

千金《せんきん》の裘《きゅう》は一狐《いっこ》の腋《えき》に非《あら》ず

千金の価値のある皮衣は、一匹の狐のわきの下の毛だけでは作れないという意より、国を治めるには多くの人材の力や知恵が必要であるということ。「裘」は古代中国の貴人に珍重された高価な皮衣、「腋」はわきの下の意。

千日《せんにち》の旱魃《かんばつ》に一日《いちにち》の洪水《こうずい》

一日でいっさいを押し流してしまう洪水は、そのもたらす被害の程度において、千日も続く日照りに匹敵するという意。水害の恐ろしさを表した言葉。

倉廩《そうりん》実《み》ちて囹圄《れいご》空《むな》し

穀物を蓄えておく倉がいっぱいになると、牢獄は空っぽになるという意。生活が豊かになれば、罪を犯す人がいなくなって、世の中は平和に治まるというたとえ。「倉廩」は、こめぐらのこと。「囹圄」は「れいぎょ」とも読み、牢獄の意。**類**衣食足りて礼節を知る

惻隠《そくいん》の心《こころ》は仁《じん》の端《たん》なり

人の不幸や災難などを痛ましく思って同情する心は、人の最高の徳である仁に通ずるいとぐちであるということ。性善説の立場に立った孟子の言葉。「惻隠」は、あわれみ同情すること。「仁」は思いやり・いつくしみ、「端」はいとぐちの意。

た

大旱《たいかん》の雲霓《うんげい》を望《のぞ》む

大日照りのときに、雨の前兆である雲や虹を待ち望むように、ある物事の到来を切に待ちこがれること。「大旱」は長い間、雨が降らないこと。「雲霓」は雲と虹の意。

獺《だつ》多《おお》ければ則《すなわ》ち魚擾《うおみだ》る

かわうそがたくさんいると、魚は恐れて乱れさわぐように、役人の設ける法規が多くなると、違反することを恐れて人々は安心して生活できなくなるというたとえ。

蓼《たで》食《く》う虫《むし》も好《す》き好《ず》き

辛い蓼の葉を好んで食べる虫があるように、人の好みはさまざまであるということ。類蓼の虫葵に移らず

立《た》てば芍薬《しゃくやく》座《すわ》れば牡丹《ぼたん》

美人の姿や立ち居振る舞いを形容する言葉。艶やかな美人であるということ。通常、この後に「歩く姿は百合の花」が続く。

他人《たにん》の疝気《せんき》を頭痛《ずつう》に病《や》む

他人の疝気を心配して頭痛になるという意より、自分には直接関係のないことで余計な心配をすることのたとえ。「疝気」は漢方で、下腹部の病気のこと。「人の疝気を頭痛に病む」「隣の疝気を頭痛に病む」ともいう。

端倪《たんげい》すべからず

物事の始めと終わりが見えないという意より、事の成り行きを見通すことができないということ。また、人物や物事の規模が並はずれて大きいさま。「端倪」は事の本末、始めと終わりの意。

蜘蛛《ちちゅ》が網《あみ》を張《は》りて鳳凰《ほうおう》を待《ま》つ

弱者が自分の力量もわきまえずに、強敵に立ち向かうことのたとえ。「蜘蛛」はくも、「鳳凰」は古代中国の想像上の霊鳥。

朝菌《ちょうきん》は晦朔《かいさく》を知《し》らず

限られた境遇にあるものは、広い世界があることに理解が及ばないというたとえ。また、寿命が短いことのたとえ。「朝菌」は朝生えて晩には枯れてしまうキノコのこと。「晦朔」は月のみそかとついたちの意。

亭主《ていしゅ》の好《す》きな赤烏帽子《あかえぼし》

烏帽子はからす色、つまり、黒塗りが普通であるが、亭主が赤い烏帽子を好めば家族はそれに同調しなければならないという意より、一家の主人の言うことには、どのようなことであれ、従わなければならないというたとえ。類亭主の好きな赤鰯

羝羊《ていよう》藩《まがき》に触《ふ》る

雄の羊が生け垣に頭を突っ込んで角をひっかける意より、力不足なのにむやみに突進して、進退が窮まってしまうことのたとえ。「羝羊」は雄の羊。「藩」は生け垣のこと。

貂《てん》なき森《もり》の鼬《いたち》

貂のいない森では鼬が勝手な振る舞いをする意より、優れた者がいない所では、つまらない人間が幅をきかせて威張っているということ。「貂」は鼬と同じくイタチ科の哺乳動物であるが、鼬よりも大きい。類鳥なき里の蝙蝠(こうもり)

天網恢恢《てんもうかいかい》疎《そ》にして漏《も》らさず

天道は厳正であり、悪事を行った者は早晩罰を受けることになるということ。「恢恢」は広く大きいさま。「疎」は目が粗い意。

豆腐《とうふ》に鎹《かすがい》

豆腐に鎹を打ちつけてもまったく効果がないことから、何の手応えも効き目もないことのたとえ。「鎹」は、材木と材木をつなぎとめるために使用される、コの字形の大釘のこと。類糠に釘／暖簾に腕押し

年寄《としよ》りの言《い》うことと牛《うし》の鞦《しりがい》は外《はず》れない

経験に裏打ちされた老人の意見には間違いや見当はずれが少ないので、よく耳を傾けるべきであるという教え。「鞦」は、牛馬の尻につけて、車の轅(ながえ)や馬の鞍を固定させる紐のこと。

斗《と》筲《そう》の人《ひと》、何《なん》ぞ算《かぞ》うるに足《た》らんや

器量の小さい、とるに足りない人物ばかりで、とても士の中に数えられるものではないという意。弟子の子貢に、最近の為政者の中に士といえるような人物はいますか、と問われたときに孔子が答えた言葉。「斗筲」は一斗入りの枡と一斗二升入りの竹製の器のことで、枡で量れるような小さな人物のたとえ。

鳥《とり》なき里《さと》の蝙蝠《こうもり》

鳥がいない村里では、蝙蝠がわが物顔で飛び回るという意より、優れた人物がいない所では、つまらない者が幅をきかせて、えらそうに振る舞っているというたとえ。

類 貂なき森の鼬

泥棒《どろぼう》を捕《と》らえて縄《なわ》を綯《な》う

事が起こってから、あわてて準備をすることのたとえ。略して、「泥縄」ともいう。

類 敵を見て矢を矧(は)ぐ、対 転ばぬ先の杖

呑舟《どんしゅう》の魚《うお》は枝流《しりゅう》に游《およ》がず

舟をまるのみするほどの巨大魚は、小さな川では泳がないという意。大人物は高遠な志をもっているので、つまらない者と交わったりするようなことはなく、細かいことにこだわることもないというたとえ。

な

蛞蝓《なめくじ》に塩《しお》

なめくじに塩をかけると縮むことより、苦手なものを前にすると、萎縮してしまうことのたとえ。

類 青菜に塩／蛭(ひる)に塩

名《な》を竹帛《ちくはく》に垂《た》る

歴史に名を残すこと。後世に長く語り継がれるような功績を立てること。「竹帛」は竹の札と絹布のことであるが、転じて書物、特に歴史書の意。

類 竹帛の功

糠《ぬか》の中《なか》で米粒《こめつぶ》探《さが》す

糠は玄米を精白するときに取れる胚芽や種皮の粉のことで、その中に混じった米粒を探し当てるのは極めて難しいことから、容易には見つからないことのたとえ。ほとんど可能性のないこと。

は

白璧《はくへき》の微瑕《びか》

美しい白色の宝玉に小さなきずがあるという意より、ほとんど完全なものに、わずかな欠点があることのたとえ。「白璧」は白い宝玉、「微瑕」はわずかなきずの意。

類 玉に瑕(きず)

鳩《はと》に三枝《さんし》の礼《れい》あり、烏《からす》に反哺《はんぽ》の孝《こう》あり

鳩の子は親鳥のとまる枝よりも三本下の枝にとまり、烏の子は老いた親鳥に口移しで餌を与える意より、礼儀と孝行を重んじなければならないという教え。「反哺」は食物を口移しで与えること。

類 三枝の礼／反哺の孝

鱧《はも》も一期《いちご》、海老《えび》も一期《いちご》

海老を餌にする鱧も、餌になる海老も同じ一生という意より、身分や境遇に違いはあっても、人の一生にさしたる差はないというたとえ。「鱧」はウナギ目の海魚、「一期」は一生涯の意。

飛鳥《ひちょう》尽《つ》きて良弓《りょうきゅう》蔵《かく》れ、狡兎《こうと》死《し》して走狗《そうく》烹《に》らる

敵国が滅びれば軍功のあった家臣も不要となり、殺されてしまうということ。利用価値のある間は使われるが、無用になればあっさりと捨てられてしまうことのたとえ。

飄風《ひょうふう》は朝《ちょう》を終《お》えず、驟雨《しゅうう》は日《ひ》を終《お》えず

勢いよく吹くつむじ風も午前中ずっと吹き続けることはなく、激しいにわか雨も一日中降り続くことはないという意。「飄風」は、はやて・つむじ風のこと。「驟雨」は、にわか雨。

俯仰天地《ふぎょうてんち》に愧《は》じず

仰いでは天に対し、俯しては地に対して、少しも恥じるところがないこと。公明正大であるということ。「俯仰」はうつむいたり仰いだりすることだが、転じて立ち居振る舞いという意味もある。類 仰いで天に愧じず

降《ふ》らず照《て》らさず油零《あぶらこぼ》さず

長雨や旱魃による被害もなく、また田の害虫を駆除することもなくて、豊作であるということ。すべてが順調であることのたとえ。「油零す」はウンカなどの害虫を駆除するために、田に石油を流すこと。

刎頸《ふんけい》の交《まじ》わり

互いのために首を斬られても後悔しないほどの、堅い友情で結ばれた交際のこと。「刎頸」は首をはねる意。類 管鮑の交わり

焙烙《ほうろく》千《せん》に槌《つち》一《ひと》つ

千個の焙烙も槌一つですべて割られてしまう意より、とるに足りない者がいくら集まっても、一人の優れた者にかなわないことのたとえ。「焙烙」は、食品を炒ったり蒸したりするのに用いる素焼きの平たい土鍋のこと。

法螺《ほら》と喇叭《らっぱ》は大《おお》きく吹《ふ》け

どうせほらを吹くなら、思い切り大きなほらを吹けということ。本当らしいうそは真に受ける人もいるので、うそだとはっきりわかるようなうそをつくのがよいということ。「法螺」は、おおげさなうその意。「喇叭を吹く」は大言壮語すること。

ま

耳《みみ》に胼胝《たこ》ができる

実際に耳に胼胝ができることはないが、胼胝ができるほど、同じことを何度も聞かされてうんざりするという意。「胼胝」は、繰り返し圧迫を受けた皮膚の表面が角質化して固くなったもの。

目《め》の上《うえ》の瘤《こぶ》

自分よりも力が上で、何かと目障りであったり邪魔になったりするもののたとえ。「目の上のたん瘤」ともいう。類 鼻の先の疣疣（いぼいぼ）

沐猴《もっこう》にして冠《かん》す

猿であるのに冠をかぶっている意より、思慮分別に欠ける人物が外見だけ立派に飾り

立てているということ。小人物が、それにふさわしくない地位に就いていることのたとえ。「沐猴」は猿の意。類猿に烏帽子

や

鑢《やすり》と薬《くすり》の飲《の》み違《ちが》い

ちょっと聞いただけでは似ているが、実際にはまったく異なるものであるということ。また、よく確認もせずに、わかったつもりになることのたとえ。「や（八）すり」と「く（九）すり」の語呂合わせで、まったく違う物であることを言ったもの。

病膏肓《やまいこうこう》に入《い》る

病気が重くなって、治療のほどこしようがないこと。転じて、趣味や道楽などに熱中して、抜け出せなくなることのたとえ。「膏肓」は心臓の下、横隔膜の上にあって、古代には、病気にかかると医者の手当てのほどこしようがないとされていた部位。

闇夜《やみよ》の礫《つぶて》

当たるのか当たらないのか、見当がつかないこと。また、不意打ちを食らったり、防ぎようのない災難に遭ったりすることのたとえ。「闇に礫」ともいう。類闇夜に鉄砲

ら

柳絮《りゅうじょ》の才《さい》

詩才のある女性を称賛する言葉。非凡な才能をもった女性のこと。「柳絮」は白い綿毛をもった柳の種子のこと。また、その種子の散るさま。類詠雪（えいせつ）の才

良馬《りょうば》は鞭影《べんえい》を見《み》て行《い》く

良い馬は実際に鞭を打たなくても、鞭を見ただけで乗り手の意向を理解して走るという意より、優れた人は、人に細かく指導されなくても正しく行動するものであるというたとえ。類三馬の鞭

驪竜頷下《りりょうがんか》の珠《たま》

九層にも重なる深い淵にすむという、黒い竜のあごの下にある珠玉を命懸けで手に入れるという意より、危険を冒さなければ得られない貴重なもののたとえ。「驪竜」は黒色の竜。「頷下」は、あごの下の意。

悋気《りんき》嫉妬《しっと》も正直《しょうじき》の心《こころ》より起《お》こる

相手のことを真剣に思っているからこそ、やきもちをやいたり嫉妬したりするものであるという意。「悋気」は、やきもちをやくこと。

綸言汗《りんげんあせ》の如《ごと》し

出た汗を再び体内に戻すことができないように、君主の言葉は一度口から出たら、取り消したり訂正したりすることはできないということ。「綸言」は天子の言葉の意。類天子に戯言（ぎげん）無し

わ

我《わ》が身《み》を抓《つね》って人《ひと》の痛《いた》さを知《し》れ

自分が苦痛に思うことは、他の人にとっても苦痛である。何事も自分の身に照らして、人のことを思いやるようにすることが大切であるという教え。類己の欲せざる所は人に施す勿れ

常用漢字の表外読み

常用漢字の中で、1級用の音・訓の読みと簡単な用例を載せました。赤字は送りがなを表します。

漢字	愛	圧	医	違	逸	因	運
読み	うい	へす	いやす	さる よこしま かい	はぐれる	よすが	さだめ
用例	愛いやつじゃ	腕を圧し折る	疲れを医やす	御位を違らせ給う 違戻・違心 斜違い(はすかい)	親に逸れる	思い出を因とする	哀しい運

漢字	映	栄	円	延	煙	縁	火	果
読み	はやす	はやす	まろやか	はえ	けむ	よすが	コ	はか
用例	もて映やす・光に映やされる	もて栄やす	円やかな味つけ	延え縄漁・心延え	煙い・煙たい存在	身を寄せる縁・頼るべき縁	火燵	果無い夢

漢字	禍	回	開	解	確	割	乾	患
読み	まが	めぐらす	はだかる はだける	ほつれる	しっかり	はやす	ひ	ゲン
用例	禍禍しい出来事・禍事	首を回らす・想いを回らす	立ち開かる 胸を開ける	糸が解れる・解れ髪	紐を確り結ぶ・確り者	野菜を割やす	田が乾上がる・魚の乾物	苦患の世

漢字	貫	堪	閑	幹	緩	還	危
読み	ぬき ぬく	たまる	ならう ひま	から	ぬるい	また	あやめる
用例	貫を通す 玉に緒を貫き通す	この暑さでは堪らない・腹立たしくて堪らない	音律に閑う 閑暇をもてあます・閑をもらう	幹竹割りにする	手緩いやり方	帰り来たれば頭白きに還辺(へん＝国境)を戍(まも)る【杜甫】	人を危める

岐	ちまた	生死の岐をさ迷う
機	はずみ	機でしゃべってしまう
宜	むべ	宜なるかな
擬	にる	擬似・擬態
去	ゆく のぞく	山の端にあぢ群さわき去くなれど(万葉)・去来・逝去
拠	よんどころ	拠無い事情
虚	うつける	虚け者
享	あたる	配享
仰	あおのく のく	顔を仰ける 仰け反る
凝	こごる	手が凝る・凝り豆腐
曲	まが	曲曲しい出来事・曲の心
菌	たけ	菌狩り行かば・菌蕈(キンシン＝きのこ)
句	まがる	句欄(コウラン＝曲がった手すり)・句爪(コウソウ＝曲がった鉤爪をもった鳥)
苦	はなはだ	艱難苦だ恨む繁霜の髪【杜甫】
具	つま	刺身の具
空	うつける	空け者
屈	くぐまる こごまる	穴の中に屈まる 低く屈まる
茎	なかご	刀の茎に銘を刻む
経	たつ	月日が経つ
結	すく	網を結く
倹	つましい	倹しい生活
検	あらためる	書類を検める
献	まつる	供物をささげ献る
謙	うやうやしくする	謙謹
限	きり	限がない・限のよいところ
厳	いかつい	厳つい顔
枯	からびる	枯びた風情
互	かたみに	互に言い合わす
後	しり	後の庭(＝後宮)・後込みをする
行	やる	餌を行る・一杯行る・スリに行られる
効	かい	努力の効がない
紅	もみ	紅絹・紅師・紅染め・紅絹返しの下着
控	のぞく	社会保険料を控く
溝	どぶ	溝に捨てる・溝川
衡	くびき	圧政の衡
谷	ロク	谷蠡(ロクリ)
鎖	さす	錠を鎖す・戸を鎖す
才	かど	才ある童・才才しくすぐれている・才めく

催	もよい	雨催いの空
在	ましま す	天に在す神よ
皿	ベイ	器皿
蚕	こ	秋蚕・毛蚕
暫	しばし	暫しの別れ・暫し想いにふける
止	さす よす	言い止してやめる もう止しなさい
似	ごとし そぐう	かくの似し 場に似わない言動
式	ああ	式微（シキビ＝国勢などがひどく衰える）
疾	やましい とし とく	疾しいことはするな 思えばいと疾しこの年月 疾っくに出発した

実	さね	瓜実顔・実接ぎ
射	ヤ	射干（ヤカン＝狐の異称、またヒオウギの別称）
朱	あけ	朱に染まる・紫の朱を奪う
首	こうべ	首をめぐらす
終	しまう	店終いをする
醜	しこ	醜名・醜女
襲	かさね	襲の色目・襲装束
獣	しし	獣狩り・獣肉
縦	よしんば	縦んば過ちだとしても
熟	つくづく	熟と見る・熟いやになる

瞬	まばたく まじろぐ しばたたく	何回も瞬く 瞬ぐことも忘れる しきりに目を瞬かせる
如	もし	如し人を殺さば・如し翼があれば
除	のける よける	取り除ける 日除けの簾
少	まれ	人の行くこと少なり
称	はかる あげる かなう	目方を称る ほめ称げる 心に称う
勝	たえる	渾て簪に勝えざらんと欲す【杜甫】
掌	てのひら	掌を上へ向ける
焼	くべる	薪を火に焼べる
粧	めかす	粧し込む

障	ふせぐ	障扞（ショウカン）・障塞（ショウソク）
食	はむ	草を食む
植	チ	駢植（ヘンチ＝並び立つこと）
心	うら	心淋しい・心悲しい
伸	のる	伸るか反るか
新	さら	真っ新のシーツ
尽	すがれる	瓜が尽れる
甚	いたく	甚く感動した・甚く疲れた
垂	しだれる しで	垂れ柳 注連縄に垂を下げる
崇	シュウ	蘊崇（ウンシュウ、ウンスウ＝高く積み上げること）

是	この	是の人
績	うむ	麻を績む
折	さだめる	獄を折める
接	はぐ	つぎ接ぎ
薦	しく	沓に薦く
然	もえる	花然えんと欲す
疎	まばら おろか うろ おろ	店も疎らな街並 日本は疎か世界までも 疎覚え 疎抜く
双	もろ	双手を挙げる
相	さが	世の相・悲しい相
挿	はさむ すげる	本に紙を挿む 鼻緒を挿げる
喪	ほろびる ほろぼす	遂に喪びる 朝廷を喪ぼす
装	よそう	味噌汁を装う
槽	かいばおけ ふね	馬の槽 湯槽
騒	ざわつく ぞめく	胸が騒つく 騒き衆・騒きたがる若者たち
側	はた かたわら	側からのぞく 側らに立つ
卒	ついに	卒に終わった
率	おおむね	率ね了解した
堕	こぼつ	城壁が堕つ
怠	だるい	全身が怠い
択	よる	多くの中から択り出す
卓	シツ	卓袱料理
但	ただ	帰帆但風にまかすのみ【王維】
達	たし	宮内庁御用達
端	はした	端金・端無い
痴	しれる おこ	痴れ事・痴れ言・酔い痴れる 痴の沙汰
腸	わた	魚の腸抜き・あわびの腸煮
跳	おどる	跳り上がる・字が跳っている
陳	ひねる	陳ね生姜・陳ね米・陳ね者
痛	やめる	頭が痛める
抵	シ うつ	抵掌（シショウ） 掌を抵つ
帝	タイ	帝釈天
提	ひさげ	提で酒をつぐ
鉄	かね	鉄判（かねばん）・鉄鞭（かねぶち）・鉄床雲（かなとこぐも）・鉄槌（かなづち）
点	つける	明りを点ける
展	ひろげる	昆虫の翅を展げる
転	こける くるり	転けて足を捻挫する・転と向きを変える・意見を転と変える
吐	ぬかす	冗談を吐かすな
徒	ただ むだ	徒では済まない 徒足を踏む

塗	まぶす	粉を塗す
灯	あかし あかり	御灯奉り 灯をつける
倒	こける	倒けつ転(まろ)びつ
盗	とる	財布を盗る
頭	かぶり	頭を振る
洞	うろ	木の洞に棲む
童	わらわ	準備に大童だ・ 童遊び
導	しるべ	道導
特	ひとり ひとつ	特出・特り主に祀る 特舟・特性
鈍	のろい	仕事が鈍い・ 鈍鈍歩く
難	にくい	破れ難い紙・ 飲み難い
尿	しと	この宮の御尿に濡るるは……【紫式部日記】
熱	いきる ほとぼり	熱り立つ・草熱れ 熱がさめる
粘	デン	黐粘(チデン) 粘葉本(デッチョウボン=大和綴本)
迫	せる	迫り出す・ 迫り上げる
縛	いましめる	罪にまかせて重く縛める
肌	はだえ	白い肌
発	はなつ	矢を引き発つ・ 犯人が発った銃弾
販	ひさぐ	春を販ぐ
否	いや	否、そうでもない・ 否否絶対間違いだ
被	かずける	病に被ける・ 罪を人に被ける
備	つぶさに	備に調べる・ 備に語る
標	しるす しるべ	足跡を標す 矢印を標に進む
頻	しきる	雪が降り頻る
夫	それ	夫天地は……
腐	くさす	人を腐す
膚	はだえ	恐ろしさに膚粟立つ
風	ふり	人の風見てわが風直せ・知らぬ風をする
沸	たてる にえ	湯を沸てる 日本刀の沸
紛	まがう まぐれ	昼と見紛う明るさ 気紛れな性格
憤	むずかる	赤ん坊が憤る
閉	たてる	戸の開け閉ては静かに
幣	みてぐら	幣を奉る
弊	ついえる	夢が弊える
片	ひら	一片の雪・ 一片の花びら
便	よすが すなわち	思い出す便とする 闘えば便ち勝つ
保	もつ	天気が保つ・ 命を保たせる
包	くるむ	図面を包んで筒に入れる
奉	まつる	神に奉る・仕え奉る

放	こく さく	嘘を放くな 天の原振り放け見れば春日なる……
泡	あぶく	泡銭
砲	つつ	砲音が轟く
訪	おとなう	家を訪う
傍	はた わき	傍目にも美しい 傍から手を出す
膨	ふくよか	膨よかな人
朴	むち むちうつ	敲朴（コウボク＝鞭） 罪人を朴つ
僕	やつがれ	僕が参ります
撲	はる	頬を撲る
未	まだ	未だ見つからない・未だ他にもある・未だこの方がよい

眠	ベン	阡眠（センベン＝草木が茂るさま）
娘	こ	かわいいあの娘
黙	もだす だんまり	君命黙しがたし 黙りを決め込む
門	と	由良の門
約	つましい	約しい暮らし
用	もって	書面を用て通知する
来	こし きし	来し方行く末
絡	からげる	裾を絡げる・紐で本を絡げる
欄	おばしま	欄に寄りかかる
離	かる	草のたよりさへ離れ果てて

良	やや	良小さい・良改善された
力	りきむ	力み過ぎて失敗した
類	にる	天稚彦（あめわかひこ）が平生（いけりとき）の儀（よそほひ）に類たり（神代紀）
麗	うらら うららか	春の麗らの隅田川 麗らかな春の日差し

国字一覧

1級と準1級に属する国字、常用漢字表内の国字を掲載しました。〈　〉内は漢字の意味です。赤字は送りがなです。

1級

漢字	読み・意味
俤	おもかげ〈おもざし〉
俥	くるま〈人力車〉
凩	こがらし〈秋、冬に吹く強い風〉
叺	かます〈むしろの袋〉
呎	フィート〈長さの単位〉
呏	ガロン〈容積の単位〉
圦	いり〈水門の一種〉
嬶	かか・かかあ〈女房〉
屶	なた〈刃物の一種〉

漢字	読み・意味
弖	て〈「てにをは」の「て」〉
怺	こらえる〈がまんする〉
扨	さて〈ところで〉
挘	むしる〈つかみ引き抜く〉
杣	そま〈木をとる山〉
枡	ます〈容器の一種〉
桛	かせ〈糸巻き〉
梻	しきみ〈木の一種〉
梺	ふもと〈山のすそ〉
椚	くぬぎ〈木の一種〉

漢字	読み・意味
楾	はんぞう〈水をつぐ道具〉
榁	むろ〈木の一種〉
榀	こまい〈軒の垂木に渡す材〉
毟	むしる〈つかみ引き抜く〉
熕	コウ／おおづつ〈大砲〉
燵	タツ〈「炬燵」（コタツ）〉
瓧	デカグラム〈重さの単位〉
瓩	キログラム〈重さの単位〉
瓲	トン〈重さの単位〉
瓰	デシグラム〈重さの単位〉

漢字	読み・意味
瓱	ミリグラム〈重さの単位〉
瓸	ヘクトグラム〈重さの単位〉
甅	センチグラム〈重さの単位〉
癪	しゃく〈腹部の激痛〉
竍	デカリットル〈容積の単位〉
竏	キロリットル〈容積の単位〉
竕	デシリットル〈容積の単位〉
竓	ミリリットル〈容積の単位〉
竡	ヘクトリットル〈容積の単位〉
竰	センチリットル〈容積の単位〉

漢字	読み・意味
簓	セン／ささら〈竹製の民俗楽器〉
簗	やな〈魚をとる仕掛け〉
籡	しんし〈洗い張りの道具〉
籵	デカメートル〈長さの単位〉
粏	タ／ぬかみそ〈糠味噌〉
粨	ヘクトメートル〈長さの単位〉
糀	こうじ〈麹〉
綛	かすり・かせ〈後者は束ねた糸〉
縅	おどす・おどし〈鎧の緒通し〉
繧	ウン〈繧繝（ウンゲン）〉

漢字	読み・意味
纃	かすり〈織物の一種〉
纐	コウ／しぼり・しぼりぞめ〈纐纈（コウケチ・コウケツ）〉
聢	しかと〈はっきりと〉
膵	スイ〈膵臓（スイゾウ）〉
苆	すさ〈壁土に入れる材料〉
艝	そり〈乗物の一種〉
萢	やち・やつ〈低湿地〉
蓙	ござ〈敷物の一種〉
蚫	ホウ／あわび〈貝の一種〉
蛯	えび〈海老〉
蟎	だに〈虫の一種〉
袰	ほろ〈鎧の背につける布〉

漢字	読み・意味
裃	かみしも〈武士の礼服〉
裄	ゆき〈背から袖口までの長さ〉
褄	つま〈和服のすそ〉
襷	たすき〈和服の袖をたくし上げるひも〉
諚	ジョウ／おきて・おおせ〈上の命令〉
躮	せがれ〈むすこ〉
躾	しつけ〈礼儀を身につけさせること〉
軈	やがて〈そのうちに〉
轌	そり〈乗物の一種〉
辷	すべる〈滑る〉
迚	とても・とて〈とうてい〉
逧	さこ〈谷のせまくなった所〉

漢字	読み・意味
遖	あっぱれ〈ほめことばの一種〉
錺	かざり〈金属製アクセサリー〉
錵	にえ〈日本刀の部分〉
錻	ブ・ブリキ〈めっきした薄い鋼板〉
鎹	かすがい〈木と木をつなぐ大釘〉
𨫤	さかほこ〈逆鉾〉
鎺	はばき〈刀、薙刀の部分〉
閊	つかえる〈つっかえる〉
鞆	とも〈手につける革具〉
鞐	こはぜ〈足袋の止め金〉
颪	おろし〈山から吹きおろす風〉
饂	ウン〈饂飩（うどん・ウンドン）〉

漢字	読み・意味
魞	えり〈魚をとる仕掛け〉
魸	なまず〈魚の一種〉
鮖	かじか〈魚の一種〉
鮗	このしろ〈魚の一種〉
鮇	いわな〈魚の一種〉
𩶗	いさざ〈魚の一種〉
鮟	アン〈鮟鱇（アンコウ）〉
鮴	ごり〈魚の一種〉
鮲	こち・まて〈魚の一種・貝の一種〉
鮱	おおぼら〈魚の一種〉
鯏	うぐい・あさり〈魚の一種・貝の一種〉
鯑	かずのこ〈にしんの卵〉

漢字	読み・意味
鯒	こち〈魚の一種〉
鯎	うぐい〈魚の一種〉
鯐	すばしり〈ぼらの稚魚〉
鯲	どじょう〈魚の一種〉
鯱	しゃち・しゃちほこ〈鯨の一種・棟飾りの一種〉
鯰	ネン／まなず〈魚の一種〉
鰘	むろあじ〈魚の一種〉
鰙	はや・はえ・わかさぎ〈すべて魚〉
鰚	はらか〈鮸の別名、鱒の別名〉
鰰	はたはた〈魚の一種〉
鱇	コウ〈鮟鱇（アンコウ）〉
鱚	きす〈魚の一種〉

漢字	読み・意味
鱛	えそ〈魚の一種〉
⿰魚恵	あおさば・さば〈魚の一種〉
鱩	はたはた〈魚の一種〉
鳰	にお〈鳥の一種〉
鵆	ちどり〈鳥の一種〉
鴾	とき〈鳥の一種〉
鵤	いかる・いかるが〈鳥の一種〉
鵥	かけす〈鳥の一種〉
鶍	いすか〈鳥の一種〉
鶎	きくいただき〈鳥の一種〉
鶫	つぐみ〈鳥の一種〉

準1級

漢字	読み・意味
俣	また
凧	たこ
凪	なぎ・なぐ
匁	もんめ・め
喰	くう くらう
噸	トン
噺	はなし
杢	もく
栂	とが つが
柾	まさ まさき
椙	すぎ

漢字	読み・意味
椛	もみじ
榊	さかき
樫	かし
畠	はた・はたけ
硲	はざま
笹	ささ
粂	くめ
籾	もみ
粁	キロメートル
糎	センチメートル
粍	ミリメートル
辻	つじ

漢字	読み・意味
鋲	ビョウ
鑓	やり
雫	ダ しずく
鰯	いわし
鱈	セツ たら
鴫	しぎ
麿	まろ

常用漢字表内

漢字	読み・意味
働	ドウ はたらく
匂	におう
塀	ヘイ
峠	とうげ

漢字	読み・意味
搾	サク しぼる
枠	わく
栃★	とち
畑	はた・はたけ
腺★	セン すじ
込	こむ こめる

1級配当漢字表

●＝国字　☆＝印刷標準字体
赤字は送りがなです。漢字表の部首索引は223ページにあります。本書では標準字体のみ掲載しています。許容字体は『漢検要覧1／準1級対応』を参照下さい。

漢字	音読み	訓読み
一	いち	
弌	イチ イツ	ひと ひとつ
丐	カイ	こう こじき
丕	ヒ	おおきい うける もと
丨	ぼう たてぼう	
丫	ア	あげまき つのがみ
丱	カン ケン	あげまき おさない
丶	てん	
ノ	の はらいぼう	
乂	ガイ	かる おさめる すぐれる
乖☆	カイ	そむく もとる へだたる こざかしい
乚乙	おつ	
亅	はねぼう	
予	ヨ	あたえる ゆるす われ
二	に	
于☆	ク ウ	ああ ここに ゆく
弍	ジ ニ	ならぶ つぐ うたがう
亟	キョク キ	すみやか しばしば
亠	なべぶた けいさんかんむり	
亢☆	コウ	のど たかい たかぶる あがる きわめる あたる
亶	タン セン	あつい ほしいまま まこと もっぱら
人亻𠆢	ひと にんべん ひとやね	
仍	ジョウ ニョウ	よる かさなる しきりに なお
仄☆	シキ ショク ソク	かたわら かたむく そばだつ ほのか いやしい うらがえる ほのめく ほのめかす
仆	フ ホク	たおれる しぬ
仂	ロク リョク リキ	あまり つとめる
仗	ジョウ	つわもの ほこ まもり よる
仞	ジン	ひろ はかる
仟	セン	かしら
价	カイ	よい よろう
伉	コウ	たぐい ならぶ つよい おごる
佚	イツ テツ	たのしむ やすんずる あそぶ のがれる うしなう うつくしい ゆるい たがいに
估	コ	あたい あきなう
佝	ク コウ	まがる おろか
佗	タ イ	ほか になう みだす わび わびしい わびる
佇☆	チョ	たたずむ たちどまる まつ
佞	デイ ネイ	おもねる へつらう よこしま
余	ヨ	われ
佶	キツ	よい かたい
侈	シ	おごる ほしいまま おおきい ひろい
侏	シュ	みじかい
侘☆	タ	ほこる わびる わびしい わび
佻	チョウ	かるい かるがるしい

漢字	音読み	訓読み
佩	ハイ	おびだま おびる はく
佰	ハク ヒャク	おさ
侑	ウ ユウ	すすめる むくいる たすける ゆるす
佯	ヨウ	いつわる さまよう
侖	ロン リン	おもう ついずる
俔	ケン	うかがう しのび
俟	シ	まつ
俎	ショ ソ	まないた
俘	フ	とりこ とる
俛	ベン メン フ	ふせる
俑	ヨウ トウ	ひとがた いたむ
俚	リ	いやしい ひな

漢字	音読み	訓読み
俐	リ	かしこい さかしい
俤●☆		おもかげ
俥●		くるま
倚	イ キ	よる たのむ
倨	キョ	おごる
倔	クツ	つよい
倪	ゲイ	かよわい ながしめ きわ
倥	コウ	おろか いそがしい ぬかる
倅	サイ ソツ	たすけ にわか せがれ
俶	シュク テキ	よい はじめる すぐれる
倡	ショウ	わざおぎ あそびめ となえる
倩	セン セイ	うつくしい むこ やとう つらつら

漢字	音読み	訓読み
倬	タク	おおきい たかい あきらか
俾	ヒ ヘイ	しもべ たすける にらむ
俯☆	フ	ふす ふせる うつむく うつぶす
們	モン	ともがら
倆	リョウ	うでまえ
偃	エン	ふす ふせる やめる せく おごる
偕	カイ	ともに
偐	ガン ゲン	にせ にせもの
偈☆	ケツ ケイ ゲ	はやい すこやか いこう
偖	シャ	さて
偬	ソウ	せわしい

漢字	音読み	訓読み
偸	トウ チュウ	ぬすむ かりそめ かろんずる うすい
做	サク サ	なす
傀	カイ	おおきい くぐつ でく
傚	コウ	ならう まねる
傅	フ	もり かしずく つく しく
傴	ウ	かがむ かわいがる つつしむ
僉	セン	みな
僊	セン	やまびと せんにん
僂	ロウ ル	かがめる まげる
僖	キ	よろこぶ たのしむ
僥	ギョウ	もとめる ねがう
僭	セン	なぞらえる おごる

漢字	音読み	訓読み
僮	トウ ドウ	わらべ おろか しもべ
僵	キョウ	こわばる たおれる
儁	シュン	すぐれる まさる
儂	ドウ ノウ	わし われ
儕	サイ セイ	ともがら
儔	チュウ ジュ	ともがら
儚	ボウ モウ	くらい はかない はかなむ
儡	ライ	つかれる くぐつ でく
儳	サン ザン	さしでる ふぞろい
儺	ナ ダ	おにやらい
儷	レイ	ならぶ つれあい
儼	ゲン	いかめしい おごそか

漢字	音読み	訓読み
儻	トウ	すぐれる もし あるいは
儿	ひとあし にんにょう	
兀	コツ ゴツ	たかい
兌	ダ タイ エツ エイ	かえる とりかえる よろこぶ するどい
兢	キョウ	つつしむ おそれる
入	いる いりがしら	
兪	ユ	しかり
八	はち は	
冀	キ	こいねがう
冂	どうがまえ けいがまえ まきがまえ	
冉	ゼン ネン	しなやか
冏	キョウ ケイ	あきらか
冑☆	チュウ	かぶと よろい
冓	コウ	くむ かまえる
冕	ベン	かんむり
冖	わかんむり ひらかんむり	
冤☆	エン	ぬれぎぬ あだ
冢	チョウ	つか おおきい かしら
冪	ベキ	おおう
冫	にすい	
冱	ゴ コ	こおる さむい さえる
冽	レツ	さむい つめたい
凊	セイ	すずしい さむい
凅	コ	こおる
凜	リン	さむい すさまじい
几	つくえ	
几☆	キ	つくえ ひじかけ
凩●		こがらし
凭	ヒョウ	よる もたれる
凵	うけばこ かんがまえ	
刂 刀	かたな りっとう	
刋	セン	きる けずる
刔	ケツ	えぐる
刎	フン ブン	はねる くびはねる
刪	サン	けずる えらぶ
刮	カツ	けずる こする こそげる
刳	コ	えぐる くる さく
剏	ソウ ショウ	はじめる そこなう
剄	ケイ	くびきる
剋☆	コク	かつ きざむ きめる きびしい
剌	ラツ	もとる そむく
剞	キ	きざむ ほる
剔	テキ テイ	えぐる のぞく そる
剪	セン	きる つむ ほろぼす はさみ はさむ
剴	ガイ	あたる あてはまる
剳	サツ トウ	かぎ かま
剿	ソウ ショウ	たつ ほろぼす かすめとる
剽	ヒョウ	すばやい かるい おびやかす かすめとる
劈	ヘキ	さく つんざく
力	ちから	
劬	ク グ	つかれる
劭	ショウ	つとめる
劼	カツ	つつしむ つとめる
勁	ケイ	つよい
勍	ケイ	つよい
勗	キョク	つとめる はげます
勣	セキ	いさお
勦	ショウ ソウ	たつ ほろぼす かすめとる すばやい
飭	チョク	つつしむ ただす いましめる ととのえる

漢字	音読み	訓読み
勠	リク	あわせる
勹	つつみがまえ	
匆	ソウ	いそがしい あわてる
匈☆	キョウ	むね わるい かまびすしい
甸	テン デン	おさめる かり かる
匍	ホ	はう はらばう
匐	フク	はう はらばう
匏	ホウ	ひさご ふくべ
匕	ひ	
匕	ヒ	さじ
匚	はこがまえ	
匚	ホウ	はこ

漢字	音読み	訓読み
匣	コウ	はこ こばこ
匯	カイ ワイ	めぐる かわせ
匱	キ ギ	ひつ はこ とぼしい
匳	レン	こばこ くしげ
匸	かくしがまえ	
十	じゅう	
卅	ソウ	みそ
卉☆	キ	くさ さかん
卍	バン マン	まんじ
卜	と うらない	
卩	わりふ ふしづくり	
卮	シ	さかずき

漢字	音読み	訓読み
卻	却の異体字	
厂	がんだれ	
厖	ボウ	おおきい あつい いりまじる
厥	ケツ クツ	まげる ぬかずく その それ
厲	レイ	といし とぐ するどい はげしい はげむ しいたげる えやみ やむ わざわい
ム	む	
簒	サン セン	うばう とる
叉	また	
叟☆	ソウ	おきな としより
燮	ショウ	やわらげる
口	くち くちへん	

漢字	音読み	訓読み
叮	テイ	ねんごろ
叨	トウ	みだりに うける むさぼる
叭	ハ	
叺●		かます
吁	ク キョ	ああ なげく
吽	ゴウ ウン	
听	キン	わらう ポンド
吭	コウ	のど くび かなめ
吼☆	ク コウ	ほえる
吮	シュン セン	すう なめる
吶	トツ ドツ	どもる さけぶ
吩	フン	ふく いいつける

漢字	音読み	訓読み
吝	リン	おしむ しわい けち やぶさか
呎●		フィート
呏●		ガロン
咏	エイ	うたう うた
呵☆	カ	しかる わらう ふく
咎☆	キュウ	とが とがめ とがめる
呟☆	ゲン	つぶやく
呱	コ	なく
呷	コウ	すう かまびすしい あおる
呰	シ	そしる きず
呻☆	シン	うめく うなる
咀	ソ ショ	かむ あじわう

漢字	音読み	訓読み
呶	ド、ドウ	かまびすしい
咄☆	トツ	しかる、したうち、はなし
咐	フ、ホ	ふく、いいつける
咆	ホウ	ほえる
哇	アイ、ア、ワ	はく
咢	ガク	いいあらそう、おどろく
咸☆	カン	みな、ことごとく
咥	キ、テツ	わらう、かむ、くわえる
咬☆	コウ、ヨウ	かむ、かじる
哄	コウ	どよめき、わらう
哈	コウ、ゴウ、ソウ、ハ	すする
咨	シ	はかる、なげく、ああ

漢字	音読み	訓読み
咫	シ	ちかい、みじかい、あた
哂	シン	わらう、あざわらう
咤☆	タ	しかる、したうち
哥	カ	うたう、うた
哦	ガ	うたう、ぎんずる
唏	キ	すすりなく、なげく
唔	ゴ	
哽	コウ	むせぶ、ふさがる
哮	コウ	ほえる、たける
哭☆	コク	なく
哢	ロウ	さえずる
哳	タツ	

漢字	音読み	訓読み
唹	オ、ヨ	わらう
啀	ガイ	いがむ
啣	カン、ガン	くわえる
售	シュウ	うる
啜☆	セツ、テツ	すする、すすりなく
啅	タク、トウ	かまびすしい、ついばむ、さえずる
啖☆	タン	くう、くらう、くらわす
唸☆	テン	うなる、うなり
唳	レイ	なく
喑	イン	なく、だまる
喙	カイ	くちばし、ことば
喀☆	カク	はく

漢字	音読み	訓読み
喊	カン	さけぶ
喟	キ	なげく、ためいき
啻	シ	ただ、ただに
啾	シュウ	なく
喘☆	ゼン、セン	あえぐ、せき、せく
喞	ショク、ソク	なく、そそぐ、かこつ
啼☆	テイ	なく
喃	ダン、ナン	しゃべる、のう
喇	ラツ、ラ	
喨	リョウ	
嗚☆	オ	ああ、なげく
嗇	ショク	おしむ、やぶさか、とりいれ

漢字	音読み	訓読み
嗟☆	サ	ああ、なげく
嗄	サ	かれる、しわがれる
嗜☆	シ	たしなむ、たしなみ
嗤	シ	わらう、あざわらう
嗔	シン	いかる、いかり
嘔☆	オウ、ク	はく、むかつく、うたう、やしなう
嗷	ゴウ	かまびすしい
嘖	サク	さけぶ、かまびすしい、さいなむ
嗾	ソウ	そそのかす、けしかける
嗽	ソウ、ソク	せく、せき、くちすすぐ、うがい、すう
嘛	マ	

漢字	音読み	訓読み
噁	オ アク	いかる
噎	イツ エツ	むせぶ むせる ふさがる
嘴☆	シ	くちばし はし
嘶	セイ	いななく しわがれる
嘸	ブ ム	さぞ
噫	イ アイ	ああ おくび
噤	キン	つぐむ とじる
嘯	ショウ シツ	うそぶく うなる ほえる しかる
噬	セイ ゼイ	かむ くう
噪	ソウ	さわぐ さわがしい
噯	アイ	ああ おくび
噦	エツ	しゃっくり しゃくり しゃくる むかつく

漢字	音読み	訓読み
嚆	コウ	さけぶ なりひびく
嚀	ネイ	ねんごろ
嚊	ヒ	はないき かか かかあ
嚠	リュウ	
嚔	テイ	はなひる くさめ くしゃみ
嚥☆	エン	のど のむ
嚮	キョウ	むかう むく さきに ひびく
嚬	ヒン	ひそめる しかめる ひそみ
嚶	オウ	なく
囂	キョウ ゴウ	かまびすしい やかましい わずらわしい
嚼	シャク	かむ あじわう
囁☆	ショウ ジョウ	ささやく

漢字	音読み	訓読み
囃☆	ソウ	はやし はやす
囀☆	テン	さえずる
囈	ゲイ	うわごと たわごと
囗	くにがまえ	
囮	カ	おとり
囹	レイ	ひとや
圀	國（国の旧字体）の異体字	
囿	ユウ	その
圄	ゴ ギョ	ひとや とらえる
圉	ギョ ゴ	ひとや まきば うまかい かう ふせぐ
圜	カン エン	めぐる めぐらす まるい

漢字	音読み	訓読み
土	つち つちへん どへん	
圦●		いり
坎	カン	あな なやむ
圻	キ	さかい きし
址☆	シ	あと
坏	ハイ	おか つき
坩	カン	つぼ るつぼ
坡	ハ ヒ	さか つつみ ななめ
坿	フ ブ	ます
垓	カイ ガイ	はて さかい
垠	ギン	かぎり さかい きし
垤	テツ	ありづか つか

漢字	音読み	訓読み
埃☆	アイ	ちり ほこり
埆	カク	そね やせち
埒☆	ラチ ラツ	かこい
埡	ア アク	しろつち いろつち
堋	ホウ ボウ	ほうむる あずち
堙	イン	ふさぐ ふさがる うずめる うずもれる
堝	カ	るつぼ
堡	ホウ ホ	とりで つつみ
堽	岡の異体字	
塋	エイ	はか つか
塒	シ ジ	とや ねぐら とぐろ

漢字	音読み	訓読み
塹	ザン セン	ほり あな ほる
墅	ショ ヤ	なや しもやしき のはら
塿	ル ロウ	つか おか
墟☆	キョ	おか あと
壅	ヨウ	ふさぐ さえぎる
壎	ケン	つちぶえ
壑	ガク	たに みぞ
壙☆	コウ	あな むなしい のはら
壜	タン ドン	びん
壟	リョウ ロウ	うね つか
士	さむらい	
壼	コン	おく しきみ

漢字	音読み	訓読み
夂	ち	
夊	すいにょう	
夐	ケイ	はるか とおい ながい
夕	た ゆうべ	
夥	カ	おびただしい おおい なかま
大	だい	
夬	カイ ケツ	わける きめる ゆがけ
夭	ヨウ	わかい わかわかしい うつくしい わざわい わかじに
夲	トウ	すすむ
夸	コ カ	ほこる おごる
夾	キョウ	さしはさむ はさむ まじる

漢字	音読み	訓読み
奕	エキ ヤク	いご ばくち うつくしい うれえる かさなる おおきい
奐	カン	あきらか おおきい
奎	ケイ キ	とかきぼし また
奚	ケイ	しもべ なんぞ なに
奘	ソウ ゾウ ジョウ	さかん
奠	テン デン	まつる そなえる さだめる
奢☆	シャ	おごる
女	おんな おんなへん	
奸☆	カン	おかす よこしま
妁	シャク	なこうど
妝	ソウ ショウ	よそおう よそおい

漢字	音読み	訓読み
妣	ヒ	なきはは
妲	ダツ	
姆	ボ モ	うば
姨	イ	おば
姜	キョウ	
姸☆	ケン ゲン	うつくしい
姙	ニン	はらむ みごもる
姮	コウ	
姚	ヨウ	うつくしい はるか
娥	ガ	うつくしい
娟	ケン エン	うつくしい しなやか
娑☆	サ シャ	

漢字	音読み	訓読み
娜	ダ ナ	しなやか
娉	ヘイ ホウ	とう めとる めす
婀	ア	たおやか
婬	イン	たわむれる みだら
婉☆	エン	しとやか うつくしい したがう すなお
娵	ソウ シュ	たおやめ よめ
娶☆	シュ シュウ	めとる
婢	ヒ	はしため
婪	ラン	むさぼる
媚☆	ビ	こびる こび うつくしい
媼	オウ	おうな うば
媾	コウ	まじわる よしみ

漢字	嫋	嫂	媽	嫣	嫗	嫩	嫖	嫺	嫻	嬌☆	嬋	嬖
音読み	ジョウ	ソウ	ボ モ	エン	オウ ウ	ドン ノン	ヒョウ	カン	カン	キョウ	セン ゼン	ヘイ
訓読み	たおやか しなやか そよぐ	あによめ	はは		おうな あたためる	わかい	かるい みだら	みやびやか ならう	みやびやか ならう	なまめかしい	あでやか	おきにいり かわいがる

漢字	嬲	嬪	嬶●	嬾	孅	孀	子	孒	孑☆	孕☆	孚	孛
音読み	ジョウ	ヒン		ラン	セン	ソウ	こ こへん	キョウ	ケツ ゲツ	ヨウ	フ	ハイ ボツ
訓読み	なぶる	ひめ そう こしもと	かか かかあ	おこたる ものうい	かよわい こまかい	やもめ		ぼうふら	ひとり	はらむ みごもる	かえす まこと はぐくむ	ほうきぼし

漢字	孥	孩	孰	孳	孵☆	孺	孼	宀	宦☆	宸☆	寇	寔
音読み	ド ヌ	カイ ガイ	ジュク	ジ シ	フ	ジュ	ゲツ	うかんむり	カン	シン	コウ	ショク
訓読み	つまこ	あかご ちのみご	たれ つまびらか いずれ	うむ しげる つとめる	かえる かえす	ちのみご おさない	ひこばえ わざわい わきばら		つかさ つかえる	のき	あだ かたき	まことに

漢字	寐	寤	寞	寥☆	寰	寸	小	尠	尢	尨	尸	尸
音読み	ビ	ゴ	バク マク	リョウ	カン	すん	しょう	セン	だいのまげあし	ボウ	かばね しかばね	シ
訓読み	ねる	さめる さとる	さびしい しずか	さびしい しずか				すくない		むくいぬ まじる おおきい		しかばね かばね かたしろ つかさどる

漢字	尹☆	屁☆	屎☆	屏☆	屠☆	孱	屭	屮	屮	山	屶●
音読み	イン	ヒ	シ	ヘイ ビョウ	ト	セン サン	キ	てつ	テツ ソウ	やま やまへん	
訓読み	おさ おさめる ただす	へ	くそ	かき ついたて しりぞく しりぞける おおう	ほふる さく	よわい おとる	ひいき		め めばえる		なた

漢字	音読み	訓読み
屹☆	キツ	そばだつ けわしい
岌	キュウ ギュウ	たかい
岑	ギン シン	みね けわしい
岔	サ タ	
岫	シュウ	くき いわあな みね
峙☆	ジ チ	そばだつ そなえる たくわえる
峭	ショウ	けわしい きびしい
峪	ヨク	たに
崟	ギン	みね たかい
崛	クツ	そばだつ
崑	コン	
崔	サイ スイ	たかい おおきい まじわる

漢字	音読み	訓読み
崢	ソウ	たかい けわしい
崚	リョウ	たかい けわしい
崙	ロン	
嵌☆	カン	あな ほらあな けわしい はめる はめこむ ちりばめる
嵒	ガン	いわ いわお けわしい
嵎	グ グウ	くま すみ
嵋	ビ	
嵬	カイ ガイ ギ	たかい おおきい
嶇	ク	けわしい
嶄	サン ザン	けわしい
嶂	ショウ	みね

漢字	音読み	訓読み
嶢	ギョウ	けわしい
嶝	トウ	さか さかみち
嶬	ギ	けわしい
嶮	ケン	けわしい
嶷	ギ ギョク	たかい さとい かしこい
嶼	ショ	しま
巉	サン ザン	けわしい
巍	ギ	たかい おおきい
巓	テン	いただき
巒	ラン	みね やまなみ
巛川	かわ まげかわ	
工	え たくみ たくみへん	

漢字	音読み	訓読み
巫☆	フ ブ	みこ かんなぎ
己	おのれ	
已☆	イ	すでに のみ やむ はなはだ
巾	はば はばへん きんべん	
帚☆	ソウ シュウ	はく ほうき
帙	チツ	ふまき ふみづつみ
帑	ド トウ	かねぐら つまこ
帛☆	ハク	きぬ しろぎぬ ぬさ
帷☆	イ	とばり かたびら
幄	アク	とばり
幃	イ	とばり
幀	テイ チョウ	

漢字	音読み	訓読み
幎	ベキ	おおう とばり
幗	カク	かみかざり
幔	バン マン	まく
幟☆	シ	のぼり しるし
幢	トウ ドウ	はた
幫	ホウ	たすける なかま
干	かん いちじゅう	
幵	ケン	たいら
并☆	ヘイ	あわせる ならぶ
幺	よう いとがしら	
幺	ヨウ	ちいさい おさない
麼	バ マ モ	ちいさい

漢字	音読み	訓読み
广	まだれ	
庠	ショウ	まなびや
廁	シ	かわや まじる
廂☆	ショウ ソウ	ひさし
廈	カ	いえ
廖	リョウ	むなしい
廝	シ	めしつかい こもの
廛	テン	やしき みせ
廡	ブ	ひさし しげる
廨	カイ	やくしょ
廩	リン	くら ふち
龐	ホウ ロウ	おおきい みだれる

漢字	音読み	訓読み
廬☆	リョ ロ ル	いおり いえ
廱	ヨウ	やわらぐ
廴	えんにょう いんにょう	
廾	こまぬき にじゅうあし	
弁	ベン	かんむり
彝	イ	のり つね
弋	しきがまえ	
弋	ヨク	いぐるみ とる くろい うかぶ
弑	シ シイ	しいする ころす
弓	ゆみ ゆみへん	
弖●		て
弩	ド	いしゆみ おおゆみ

漢字	音読み	訓読み
弭	ビ ミ	ゆはず やめる
弸	ビョウ ホウ	みちる
彎☆	ワン	まがる ひく
⺕彑彐	けいがしら	
彗	エ ケイ スイ	はく ほうき ほうきぼし
彡	さんづくり	
彭	ホウ	
彳	ぎょうにんべん	
彷☆	ホウ	さまよう にかよう
徂	ソ	ゆく しぬ
彿	フツ	にかよう ほのか
彽	テイ	たちもとおる

漢字	音読み	訓読み
徊☆	カイ	さまよう
很	コン	もとる はなはだ
徇	シュン ジュン	となえる したがう めぐる
徙	シ	うつす うつる
徘☆	ハイ	さまよう
徨	コウ	さまよう
徭	ヨウ	えだち
徼	キョウ ギョウ ヨウ	めぐる さかい くにざかい もとめる さえぎる
心 忄 小	こころ りっしんべん したごころ	
忖	ソン	はかる おしはかる

漢字	音読み	訓読み
忻	キン	よろこぶ
忤	ゴ	さからう もとる
忸	ジク ジュウ	はじる なれる
忱	シン	まこと
忝	テン	はずかしめる かたじけない
忿	フン	いかる
怡	イ	よろこぶ やわらぐ
怙	コ	たのむ
怩	ジ	はじる
怎	シン ソ ソウ	いかで どうして
怛	タツ ダツ タン	いたむ おどろく
怕	ハ ハク	おそれる

漢字	音読み	訓読み
彿	フツ ハイ ヒ	ふさぐ いかる もとる
怦	ヒョウ ホウ	せわしい
怏	オウ ヨウ	うらむ
怱	ソウ	あわてる いそぐ
怺●		こらえる
恚	イ	いかる うらむ
恁	ジン イン ニン	かかる このような
恪	カク	つつしむ
恟	キョウ	おそれる
恊	キョウ	かなう おびやかす
恍☆	コウ	ほのか とぼける
恃	ジ シ	たのむ たよる

漢字	音読み	訓読み
恤	シュツ ジュツ	うれえる あわれむ めぐむ
恂	ジュン シュン	まこと おそれる まったく
恬	テン	やすい やすらか やすんずる しずか
恫	トウ ドウ	いたむ おどす おどかす
恙	ヨウ	うれい つつが
悁	エン ケン	いかる あせる
悍☆	カン	たけし あらい あらあらしい
悃	コン	まこと まごころ
悚	ショウ	おそれる
悄	ショウ	うれえる きびしい
悛	シュン	あらためる つつしむ
悖	ハイ ボツ	もとる みだれる さかん

漢字	音読み	訓読み
悒	ユウ	うれえる
悧	リ	さかしい
悋	リン	やぶさか おしむ ねたむ
悸☆	キ	おそれる
惓	ケン	つつしむ うむ
悴	スイ	やつれる かじかむ せがれ
悽	セイ	いたむ いたましい かなしむ
惆	チュウ	いたむ うらむ
悵	チョウ	いたむ うらむ
惘	ボウ モウ	ぼんやりする あきれる
悾	コウ	まこと
愕☆	ガク	おどろく

漢字	音読み	訓読み
愆	ケン	あやまる あやまち
惶	コウ	おそれる
惷	シュン	みだれる おろか
愀	シュウ ショウ	さびしい
惴	スイ ズイ	おそれる
惺	セイ	さとる しずか
愃	ケン セン	ゆたか
愒	カイ カツ ケイ	むさぼる おどす いこう
惻	ショク ソク	いたむ
愍	ビン ミン	あわれむ うれえる
愎	フク ヒョク	もとる そむく
慍	ウン オン	うらむ いかる

漢字	音読み	訓読み
慇	イン	いたむ ねんごろ
愾	カイ ガイ キ	なげく いかる
愨	カク	つつしむ まこと
愧	キ	はじる はじ
慊	キョウ ケン	あきたりない あきたりる
愿	ゲン	つつしむ すなお
愬	ソ サク	うったえる おそれる
愴	ソウ	いたむ かなしむ
慂	ヨウ	すすめる
慳	カン ケン	おしむ しぶる
慷	コウ	なげく
慙	ザン	はじる はじ

漢字	音読み	訓読み
慫	ショウ	おどろく すすめる
慴	ショウ シュウ	おそれる
慥	ソウ ゾウ	たしか
慠	ゴウ	おごる
慟	トウ ドウ	なげく
慝	トク	よこしま わるい わざわい
慓	ヒョウ	すばやい
慵	ショウ ヨウ	ものうい おこたる
憖	ギン	なまじ なまじいに しいて
憔	ショウ	やつれる
憚☆	タン	はばかる はばかり
憊	ハイ ヘイ	つかれる

漢字	音読み	訓読み
憑☆	ヒョウ	よる たのむ つく かかる かちわたる
憫☆	ビン ミン	あわれむ うれえる
憮	ブ ム	いつくしむ がっかりする
懌	エキ	よろこぶ たのしむ
懊	オウ	なやむ うらむ
懈	カイ ケ	おこたる なまける だるい
懃	キン ゴン	つとめる ねんごろ つかれる
懆	ソウ	うれえる
憺	タン	やすんずる おそれる
懋	ボウ モ	つとめる さかん
懍	リン	おそれる

漢字	音読み	訓読み
懦	ジュ ダ	よわい
懣	マン モン	もだえる
懶	ラン	ものうい おこたる ものぐさい
懺☆	ザン サン	くいる
懿	イ	よい うるわしい
懽	カン	よろこぶ
懾	ショウ	おそれる
懼☆	グ ク	おそれる おどろく
戈	ほこづくり ほこがまえ	
戈	カ	ほこ いくさ
戉	エツ	まさかり
戍	ジュ	まもる たむろ

漢字	音読み	訓読み
戌☆	ジュツ	いぬ
戔	セン サン ザン	そこなう
戛	カツ	ほこ うつ
戡	カン	かつ ころす
截☆	セツ	たつ きる
戮☆	リク	ころす あわせる はずかしめる
戳	タク	つく さす
戸	と とだれ とかんむり	
扁☆	ヘン	ふだ ひらたい ちいさい
扈	コ	ひろい したがう つきそう はびこる
扌手	て てへん	
扎	サツ	ぬく かまえる

漢字	音読み	訓読み
扣	コウ	ひかえる たたく たずねる さしひく
扛	コウ	あげる かつぐ
扞	カン	ふせぐ おおう ひく あらい ひきのばす
扠	サ	はさみとる やす さす さて
扨●		さて
扼	アク ヤク	おさえる
抉☆	ケツ	えぐる こじる
找	カ ソウ	さおさす たずねる
抒☆	ジョ ショ	くむ のべる のぞく
抓	ソウ	かく つまむ つねる つむ
抖	トウ ト	ふるう あげる

漢字	音読み	訓読み
扑	ヘン、ベン	うつ、たたく
抔	ホウ	すくう、など
拗☆	オウ、ヨウ	ねじける、こじれる、すねる、しつこい
拑	カン、ケン	はさむ、つぐむ
抻	シン、チン	のばす
拆	タク	ひらく、さく
拈	デン、ネン	ひねる、つまむ
拌	ハン	すてる、さける、わる、かきまぜる
拊	フ	うつ、なでる
拇	ボ、ボウ	おやゆび
抛	ホウ	なげる、なげうつ、ほうる
拿☆	ダ、ナ	つかむ、とらえる、ひく

漢字	音読み	訓読み
挌	カク	うつ、なぐる
拮☆	キツ、ケツ	はたらく、せまる、せめる
拱	キョウ	こまぬく、こまねく
挂	ケイ、カイ	かける、ひっかかる
挈	ケイ、ケツ	ひっさげる
拯	ショウ、ジョウ	すくう、たすける
拵	ソン	よる、こしらえる
挘●		むしる
捐	エン	すてる、あたえる、かう
捍	カン	ふせぐ、まもる
捏☆	ネツ、デツ	こねる、つくねる、こじつける
掖	エキ	わきばさむ、わき、たすける

漢字	音読み	訓読み
掎	キ	ひく、ひきとめる
掀	キン、ケン	あげる、かかげる、もちあげる
掫	ソウ、シュ、シュウ	よまわり
捶	スイ	うつ、むち、むちうつ
掣	セイ、セツ	ひく
掏	トウ	えらぶ、する
掉	トウ、チョウ	ふる、ふるう
掟☆	ジョウ、テイ	おきて、さだめ
捫	ボン、モン	なでる、とる、ひねる、ひねりつぶす
捩	レイ、レツ	ばち、ねじる、よじる、もじる、ねじ
掾	エン	たすける、したやく、じょう

漢字	音読み	訓読み
揩	カイ	する、こする、ぬぐう
揀	カン	えらぶ、わける
揆☆	キ	はかる、はかりごと、みち、やりかた、つかさ
揣	シ	はかる、おしはかる
揉☆	ジュウ	もむ、もめる、いりまじる、ためる
揶☆	ヤ	からかう、あざける
揄☆	ユ、トウ	ひきだす、からかう
搤	アク、ヤク	つかむ、おさえる
搴	ケン	とる、かかげる
搆	コウ	ひく、かまえる
搦	ジャク、ダク	からめる、しばりあげる、とる、からみ

漢字	音読み	訓読み
搶	ショウ、ソウ	つく、あつまる、かすめる
搓	サ	よる、もむ
搗	トウ	つく、かつ、うつ、たたく、かてて
搏	ハク	うつ、とる、つかまえる、はばたく
搨	トウ	うつす、する、なする
摶	タン、セン	まるい、まるめる、もっぱら
摧	サイ	くだく、くじく
摎	キュウ、コウ	まつわる
摏	ショウ	つく
撕	セイ、シ	いましめる、さく

漢字	音読み	訓読み
撓	ドウ コウ トウ	たわむ たわめる ためる しなう しわる いためる みだれる くじける しおり
撥☆	ハチ バチ ハツ	はねる おさめる かかげる のぞく
撩	リョウ	おさめる いどむ みだれる
撈	ロウ	とる すくいとる
撼	カン	うごかす ゆるがす ゆらぐ
擒	キン	とらえる とりこ
擅	セン ゼン	ほしいまま ゆずる
撻	タツ	むちうつ
擘	ハク バク	おやゆび さく つんざく
擂	ライ	する すりつぶす みがく うつ
擱	カク	おく

漢字	音読み	訓読み
擠	サイ セイ	おす おしのける おとしいれる くじく
擡	タイ ダイ	もたげる もちあげる
擣	トウ	つく うつ たたく
擯	ヒン	しりぞける みちびく
擲	テキ チャク	なげうつ すてる ふるう なぐる
擺	ハイ	ひらく ふるう
攀☆	ハン	ひく よじる すがる
擽	リャク ラク レキ	うつ はらう くすぐる
攘☆	ジョウ	はらう ゆずる ぬすむ みだれる
攢☆	サン	あつまる あつめる むらがる
攤	タン	ひらく わりあてる ゆるやか

漢字	音読み	訓読み
攣☆	レン	つる ひきつる かかる つながる かがまる したう
攫	カク	つかむ さらう かすめとる
攬	ラン	とる すべる つまむ
支	し しにょう えだにょう	
攴	のぶん ぼくづくり	
畋	テン デン	かり かる たがやす
敖	ゴウ	あそぶ なまける かまびすしい おごる
敞	ショウ	たかい ひろい
敝	ヘイ	やぶれる やぶる おとろえる つかれる
敲☆	コウ	たたく むちうつ むち たたき
斂	レン	おさめる あつめる ひきしめる ほぼ

漢字	音読み	訓読み
斃☆	ヘイ	たおれる しぬ ほろびる
文	ぶん ぶんにょう	
斗	とます	
斛	コク	ます ますめ
斟	シン	くむ おしはかる おもいやる
斤	きん おのづくり	
斫	シャク	きる
方	ほう ほうへん かたへん	
旃	セン	はた けおりもの
旆	ハイ	はた
旁	ホウ ボウ	かたわら あまねし ひろい よる つくり かたがた

漢字	音読み	訓読み
旄	ボウ モウ	はた はたかざり からうし としより
旌	ショウ セイ	はた あらわす ほめる
旒	リュウ	はたあし たまかざり ながれ
旛	ハン バン	はた
无	なし ぶ すでのつくり	
日	ひ ひへん にちへん	
旱☆	カン	ひでり かわく
旰	カン	くれる おそい
杲	コウ	あきらか たかい
昊	コウ	そら おおぞら
昃	ショク ソク	かたむく ひるすぎ
旻	ビン ミン	そら あきぞら

漢字	音読み	訓読み
杳	ヨウ	くらい おくぶかい はるか
昵	ジツ	なじむ ちかづく なれる
昶	チョウ	ひさしい のびる
昴	ボウ	すばる
昜	ヨウ	ひらく あがる あたたかい
晏	アン	おそい やすらか
晁	チョウ	あさ よあけ
晟	セイ	あきらか さかん
晞	キ	かわく ほす さらす
晤	ゴ	あきらか あう うちとける
晧	コウ	しろい あきらか
晨	シン	あした よあけ とき

漢字	音読み	訓読み
晢	セツ セイ	あきらか かしこい
晰☆	セキ	あきらか
暈☆	ウン	かさ ぼかし めまい くらむ ぼかす ぼける くま
暉	キ	かがやく あきらか ひかり ひかる
暄	ケン	あたたかい
暘	ヨウ	ひので あきらか
暝	ミョウ メイ	くらい かすか くれる
曁	キ	およぶ いたる いさましい
暹	セン	ひので
暾	トン	あさひ
曄	ヨウ	かがやく あきらか さかん いなずま

漢字	音読み	訓読み
曚	ボウ モウ	くらい ほのぐらい
曠☆	コウ	あきらか ひろい むなしい
曦	キ ギ	ひ ひかり
曩	ドウ ノウ	さき さきに ひさしい
曬	サイ	さらす
曰	ひらび いわく	
曰☆	エツ	いわく のたまわく いう
曷	カツ	なに なんぞ いずくんぞ いつ
曼☆	バン マン	ひく ひっぱる ながい うつくしい ひろい
月	つき つきへん	
朏	ヒ	みかづき

漢字	音読み	訓読み
朞	キ	ひとまわり ひとめぐり
朦☆	ボウ モウ	おぼろ
朧☆	ロウ	おぼろ
木	き きへん	
朮	シュツ ジュツ チュツ	もちあわ おけら うけら
朿	シ	とげ のぎ いが
朶	タ ダ	しだれる えだ ひとふさ うごかす
朸	リキ リョク ロク	もくめ おうご てんびんぼう
杆	カン	てこ てこぼう てすり たて
杠	コウ	はたざお ちぎ ちきり
杞	キ コ	くこ おうち かわやなぎ こりやなぎ
杙	ヨク	くい

漢字	音読み	訓読み
杣●☆		そま
枉	オウ	まがる まげる まげて むじつのつみ むだに
杼	チョ ジョ	ひ とち どんぐり
杪	ビョウ	こずえ すえ おわり ちいさい ほそい
枌	フン	にれ そぎ
枋	ホウ ヘイ	まゆみ いかだ え
枡●☆		ます
枷	カ	からさお くびかせ かせ
柯	カ	え えだ くき
枴	カイ	つえ

漢字	音読み	訓読み
柬	カン	えらぶ、えりわける、てがみ、なふだ
枳	シキ	からたち
柩☆	キュウ	ひつぎ
枸	ク、コウ	くこ、からたち、まがる
柤	サ	てすり
柞	サク	ははそ
柝	タク	ひょうしぎ、き
柢	テイ	ね、ねもと、もとづく
柮	トツ	きれはし、たきぎ
枹	ホウ、フ	なら、ばち
柎	フ、ブ	うてな、つける、いかだ
栞	カン	しおり

漢字	音読み	訓読み
框	キョウ	かまち、わく
栩	ク	くぬぎ
桀	ケツ	すぐれる、ひいでる、あらい、わるがしこい、はりつけ
栲	コウ、ゴウ	たえ、ぬるで
桎	シツ	あしかせ
桄	コウ	よこぎ、くろつぐ
梳	ショ、ソ	くし、くしけずる、すく、とく
栫	セン、ソン	ふさぐ、たてしば
桙	ウ、ボウ	ほこ
栟	ケイ、ケン	ますがた、とがた、うでぎ
桛●		かせ

漢字	音読み	訓読み
桷	カク	たるき
梟	キョウ	ふくろう、さらす、つよい
梏	コク	てかせ、しばる、みだす
梭	サ	ひ
梔	シ	くちなし
梛	ダ、ナ	なぎ
梃	テイ、チョウ	つえ、てこ
桴	フ	むなぎ、ばち、いかだ
梵☆	ボン	
梠	リョ、ロ	のき、ひさし
梲	セツ、タツ	うだち、うだつ、つえ
梻●		しきみ

漢字	音読み	訓読み
梺●		ふもと
椏	ア	きのまた
椁	カク	ひつぎ、うわひつぎ
棊	棋の異体字	
椈	キク	かしわ、ぶな
棘☆	キョク	いばら、とげ、ほこ、おどろ
棍	コン	つえ、ぼう、わるもの、ならずもの
棕	シュ、ソウ	えだ
椒☆	ショウ	はじかみ、かぐわしい、みね、いただき
椄	ショウ、セツ	つぐ
棗	ソウ	なつめ
棣	テイ、タイ、ダイ	にわざくら、にわうめ

漢字	音読み	訓読み
棹☆	タク、トウ	さお、さおさす
棠	トウ、ドウ	からなし、やまなし、こりんご
椚●		くぬぎ
楹	エイ	はしら
楸	シュウ	ひさぎ、ごばん
楫	シュウ、ショウ	かじ、かい、こぐ
楔☆	ケツ、セツ	くさび、ほうだて
楮☆	チョ	こうぞ、かみ、さつ
椹	チン、ジン	あてぎ、くわのみ、さわら
椽	テン	たるき
椰	ヤ	やし
楡☆	ユ	にれ

漢字	音読み	訓読み
楞	リョウ ロウ	かど すみ きびしい かどばる
楝	レン	おうち
楾●		はんぞう
榁●		むろ
榀●		こまい
槐	カイ	えんじゅ
槁	コウ	かれる からす かれき かわく かわかす
槓	コウ	てこ てこぼう
榾	コツ	ほた ほだ
槎	サ	いかだ きる
寨	サイ	まがき とりで

漢字	音読み	訓読み
槊	サク	ほこ すごろく
榻	トウ	こしかけ ねだい ゆか しじ
槃☆	ハン バン	たらい たのしむ めぐる たちもとおる
榔☆	ロウ	
榧	ヒ	かや
榑	フ	くれ
榜☆	ボウ	ゆだめ むちうつ ふだ たてふだ かかげる しめす かじ こぐ
榕	ヨウ	あこう
榴☆	リュウ	ざくろ
槔	コウ	はねつるべ
榱	スイ	たるき

漢字	音読み	訓読み
樛	キュウ	まがる めぐる まつわる つが とが
槿	キン	むくげ もくげ
槲	コク	かしわ
槧	サン ザン セン	ふだ かきもの はんぎ
樅	ショウ	もみ つく うつ
槭	セキ シュク	かえで かれる
樔	ショウ ソウ	すくう すくいあみ たえる とだえる
樊	ハン	まがき かご とりかご みだれる
樒	ビツ ミツ	じんこう しきみ
槨	カク	ひつぎ うわひつぎ

漢字	音読み	訓読み
橄	カン	
橇	キョウ セイ ゼイ	そり かんじき
橙☆	トウ	だいだい つくえ こしかけ
橦	トウ ショウ	つく うつ はたざお
橈	ドウ ジョウ ニョウ	たわむ まげる くじく かじ かい
樸	ハク ボク	あらき きじ ありのまま すなお
檋	キョク キョウ	かんじき
檔	トウ	かまち しょだな
檐	エン タン	ひさし のき
檠	ケイ	ゆだめ ためる ともしび ともしびたて
檄	ケキ ゲキ	ふれぶみ まわしぶみ

漢字	音読み	訓読み
檣	ショウ	ほばしら
檗	ハク	きはだ きわだ
檻☆	カン	おり いたがこい てすり
櫃☆	キ	ひつ はこ
櫂☆	トウ	かじ かい こぐ
檸	ネイ ドウ	
檳	ヒン ビン	
檬	モウ ボウ	
櫟☆	レキ ロウ	くぬぎ いちい こする
櫚	リョ ロ	かりん
櫪	レキ	かいばおけ うまや くぬぎ
櫨	ロ	ますがた とがた はぜ

漢字	音読み	訓読み
蘖	ゲツ	ひこばえ
欅☆	キョ	けやき
櫺	リョウ レイ	れんじ てすり のき
欒	ラン	おうち うでぎ まどか まるい
欖	ラン	
欠	あくび かける	
欠	ケン	あくび
欸	アイ	ああ ええ そう
欷	キ	なげく すすりなく
欹	キイ	ああ そばだてる かたむける
歃	ソウ	すする

漢字	音読み	訓読み
歇	ケツ カツ	やすむ やめる やむ つきる かれる
歉	ケン	すくない あきたりない
歙	キュウ キョウ	あわせる おびやかす おそれる すぼめる
歔	キョ	すすりなく
歛	カン	のぞむ ねがう あたえる
歟	ヨ	か や
歠	セツ	すする のむ
止	とめる とめへん	
歹	かばねへん いちたへん がつへん	
歿	ボツ	しぬ おわる
殀	ヨウ	わかじに

漢字	音読み	訓読み
殄	テン	つきる つくす たつ ことごとく
殃	オウ	わざわい
殍	ヒョウ フ	うえじに うえじにする かれる
殞	イン	しぬ おちる おとす
殤	ショウ	わかじに
殪	エイ	たおれる たおす ころす しぬ うずめる
殫	タン	つきる つくす ことごとく あまねく
殯	ヒン	かりもがり かりもがりする ほうむる
殲	セン	つくす ほろぼす
殳	るまた ほこづくり	

漢字	音読み	訓読み
殷☆	イン アン	さかん おおい ゆたか ねんごろ なりひびく にぎやか あかい
毋	なかれ ははのかん	
毋	ブ ム	ない なかれ
比	ならびひ くらべる	
毛	け	
毟●		むしる
毬	キュウ	まり いが
毫☆	ゴウ	ほそげ すこし わずか ふで
毳	セイ ゼイ	むくげ にこげ けば やわらかい そり

漢字	音読み	訓読み
毯☆	タン	けむしろ もうせん
氈	セン	けむしろ もうせん
氏	うじ	
氓	ボウ モウ	たみ
气	きがまえ	
氛	フン	き わざわい
水氵氺	みず さんずい したみず	
汞	コウ	みずがね
汕	サン	すくう あみ
沂	ギ ギン キ	ふち ほとり

漢字	音読み	訓読み
汪	オウ	おおきい ふかい ひろい さかん いけ
沍	ゴ コ	かれる こおる
沚	シ	なぎさ みぎわ なかす
沁☆	シン	しみる ひたす
沛	ハイ	さわ たおれる
汨	ベキ コツ	しずむ
沐	ボク モク	あらう うるおう
泄☆	セツ エイ	もれる もらす なれる
泓	オウ	ふかい きよい ふち
沽	コ	うる かう ねうち
泗	シ	はなじる なみだ

漢字	音読み	訓読み
泅	シュウ	およぐ うかぶ
泝	ソ	さかのぼる
沱	タ ダ	
沮	ショ ソ	はばむ ふせぐ くじける ひるむ もれる さわ
沾	テン セン チョウ	うるおう うるおす
泯	ビン ベン ミン メン	ほろびる つきる くらむ
泛	ハン ホウ	うかぶ うかべる ひろい あまねく くつがえす
泪	ルイ	なみだ
洟	イ テイ	はな はなじる なみだ
洶	キョウ	わく さわぐ

漢字	音読み	訓読み
洫	キョク ケキ	みぞ ほり
洽	コウ	うるおす うるおう あまねし
洸	コウ	ほのか かすか
洵	シュン ジュン	まこと まことに
洌	レツ	きよい さむい
洒☆	サイ シャ セイ セン ソン	あらう そそぐ すすぐ つつしむ
浣	カン	あらう すすぐ
涓	ケン	ちいさい しずく わずか きよめる
浚	シュン	さらう ふかい

漢字	音読み	訓読み
浹	ショウ	あまねし めぐる とおる うるおす うるおう
浙☆	セツ	
涎	セン ゼン エン	よだれ
涕	テイ	なみだ なく
涅☆	デツ ネツ ネ	くろ くろつち そめる くろい くろめる
淹	エン	ひたす つける ひさしい とどまる ふかい ひろい いれる
涵☆	カン	ひたす うるおす いれる もちいる
淁	ショウ	
涸☆	コ	かれる つきる からびる

漢字	音読み	訓読み
淆	コウ	まじる にごる みだす
淬	サイ	にらぐ つとめる はげむ
淌	ショウ トウ	おおなみ ながれる
淒	セイ	すごい すさまじい さむい ものさびしい
淅	セキ	よなげる かしよね
淙	ソウ	そそぐ
淤	オ ヨ	どろ おり ふさがる
淪	リン ロン	しずむ ほろびる おちぶれる まじりあう
渭	イ	
湮	イン	しずむ ほろびる ふさぐ
渙	カン	ちる とける あきらか
湲	エン カン	

漢字	音読み	訓読み
渾☆	コン	まじる にごる すべる すべて
渣	サ	おり かす
湫	シュウ ショウ	ひくい せまい とどこおる みずたまり くて
渫	セツ チョウ	さらう けがす もらす あなどる
湍	タン	はやせ はやい たぎる
渟	テイ	とどまる たまる とめる
湃	ハイ	
渺	ビョウ	はるか かすか
湎	ベン メン	おぼれる しずむ
渝	ユ	かわる かえる あふれる
游	ユウ	およぐ あそぶ すさぶ

漢字	音読み	訓読み
溂	ラツ	
溘	コウ	たちまち にわか
滉	コウ	ひろい
溷	コン	にごる みだれる かわや
滓☆	サイ シ	おり かす よごれ
溽	ジョク	むしあつい
滄	ソウ	さむい あおい あおうなばら
溲	シュウ シュ ソウ	ひたす そそぐ ゆばり いばり
滔	トウ	はびこる うごく あつまる
滕	トウ	わく わきあがる
溏	トウ	いけ どろ
溥	フ	あまねし ひろい おおきい しく

漢字	音読み	訓読み
滂	ホウ ボウ	
溟	メイ	くらい うすぐらい うみ おおうなばら
滬	コ	えり あじろ
滸	コ	ほとり みぎわ
滾	コン	たぎる
漿☆	ショウ	しる のみもの おもゆ
滲☆	シン	にじむ しみる
漱	ソウ	すすぐ くちすすぐ うがい
漲	チョウ	みなぎる
滌	デキ ジョウ	あらう すすぐ
漾	ヨウ	ただよう
漓	リ	したたる ながれる

漢字	音読み	訓読み
滷	ロ	しおからい にがり
澆	ギョウ	そそぐ うすい かるがるしい
潺	サン セン	
潸	サン	
潯	ジン	ふち ほとり みぎわ
潭	タン シン	ふち ふかい みぎわ
澂	澄の異体字	
潘	ハン	しろみず うずまき
澎	ホウ	
潦	ロウ	にわたずみ おおみず ながあめ
澳	イク オウ	くま ふかい おき
澣	カン	あらう すすぐ

漢字	音読み	訓読み
澡	ソウ	あらう すすぐ きよめる
澹	タン	あわい うすい しずか
濆	フン	わく ふく ほとり みぎわ
澪	レイ	みお
濬	シュン	さらう ふかい
瀰	デイ ビ ミ	みちる おおい
濘	ネイ	ぬかる ぬかるみ どろ
濛	ボウ モウ	こさめ きりさめ くらい うすぐらい
瀉	シャ	そそぐ はく くだす しおつち
瀋	シン	しる
濺	セン	そそぐ
瀑☆	バク ボウ	にわかあめ たき しぶき

漢字	音読み	訓読み
瀁	ヨウ	
瀏	リュウ	きよい、あきらか
濾☆	リョ、ロ	こす
瀛	エイ	うみ
瀚	カン	ひろい
瀝	レキ	したたる、そそぐ、しずく
瀟	ショウ	きよい
瀰	ビ	みちる、はびこる、ひろい
瀾☆	ラン	なみ、なみだつ
瀲	レン	みぎわ、うかぶ
灑	サイ、シャ	そそぐ、あらう、ちらす

漢字	音読み	訓読み
火 灬	ひ、ひへん、れんが、れっか	
炙	シャ、セキ	あぶる、やく、したしむ
炒☆	ショウ、ソウ	いる、いためる
炯	ケイ	ひかる、あきらか
炷	シュ	とうしん、ともしび、やく、たく
炬☆	キョ、コ	たいまつ、かがりび、ともしび、やく
炸☆	サ、サク	さく、さける、はじける
炳	ヘイ	あきらか、いちじるしい
炮	ホウ	あぶる、やく
烟	煙(煙の旧字体)の異体字	

漢字	音読み	訓読み
烋	コウ、キュウ	ほこる、めでたい、さいわい
烝	ショウ、ジョウ	むす、むしあつい、すすめる、もろもろ、まつり
烙	ラク、ロク	やく
焉☆	エン	これ、ここに、いずくんぞ
烽	ホウ	のろし
焠	サイ	にらぐ、やく
焜	コン	かがやく、あきらか
焙	ホウ、ハイ、ホイ	あぶる、ほうじる
煥	カン	かがやく、あきらか
煦	ク	あたためる、あたたかい、めぐむ
煢	ケイ	ひとりもの、うれえる

漢字	音読み	訓読み
煌☆	コウ	かがやく、きらめく、あきらか
煖	ダン、ナン	あたためる、あたたかい、やわらかい
煬	ヨウ	あぶる、かわかす、やく、とかす
煕	キ	ひかる、ひろい、やわらぐ、よろこぶ、たのしむ、ああ
熄	ソク	きえる、やむ、なくなる、うずみび
熕●	コウ	おおづつ
熨	イ、ウツ	ひのし、のす、おさえる、のし
熬	ゴウ	いる、いらだつ、うれえる、なやむ
燗	ラン	にる、かん
熹	キ	あぶる、さかん、かすか、よろこぶ
熾☆	シ	さかん、おこす、おき

漢字	音読み	訓読み
燉	トン	
燔	ハン、ボン	やく、あぶる、ひもろぎ
燎	リョウ	やく、かがりび、のびる、まつり
燠	イク、オウ	あたたかい、あつい、おき
燬	キ	ひ、やく、やける
燧	スイ	ひうち、のろし
燵●☆	タツ	
燻	クン	ふすべる、くすぶる、くすべる、いぶす、くゆらす、やく
燼	ジン	もえさし、もえのこり、のこり
燹	セン	のび、へいか
燿	ヨウ	かがやく、かがやき、かがよう

漢字	音読み	訓読み
爍	シャク	ひかる とかす
爛☆	ラン	にる ただれる あざやか はなやか
爨	サン	かしぐ かまど
爫 ⺥ ⺤ 爪	つめ つめかんむり つめがしら そうにょう	
爬☆	ハ	かく はう
爰	エン	ここに かえる とりかえる ゆるやか
父	ちち	
爻	まじわる	
爿	しょうへん	
牀	ショウ ソウ	ねだい こしかけ だい ゆか とこ
牆	ショウ	かき まがき へい かこい
片	かた かたへん	
牋	セン	ふだ かきつけ てがみ
牖	ユウ	まど みちびく
牘	トク	ふだ かきもの ふみ てがみ
牙	きば きばへん	
牛	うし うしへん	
牴	テイ	ふれる さわる あたる およそ おひつじ
牾	ゴ	さからう
犁	リ レイ リュウ	すく すき まだらうし しみ くろい
犇	ホン	はしる ひしめく
犒	コウ	ねぎらう ねぎらい
犖	ラク	まだらうし あきらか すぐれる
犢	トク	こうし
犭 犬	いぬ けものへん	
犲	サイ	やまいぬ
狃	ジュウ	なれる ならう
狆	チュウ	ちん
狄	テキ	えびす
狎	コウ	なれる あなどる もてあそぶ
狒	ヒ	ひひ
狢	カク	むじな
狠	コン	かむ もとる ねじける はなはだ
狡☆	コウ	ずるい わるがしこい こすい すばやい くるう
狷	ケン	せまい かたいじ
倏	シュク	たちまち すみやか
猊	ゲイ	しし
猗	アイ	ああ うつくしい たおやか なよやか
猜	サイ	そねむ ねたむ うたがう
猖	ショウ	くるう たけりくるう
猝	ソツ	にわか はやい
猋	ヒョウ	はしる つむじかぜ はやて
猴	コウ	さる ましら
猯	タン	まみ たぬき
猩	セイ ショウ	あかいろ
猥☆	ワイ	みだりに みだら
猾	カツ	みだれる みだす わるがしこい
獏	バク	
獗	ケツ	たける くるう
獪	カイ	わるがしこい ずるい
獮	セン	かり かる ころす
獰	ドウ	わるい にくにくしい

漢字	音読み	訓読み
獺	タツ ダツ	かわうそ おそ
玄	げん	
玉	たま	
王	おう おうへん たまへん	
玫	バイ マイ	
珈	カ	かみかざり
玻	ハ	
珀	ハク	
珥	ジ	みみだま さしはさむ
珮	ハイ	おびだま
珞	ラク	
琅	ロウ	

漢字	音読み	訓読み
琥	コ	
琲	ヒ ハイ	
琺	ホウ	
瑇	タイ	
瑕☆	カ	きず あやまち
瑟	シツ	おおごと
瑙	ノウ	
瑁	マイ	
瑜	ユ	
瑶	ヨウ	たま うつくしい
瑩	エイ	あきらか つややか みがく
瑰	カイ	めずらしい すぐれる おおきい

漢字	音読み	訓読み
瑣	サ	ちいさい わずらわしい くさり つらなる
瑪	バ メ	
瑾	キン	
璋	ショウ	たま ひしゃく
璇	セン	たま
璢	瑠の異体字	
璞	ハク	あらたま
瓊	ケイ	たま に うつくしい
瓏	ロウ	
瓔	ヨウ エイ	くびかざり
瓜瓜	うり	
瓠	コ カク	ひさご ふくべ

漢字	音読み	訓読み
瓣	ベン	うりのなかご はなびら
瓦	かわら	
瓧●		デカグラム
瓩●		キログラム
瓮	オウ	かめ もたい
瓲●		トン
瓰●		デシグラム
瓱●		ミリグラム
瓸●		ヘクトグラム
瓷	シ ジ	いしやき かめ
甄	ケン	すえ つくる みわける しらべる
甃	シュウ	しきがわら いしだたみ

漢字	音読み	訓読み
甅●		センチグラム
甌	オウ	ほとぎ かめ はち
甎	セン	かわら しきがわら
甍	ボウ モウ	いらか
甕☆	オウ	かめ もたい みか
甓	ヘキ	かわら しきがわら
甘	かん あまい	
生	うまれる	
甦☆	ソ	よみがえる
用	もちいる	
田	た たへん	
畛	シン	さかい あぜ

漢字	音読み	訓読み
畚	ホン	ふご もっこ
畤	シ ジ	まつりのにわ
畬	ヨ シャ	あらた やきはた
畸	キ	めずらしい のこり あまり
疆☆	キョウ	さかい かぎる かぎり
疇☆	チュウ	うね はたけ たぐい むくいる さきに むかし だれ
疋	ひき ひきへん	
疒	やまいだれ	
疔	チョウ	かさ できもの
疚	キュウ	やむ なやむ ながわずらい やましい
疝	サン セン	せんき

漢字	音読み	訓読み
疥	カイ	ひぜん はたけ おこり
疣	ユウ	いぼ
痂	カ ケ	かさぶた ひぜん
疸☆	タン	おうだん
疳	カン	
痃	ケン ゲン	
疵☆	シ	きず やまい そしる
疽☆	ショ ソ	かさ はれもの
疼☆	トウ	うずく うずき いたむ
疱☆	ホウ	もがさ とびひ
痍	イ	きず きずつく きずつける
痊	セン	いえる いやす

漢字	音読み	訓読み
痒☆	ヨウ	かさ かゆい やむ やまい
痙☆	ケイ	ひきつる
痣	シ	ほくろ あざ
痞	ヒ	つかえ つかえる
痾	ア	やまい ながわずらい
痿	イ	なえる しびれる
痼	コ	ながわずらい しこり
瘁	スイ	つかれる やつれる くずれる
痰☆	タン	
痹	ヒ	しびれる しびれ
痺☆	ヒ	しびれる うずら(=鳥の名)
痲	マ バ	しびれる しびれ

漢字	音読み	訓読み
痳	リン	せんき りんびょう
瘋	フウ	ずつう
瘉	ユ	いえる いやす
瘟	オン	えやみ はやりやまい
瘧	ギャク	おこり
瘠	セキ	やせる
瘡☆	ショウ ソウ	きず かさ くさ
瘢	ハン	きず きずあと しみ そばかす
瘤☆	リュウ	はれもの こぶ じゃまもの
瘴	ショウ	
瘰	ルイ	
瘻☆	ル ロウ	はれもの こぶ

漢字	音読み	訓読み
癇	カン	ひきつけ
癈	ハイ	
癆	ロウ	おとろえやせる かぶれ いたむ
癜	テン デン	なまず
癘	ライ レイ	えやみ はやりやまい
癢	ヨウ	かゆい はがゆい もだえる
癨	カク	しょきあたり
癩	ライ	
癧	レキ	
癪●	シャク	
癬☆	セン	たむし ひぜん
癭	エイ	こぶ

漢字	音読み	訓読み
癰	ヨウ	はれもの
癲	テン	くるう
攣	レン	ひきつる つる
癶	はつがしら	
癸	キ	はかる みずのと
白	しろ	
皁	ソウ	どんぐり くろい しもべ うまや かいばおけ
皎	キョウ コウ	しろい あかるい きよい
皖	カン	あきらか
皓	コウ	きよい しろい ひかる
皙	セキ	しろい なつめ

漢字	音読み	訓読み
皚	ガイ	しろい
皮	けがわ ひのかわ	
皰	ホウ	にきび もがさ
皴	シュン	ひび しわ
皸	クン	ひび あかぎれ
皺☆	シュウ スウ	しわ しわむ
皿	さら	
盂☆	ウ	はち わん
盍	コウ	おおう あう なんぞ…ざる
盒	ゴウ	ふたもの ふた さら
盞	サン	さかずき
盥	カン	そそぐ すすぐ たらい

漢字	音読み	訓読み
盧	ロ	めしびつ くろい あし
盪	トウ	とろける あらう あらいきよめる うごく うごかす ほしいままにする
目	め めへん	
盻	ケイ	にらむ かえりみる
眈	タン	にらむ
眇	ビョウ ミョウ	すがめ すがめる ちいさい はるか かすか おくぶかい
眄	ベン メン	みる ながしめ ながめる かえりみる
眩☆	ゲン	くれる まう くらむ くるめく まどう くらます めまい まばゆい まぶしい
眥	セイ シ サイ	まなじり にらむ

漢字	音読み	訓読み
眛	バイ マイ	くらい
眷	ケン	かえりみる こいしたう めぐみ なさけ みうち
眸	ボウ ム	ひとみ
睇	ダイ テイ	ぬすみみる ながしめ よこめ
睚	ガイ	まなじり にらむ
睨☆	ゲイ	にらむ うかがう かたむく
睫☆	ショウ	まつげ
睛	セイ	ひとみ
睥	ヘイ	ながしめ にらむ うかがいみる
睾☆	コウ	さわ たかい ひろい おおきい きんたま
睹	ト	みる

漢字	音読み	訓読み
瞎	カツ	くらい
瞋	シン	いからす いかる
瞑☆	ミョウ メイ メン	くらい くらむ つぶる
瞠	ドウ トウ	みはる みつめる
瞞☆	バン マン モン	だます あざむく くらます はじる
瞰☆	カン	みる みおろす のぞむ
瞿	ク	みる おそれる
瞼☆	ケン	まぶた
瞽	コ	くらい おろか
瞻	セン	みる
矇	ボウ モウ	くらい おろか
矍	カク	みまわす あわてる はやる いさむ

漢字	音読み	訓読み
矚	ショク ソク	みる
矛	ほこ ほこへん	
矜	カン キョウ キン	つつしむ あわれむ ほこる やもお
矢	や やへん	
矣	イ	
矮	アイ ワイ	みじかい ひくい
石	いし いしへん	
矼	コウ	とびいし いしばし かたい
矻	コツ	はたらく
砌	セイ サイ	みぎり
玼☆	ヒ	
砠	ソ ショ	いしやま つちやま

漢字	音読み	訓読み
硅	ケイ	やぶる
硼	ホウ	
碚	ハイ	
碌	ロク	
碣	ケツ	いしぶみ
碪	チン ガン	きぬた
磑	ガイ	うす ひきうす いしうす
磋☆	サ	みがく
磔	タク	さく はりつけ
碾	テン デン	うす ひく
碼	バ マ メ	ヤード
磅	ホウ	ポンド

漢字	音読み	訓読み
磊	ライ	
磬	キン ケイ	はせる
磧	セキ	かわら さばく
磚	セン	かわら
磽	キョウ コウ	やせち
磴	トウ	いしざか いしだん いしばし
礒	ギ	いそ
礑	トウ	そこ はたと はったと
礙	ガイ ゲ	さまたげる さえぎる ささえる
礬	ハン バン	
礫☆	レキ	こいし いしころ つぶて

漢字	音読み	訓読み
示 ネ	しめす しめすへん	
祀☆	シ	まつる まつり とし
祠☆	シ	まつる まつり ほこら
祗	シ	つつしむ ただ
祟☆	スイ	たたる たたり
祚	ソ	さいわい くらい とし
祓☆	フツ	はらう はらい
祺	キ	さいわい やすらか
禊☆	ケイ	みそぎ はらう
禝	ショク	
禧	キ	さいわい めでたい よろこび

漢字	音読み	訓読み
禳	ジョウ	はらう はらい
禸	じゅう	
禹	ウ	
禺	グ グウ	おながざる すみ でく
禾	のぎ のぎへん	
秉	ヘイ	とる まもる いねたば え
秕	ヒ	しいな くずごめ わるい
秧	オウ	なえ うえる
秬	キョ	くろきび
秣	バツ マツ	まぐさ まぐさかう
稈	カン	わら

漢字	音読み	訓読み
稍	ショウ ソウ	ちいさい ようやく やや すこし ふち
稠	チュウ チョウ	しげる おおい こい
稟	リン ヒン	こめぐら うける ふち もうす
稷	ショク	きび たおさ
穡	ショク	とりいれ とりいれる おしむ
穢☆	ワイ アイ エ	あれる けがれる わるい きたない
穴	あな あなかんむり	
穹	キュウ	あな おおぞら ゆみがた おおきい たかい ふかい
穽	セイ	おとしあな
窈	ヨウ	おくぶかい くらい かすか おくゆかしい のびやか あでやか
窕	チョウ ヨウ	ふかい あでやか おくゆかしい
窘	キン	せまる きわまる くるしむ あわただしい たしなめる
窖	コウ	あなぐら むろ ふかい
窩☆	カ	あな むろ いわや かくす かくまう
窶	ク ロウ	まずしい おか つか やつれる やつす
窿	リュウ	ゆみがた
竅	キョウ	あな
竄	サン ザン	かくれる のがれる にげる あらためる はなす
竇	トウ トク	あな あなぐら くぐり みぞ
立	たつ たつへん	
竍●		デカリットル
竏●		キロリットル
竕●		デシリットル
竓●		ミリリットル
站	タン	たつ たたずむ うまつぎ えき
竚	チョ	たたずむ たちどまる まつ
竟☆	キョウ ケイ	つきる おわる きわめる ついに さかい わたる
竡●		ヘクトリットル
竦☆	ショウ	つつしむ おそれる すくむ つまだつ そびえる そびやかす
竢	シ	まつ まちうける
竭	ケツ	かれる つきる つくす ことごとく
竰●		センチリットル
竹	たけ たけかんむり	
竽	ウ	ふえ
笏	コツ	しゃく
笊	ソウ	ざる す
笆	ハ	いばらだけ たけがき
笋	筍の異体字	
笳	カ	あしぶえ
笘	セン チョウ	ふだ むち
笙	ショウ	ふえ しょうのふえ
笞	チ	むち しもと むちうつ
笵	ハン	のり いがた
笨	ホン	あらい そまつな おろかな
筐	キョウ	かご かたみ はこ ねだい
笄	ケイ	こうがい かんざし
筍	シュン ジュン	たけのこ たけのかわ
筌	セン	うえ ふせご
筅	セン	ささら
筵☆	エン	むしろ せき

漢字	筥	筴	筧	筰	筱	筬	筮	筲	箝	箘	箍	箜
音読み	キョ	キョウ、サク	ケン	サク	ショウ	セイ	セイ、ゼイ	ソウ、ショウ	カン、ケン	キン	コ	コウ、ク
訓読み	はこ、いねたば	はし、はさむ、めどぎ、はかりごと	かけい、かけひ	たけなわ	しのだけ	おさ	めどぎ、うらなう、うらない	かご、ふご、めしびつ	はさむ、くびかせ、つぐむ、とざす	しのだけ、やだけ	たが	

漢字	箚	箒☆	箏☆	箙	篋	篁	篌	箴	篆☆	篪	篝☆	篩
音読み	サツ、トウ	ソウ、シュウ	ソウ、ショウ	フク	キョウ	コウ	コウ、ゴ	シン	テン	チ	コウ	シ
訓読み	さす、もうしぶみ、しるす	ほうき、はく、はらう	こと、そうのこと、しょうのこと	えびら、やなぐい	はこ	たかむら、たけやぶ、たけ		はり、いしばり、いましめる、いましめ		ちのふえ	かご、ふせご、かがり	ふるい、ふるう

漢字	簑	篥	簀☆	簇	篳	篷	簍	簓●	簗●	簣	簧	簪
音読み	サ、サイ	リツ、リキ	サク	ソウ、ソク、ゾク	ヒツ、ヒチ	ホウ	ロウ、ル	セン		キ	コウ	サン、シン
訓読み	みの		す、すのこ	むらがる、あつまる	まがき、いばら、しば	とま、ふね、こぶね	たけかご	ささら	やな	あじか、もっこ	ふえ、しょうのふえ、した	かんざし、かざす、はやい、あつまる

漢字	簟	簷	簫	簽	籌	籃	籔	籒	籐	籟	籙	籡●
音読み	テン	エン	ショウ	セン	チュウ	ラン	ソウ	チュウ	トウ	ライ	リョク、ロク	
訓読み	たかむしろ、すのこ	ひさし、のき	ふえ、しょうのふえ	ふだ、はりふだ、しるす、みだし	かずとり、はかりごと、はかる	かご、あじろごし	こめあげざる	よむ		ふえ、ひびき	かきもの、ふみ	しんし

漢字	籤	籥	籬☆	米	籵●	粏●	粤	粢	粨●	粳	粲
音読み	セン	ヤク	リ	こめ、こめへん		タ	エツ、オチ	シ		コウ	サン
訓読み	くじ、うらなう、くし、ひご	ふえ	まがき、ませがき		デカメートル	ぬかみそ	ここに、ああ	きび、こくもつ、しとぎ、もち	ヘクトメートル	うるち、ぬか	しらげよね、いいめし、あきらか、あざやか、きよらか、わらう

漢字	音読み	訓読み
粱	リョウ	あわ、こくもつ
粽	ソウ	ちまき
糀●		こうじ
糂	サン、ジン	こながき、まじる
糅	ジュウ	まじる、まじえる、かてる
糒	ビ、ヒ	ほしいい、かれいい、かて
糜	ビ	かゆ、ただれる、ついやす、ほろびる
糝	サン、シン	こながき、めしつぶ、まぜる、まじえる
糯	ダ、ナ	もちごめ
糲	レイ、ライ、ラツ	くろごめ、あらい、そまつな
糵	ゲツ	もやし、こうじ
糴	テキ	かう、かいよね、いりよね

漢字	音読み	訓読み
糶	チョウ	うる、うりよね、だしよね、せり
糸	いと、いとへん	
糺	キュウ	あざなう、ただす
紆	ウ	まがる、まげる、めぐる、まとう、まつわる、むすぼれる
紂	チュウ	しりがい
紉	ジン	なわ、むすぶ、つづる
紜	ウン	みだれる
紕	ヒ	かざり、かざる、あやまり
紊	ブン、ビン	みだれる、みだす
絅	ケイ	うすぎぬ
紮☆	サツ	たばねる、からげる、とどまる

漢字	音読み	訓読み
紲	セツ	きずな、つなぐ
紿	タイ	あざむく、ゆるむ
紵	チョ	いちび、あさぬの
絆☆	ハン、バン	きずな、ほだす、つなぐ
絳	コウ	あか、あかい
絖	コウ	わた、きぬわた、ぬめ
絎	コウ	へり、ぬう、くける
絨☆	ジュウ	
絮	ショ、ジョ	わた、わたいれ、くどい
絏	セツ	きずな、しばる
綉	シュウ	ぬいとり
絛	トウ、ジョウ	さなだ、うちひも、くみひも

漢字	音読み	訓読み
綏	スイ、タ	たれひも、やすらか、やすんずる
絽	リョ、ロ	しまおりもの
綛●		かすり、かせ
絣☆	ホウ	かすり
綺	キ	あや、うつくしい、いろう
綮	ケイ	はたじるし、かなめ
綦	キ	あやぎぬ、もえぎいろ、くつかざり
綣	ケン	まつわる、ねんごろ
綵	サイ	あやぎぬ、あや
緇	シ	くろぎぬ、くろい、くろむ
綽☆	シャク	ゆるやか、たおやか
綫	セン	いと、すじ

漢字	音読み	訓読み
綢	チュウ	まとう、まつわる、こまかい、こみあう
綯	トウ	なう、よりあわせる、なわ
綸	リン、カン	いと、おさめる、つかさどる、おびひも
綟	ライ、レイ	もえぎいろ、もじ、もじり
綰	ワン	むすぶ、すべる、つなぐ、わがねる、たがねる、たくる、たぐる
緘	カン	とじる、とじなわ、てがみ
緝	シュウ	つむぐ、あつめる、とらえる、やわらげる、ひかりかがやく
緤	セツ	きずな、つなぐ
緞	タン、ダン、ドン	
緲	ビョウ	かすか、はるか

漢字	音読み	訓読み
緡	ビン ミン	いと さし
縅●		おどす おどし
縊	イ	くびる くびれる くくる
縕	ウン オン	おくぶかい ふるわた
縡	サイ	こと いき
縒	シ サク	ふぞろい みだれる よる より
縟	ジョク	かざり わずらわしい くどい
縉	シン	うすあかい さしはさむ
縋	ツイ	すがる
縢	トウ	からげる とじる かがる むかばき
繆	ビュウ リョウ ボク キュウ	あやまる たがう もとる いつわる まつわる

漢字	音読み	訓読み
繦	キョウ	せおいおび むつき
縻	ビ	きずな つなぐ しばる
縵	バン マン	むじぎぬ ゆるやか つれびき
縹	ヒョウ	はなだいろ はとおい はるか
繃	ホウ	たばねる まく つつむ
縷	ル ロウ	いと いとすじ ぼろ くわしい こまかい
縲	ルイ	なわ しばる つなぐ
縺	レン	もつれる もつれ
繝	ケン ゲン	あや にしきもよう
繖	サン	きぬがさ あまがさ
繞	ジョウ ニョウ	めぐる めぐらす まとう まつわる

漢字	音読み	訓読み
繙	ハン ホン	ひもとく ひるがえる ひきつづく
繚	リョウ	まとう まつわる めぐる めぐらす みだれる
繧●	ウン	
繹	エキ	ひきだす たずねる つらなる つらねる
繳	シャク キョウ	いぐるみ まつわる かえす おさめる
繻	シュ ジュ	うすぎぬ しゅす
繽	ヒン	
辮	ヘン ベン	あむ くむ
纃●		かすり
纊	コウ	わた わたいれ

漢字	音読み	訓読み
纈	ケチ ケツ	しぼり しぼりぞめ かすみめ
纐●	コウ	しぼり しぼりぞめ
纓	エイ ヨウ	ひも むながい まとう
纔	サイ	わずか わずかに
纛	トウ トク	はたぼこ
纘	サン	つぐ うけつぐ あつめる
纜	ラン	ともづな
缶	ほとぎ	
缶	フ	ほとぎ
缸	コウ	かめ もたい
罅	カ	ひび すきま
罌	オウ	かめ もたい

漢字	音読み	訓読み
罍	ライ	さかだる
罎	ドン	さけがめ びん
罒网	あみがしら あみめ よこめ	
罕	カン	とりあみ はた まれに
罔	モウ ボウ	あみ くらい おろか しいる あざむく ない
罘	フ フウ	あみ うさぎあみ
罟	コ	あみ うおあみ
罠☆	ビン ミン	あみ わな
罨	アン エン	あみ おおう
罩	トウ	かご こめる
罧	シン	ふしづけ ふし

漢字	音読み	訓読み
罹☆	リ	かかる こうむる
羂	ケン	わな くくる
羆	ヒ	ひぐま
羃	ベキ	おおう
羇	キ	たび たびびと
羈	キ	おもがい たづな つなぐ とりしまる たび たびびと
羊	ひつじ ひつじへん	
羌	キョウ	えびす
羔	コウ	こひつじ
羝	テイ	おひつじ
羚	リョウ レイ	かもしか

漢字	音読み	訓読み
羯	カツ	えびす
羲	ギ	
羹	コウ カン	あつもの
羶	セン	なまぐさい
羸	ルイ	やせる つかれる よわい よわる
羽	はね	
翅☆	シ	つばさ はね ひれ
翊	ヨク	とびこえる あくるひ たすける
翕	キュウ	おこる さかん あつめる あつまる とじる
翔	ショウ	かける とぶ
翡	ヒ	かわせみ

漢字	音読み	訓読み
翦	セン	きる そぐ ほろぼす はさむ
翩	ヘン	ひるがえる
翳☆	エイ	かげ かげる かげり かざす かざし くもり かすむ
翹	ギョウ	あげる つまだてる すぐれる
耂老	おいかんむり おいがしら	
耆☆	シ キ	おいる としより おさ たしなむ
耄	モウ ボウ	としより おいぼれる ほうける
耋	テツ	としより おいる
而	しかして しこうして	
耒	すきへん らいすき	
耘	ウン	くさぎる のぞく

漢字	音読み	訓読み
耙	ハ	まぐわ
耜	シ	すき
耡	ジョ ソ	すく たがやす すき
耦	グウ	たぐい つれあい むきあう ならぶ
耨	ドウ	くわ すく くさぎる
耳	みみ みみへん	
耿	コウ	あきらか ひかる ひかり
聊☆	リョウ	みみなり たよる たのしむ いささか
聆	リョウ レイ	きく さとる
聒	カツ	かまびすしい おろか
聘☆	ヘイ	とう おとずれる まねく めす めとる

漢字	音読み	訓読み
聚☆	シュウ ジュ	あつまる あつめる なかま たくわえ むらざと
聟	壻（婿の旧字体）の異体字	
聢●		しかと
聳☆	ショウ	おそれる つつしむ そびえる そばだつ そびやかす すすめる
聶	ショウ ジョウ	ささやく
聿	ふでづくり	
聿	イチ イツ	ふで のべる おさめる すばやい
肄	イ	ならう ひこばえ
肆	シ	ほしいまま つらねる ならべる みせ

漢字	音読み	訓読み
月肉	にく にくづき	
肛☆	コウ	しりのあな はれる
肓	コウ	むなもと
肚	ト	はら いぶくろ
肭	ドツ	
肬	ユウ	いぼ はれる
胛	コウ	かいがらぼね
胥	ショ ソ	しおから たがいに みな こやくにん
胙	ソ	ひもろぎ そなえもの
胝	チ	たこ まめ あかぎれ
胄	チュウ	よつぎ ちすじ
胖	ハン	ゆたか ふとる

漢字	音読み	訓読み
胚☆	ハイ	はらむ はじめ きざし
胯	コ	また またぐ またがる
胱☆	コウ	ゆばりぶくろ
脛☆	ケイ	すね はぎ
脩	シュウ	ほじし おさめる ながい
脣	シン	くちびる
脯	ホ フ	ほじし
腋☆	エキ	わき わきのした
腆	テン	あつい てあつい おおいに
脾☆	ヒ	ひぞう もも
腓	ヒ	こむら ふくらはぎ
腑☆	フ	はらわた こころ

漢字	音読み	訓読み
胼	ヘン	たこ まめ あかぎれ
腱☆	ケン	すじ
腮	サイ	あご あぎと えら
腥	ショウ セイ	なまぐさい みにくい けがらわしい
腴	ユ	こえる あぶら ゆたか
腠	ソウ	はだ
膃	オツ	
膈	カク	
膊	ハク	ほじし うで
膀☆	ホウ ボウ	ゆばりぶくろ
膂	リョ ロ	せぼね ちから

漢字	音読み	訓読み
膠☆	コウ	にかわ にかわする つく かたい あやまる みだれる
膣☆	チツ	
膩	ジ ニ	あぶら あか あぶらあか なめらか
膰	ハン	ひもろぎ
膵●☆	スイ	
膾	カイ	なます なますにする
臀☆	デン	しり そこ
臂☆	ヒ	うで ひじ
膺	オウ ヨウ	むね うける ひきうける うつ
臉	ケン	ほお かお
臍☆	サイ セイ	へそ ほぞ

漢字	音読み	訓読み
臑	ジ ジュ ドウ	やわらか にる すね
臘☆	ロウ	くれ
臙	エン	のど べに
臚	リョ ロ	はだ ならべる つたえる
臠	レン	きりみ きりにく みそなわす
臣	しん	
臧	ゾウ ソウ	よい おさめる かくす まいない しもべ
自	みずから	
至	いたる	
臻	シン	いたる きたる おおい
臼	うす	

漢字	音読み	訓読み
臾	ユ ヨウ	ひきとめる しばらく わずか すすめる
舁	ヨ	かく かつぐ
舂	ショウ	うすづく つく
舅☆	キュウ	しゅうと おじ
舌	した	
舐☆	シ	なめる ねぶる
舒	ショ ジョ	のべる のばす ゆるやか
舛	まいあし	
舟	ふね ふねへん	
舫	ホウ	ふね もやいぶね もやう
舸	カ	ふね おおぶね
舳	ジク チク	へさき とも かじ

漢字	音読み	訓読み
舮	フ ブ フウ	こぶね はしけ
艙	ソウ	ふなぐら
艘☆	ソウ	ふね
艚	ソウ ゾウ	こぶね
艝●		そり
艟	トウ ドウ	いくさぶね
艤	ギ	ふなよそおい
艢	ショウ	ほばしら
艨	ボウ モウ	いくさぶね
艪	ロ	かい
艫	ロ	とも へさき
艮	ねづくり こんづくり	

漢字	音読み	訓読み
艱	カン	なやむ くるしむ かたい むずかしい けわしい なやみ
色	いろ	
艸 艹 艹	くさかんむり そうこう	
艸	ソウ	くさ
艾	ガイ	よもぎ もぐさ としより かる おさめる
芍	シャク	
芒☆	ボウ	のぎ けさき きっさき すすき かすか くらい つかれる
芸	ウン	かおりぐさ くさぎる

漢字	音読み	訓読み
芫	ゲン	さつまふじ ふじもどき
芟	サン セン	かる とりのぞく
芻☆	シュ ス スウ	かる くさかり まぐさ わら
芬	フン	かおる かおり こうばしい おおい
苆●		すさ
苡	イ シ	
苣	キョ	たいまつ ちさ ちしゃ
苟	コウ	いやしくも かりそめ まことに
苴	ショ サ	つと あさ くろい おぎなう ちり
苳	トウ	ふき
范	ハン	いがた かた のり

漢字	音読み	訓読み
苻	フ	あまかわ さや
苹	ヒョウ ヘイ	うきくさ よもぎ
苞☆	ホウ	つつむ つつみ つと みやげもの ねもと
茆	ボウ	ぬなわ じゅんさい かや
苜	モク ボク	
茉	バツ マツ	
苙	リュウ	よろいぐさ
苺	バイ マイ	いちご こけ
茵	イン	しとね しきもの
茴	ウイ カイ	
茱	シュ	

漢字	音読み	訓読み
茲	シ、ジ	しげる、ます、ますます、ここ、ここに、とし
荀	シュン、ジュン	
茹	ジョ、ニョ	くう、くさる、な、ゆでる、うだる
荐	セン、ゼン	かさねる、あつまる、しきりに、しばしば
荅	トウ	あずき、こたえる
茯	フク、ブク	
茫☆	ボウ、モウ	とおい、ひろい、はるか
茗	メイ、ミョウ	ちゃ、ちゃのめ、よう
茘	リ、レイ	おおにら
莅	リ	のぞむ、ゆく、おこなう

漢字	音読み	訓読み
莚	エン	のびる、はびこる、むしろ
莪	ガ	つのよもぎ、きつねあざみ
莟	ガン	つぼみ、はなしべ
莢☆	キョウ	さや
莫	ゴ	
莎	サ	はますげ
荼☆	ト、タ、ダ	にがな、くるしみ
荳	トウ、ズ	まめ
荵	ジン、ニン	しのぶ、しのぶぐさ
莠	ユウ	はぐさ、えのころぐさ、わるいもの、みにくい
莉	リ、レイ	
莨	ロウ	ちからぐさ、まぐさ、たばこ

漢字	音読み	訓読み
菴	アン	いおり
萁	キ	まめがら
菫	キン	すみれ、とりかぶと
菎	コン	
菽	シュク	まめ
萃	スイ	くさむら、あつまる、あつめる、やつれる
菘	シュウ、スウ	すずな、とうな、つけな
菁	ショウ、セイ	かぶ、かぶら、かぶらな
菠	ハ、ホウ	
菲	ヒ	うすい、つまらない、かんばしい

漢字	音読み	訓読み
莽	モウ、ボウ	くさぶかい、くさむら、おおきい、ひろい、あらい
萍	ビョウ、ヘイ	うきくさ、よもぎ
萢●		やち、やつ
萸	ユ	
葭	カ	あし、よし、あしぶえ
萼☆	ガク	うてな、はなぶさ
葷	クン	くさい、なまぐさ
葩	ハ	はな、はなびら
葆	ホ、ホウ	しげる、たもつ、つつむ、たから、はねかざり
葯	ヤク	よろいぐさ

漢字	音読み	訓読み
萵	ワ、カ	
蒹	ケン	おぎ
蒿	コウ	よもぎ
蒟	コン、ク	
蓍	シ	めどはぎ、めどぎ
蒻	ジャク、ニャク	がまのめ、むしろ
蓁	シン	しげみ、おおい
蓐	ジョク	しとね、しきもの
蓆	セキ	むしろ
蓖	ヒ	
蒡	ホウ、ボウ	
蓙●		ござ

漢字	音読み	訓読み
蔡	サイ サツ	くさむら あくた
蓿	シュク	
蓴	シュン ジュン	ぬなわ じゅんさい
蔗	シャ ショ	さとうきび うまい おもしろい
蔘	シン サン	にんじん ちょうせんにんじん
蔬	ソ ショ	な あおもの あらい こめつぶ
蔟	ソク ゾク ソウ	まぶし あつまる むらがる
蔕	タイ テイ	へた うてな とげ ねもと
蔔	フク	だいこん
蓼☆	リョウ リク	たで
蕀	キョク	
蕣	シュン	むくげ あさがお
蕘	ジョウ	しば たきぎ きこり くさかり
蕈	シン ジン	きのこ たけ くわたけ
蕁	ジン タン	はなすげ いらくさ もずく
蕕	ユウ	かりがねそう くさみ
薀	ウン オン	つむ たくわえる
薤	カイ	にら おおにら らっきょう
薈	ワイ	しげる くさむら
薑	キョウ	はじかみ しょうが
薊	ケイ	あざみ
薨☆	コウ	みまかる しぬ
蕭☆	ショウ	よもぎ ものさびしい しずか
薏	ヨク	
薔☆	ショウ ソウ ショク	みずたで ばら
薛	セツ	かわらよもぎ はますげ
薇☆	ビ	のえんどう ぜんまい
臈☆	ロウ	くれ
薜	ハク ヘイ	かずら まさきのかずら
蕾☆	ライ	つぼみ つぼむ
薐	ロウ レン	
蕷	ヨ	やまのいも じねんじょ
薺	ザイ セイ	なずな はまびし
藉	シャ セキ	むしろ しく かりる かす よる かこつける ふむ
藐	ビョウ ミョウ バク	ちいさい さげすむ とおい はるか うつくしい
薹	タイ ダイ	はますげ あぶらな とう
藕	グウ	はす はすね
藜	レイ	あかざ
藹	アイ	さかん おおい おだやか
蘊	ウン	つむ たくわえる
蘋	ヒン	かたばみも うきくさ
藾	ライ	くさよもぎ
藺	リン	い いぐさ
蘆☆	ロ	あし よし
蘢	ロウ	いぬたで おおけたで
蘚	セン	こけ
蘿	ラ	つた つたかずら つのよもぎ
虍	とらがしら とらかんむり	
虔☆	ケン	つつしむ ころす うばう
虒	シ チ	つのとら
虧	キ	かける かく
虫	むし むしへん	
蚓	イン	みみず
蚣	コウ ショウ	
蚩	シ	あなどる おろか みにくい みだれる
蚪	トウ ト	
蚌	ホウ ボウ	どぶがい からすがい はまぐり

付録 1級配当漢字表

漢字	音読み	訓読み
蚶	カン	あかがい
蚯	キュウ	
蛄	コ	
蛆	ショ ソ	うじ
蚰	ユウ	
蛉☆	レイ	
蚫●	ホウ	あわび
蛔	カイ	はらのむし
蛞	カツ	おたまじゃくし
蛩	キョウ	こおろぎ
蛬	キョウ	きりぎりす こおろぎ
蛟	コウ	みずち

漢字	音読み	訓読み
蛯●		えび
蜒	エン	
蜆	ケン	しじみ みのむし
蜈	ゴ	
蜀☆	ショク	いもむし あおむし とうまる
蜃☆	シン ジン	おおはまぐり みずち
蛻	セイ ゼイ	ぬけがら もぬけ もぬける
蜑	タン	えびす あま
蜉	フ	
蜓	テイ	
蜍	シ ジョ	
蛹	ヨウ	さなぎ

漢字	音読み	訓読み
蜊	リ	あさり
蜴	エキ	
蜿	エン	
蜷	ケン	にな
蜻☆	セイ	
蜹	ゼイ	ぶゆ ぶよ ぶと
蜥	セキ	
蜩	チョウ	せみ ひぐらし
蜚	ヒ	あぶらむし ごきぶり とぶ
蝠	フク	
蝟	イ	はりねずみ むらがる
蝸☆	カ ラ	かたつむり にな にし

漢字	音読み	訓読み
蝌	カ	
蝎	カツ	きくいむし すくもむし さそり
蝴	コ	
蝗	コウ	いなご
蝨	シツ	しらみ
蝮	フク	まむし
蝘	エン	なつぜみ
蝙	ヘン	
蝓	ユ	
蝣	ユウ	
蝲	ラツ	さそり
螈	ゲン	なつご

漢字	音読み	訓読み
螗	トウ	なつぜみ
螟	ミョウ メイ	ずいむし
螂	ロウ	
螯	ゴウ	はさみ
蟋	シツ	
螽	シュウ	いなご はたおりむし きりぎりす
蟀	シュツ	
螫	セキ	さす どく
蟄	チツ チュウ	かくれる とじこもる
螳	トウ	
蟇☆	バ マ バク	がま ひきがえる
螻	ル ロウ	けら おけら

漢字	音読み	訓読み
螾	イン	みみず
蟎●		だに
蟯	ギョウ ジョウ	
蟪	ケイ	
蟠	バン ハン	わだかまる うずくまる まがる めぐる
蟒	ボウ モウ	うわばみ おろち
蠍	カツ ケツ	さそり
蠆	タイ	さそり
蠊	レン	あぶらむし ごきぶり
蟾	セン	ひきがえる つき みずさし
蟶	テイ	まて まてがい
蟷	トウ	

漢字	音読み	訓読み
蠑	エイ	
蠖	カク ワク	しりぞく
蠕	ゼン ジュ	うごく うごめく はう
蠢	シュン	うごめく おろか
蠡	レイ ラ リ	にな ほらがい ひさご
蠱	コ	そこなう まどわす まじない
蠹	ト	きくいむし しみ むしばむ そこなう
血	ち	
衄	ジク	はなぢ くじける
衊	ベツ	けがす はずかしめる はなぢ
行	ぎょう ぎょうがまえ ゆきがまえ	

漢字	音読み	訓読み
衍	エン	はびこる あふれる ひろがる ひろい おおきい しく あまり
衒	ゲン	うる てらう ひけらかす
衙☆	ガ	つかさ あつまる まいる
衢	ク	みち ちまた よつつじ わかれみち
衤衣	ころも ころもへん	
衫	サン	ころも ひとえ はだぎ
衾	キン	ふすま よぎ かけぶとん
衮	コン	
衵	ジツ	なれぎぬ ふだんぎ あこめ
衲	ドウ ノウ	つくろう ころも そう
袂☆	ベイ	たもと かたわら きわ

漢字	音読み	訓読み
袗	シン	ひとえ ぬいとりする
袒	タン	はだぬぐ かたぬぐ
袙	ハ バツ	うちかけ あこめ
袢☆	ハン バン	はだぎ
袍	ホウ ボウ	わたいれ ぬのこ うわぎ
袤	ボウ	ひろがり ながさ
袰●		ほろ
袵	ジン ニン	おくみ えり しとね ねどこ
袿	ケイ	うちかけ うちぎ
袱	フク ホク	ふくさ ふろしき
裃●		かみしも
裄●		ゆき

漢字	音読み	訓読み
裔☆	エイ	すそ すえ はて あとつぎ
裎	チョウ テイ	はだか ひとえ
裘	キュウ	かわごろも
裙	クン	もすそ もも はだぎ
裹	カ	つつむ つつみ まとう たから
褂	カイ	うちかけ はだぎ
裼	セキ テイ	はだぬぐ かたぬぐ
裨	ヒ	おぎなう たすける たすけ ちいさい いやしい
裴	ハイ	たちもとおる
裲	リョウ	うちかけ
褄●		つま

漢字	音読み	訓読み
褌☆	コン	したばかま、ふんどし、みつ
褊	ヘン	せまい、きみじか
褓	ホ、ホウ	むつき、かいまき
褞	ウン、オン	うわぎ、どてら
褥☆	ジョク	しとね、ふとん
褪	タイ、トン	あせる、さめる
褫	チ	うばう、はぐ
襁	キョウ	せおいおび、むつき、おう
襄	ショウ、ジョウ	のぼる、たかい、はらう、ゆずる
褻	セツ	はだぎ、ふだんぎ、なれる、けがれる、けがらわしい、あなどる、け
褶	チョウ、シュウ	あわせ、かさねる、ひだ

漢字	音読み	訓読み
褸	ル、ロウ	つづれ、ぼろ
襌	タン	ひとえ、はだぎ
襠	トウ	うちかけ、まち
襞☆	ヒャク、ヘキ	ひだ、しわ
襦☆	ジュ	はだぎ、どうぎ
襤	ラン	つづれ、ぼろ
襭	ケツ	つまばさむ
襪	バツ、ベツ	たび、くつした
襯	シン	はだぎ
襴	ラン	ひとえ
襷●☆		たすき
西 襾	おおいかんむり、にし	

漢字	音読み	訓読み
覃	タン	のびる、ひくい、およぶ、ふかい
覈	カク	しらべる、かんがえる、あきらかにする、きびしい
見	みる	
覓	ベキ	もとめる
覘	テン	うかがう、のぞく、ぬすみみる
覡	ケキ、ゲキ	みこ、かんなぎ
覩	ト	みる
覦	ユ	ねがう、のぞむ、こいねがう
覬	キ	のぞむ、ねがう、こいねがう
覯	コウ	あう、みる、あわせる
覲	キン	まみえる、あう
覿	テキ	あう、みる、しめす

漢字	音読み	訓読み
角	かく、つの、つのへん	
觚	コ	さかずき、かど、ふだ
觜	シ、スイ	けづの、とろきぼし、くちばし、はし
觝	テイ	ふれる、さわる、ぶつかる
觥	コウ	つのさかずき
觴	ショウ	さかずき、もてなす
言	げん、ごんべん	
訖	キツ	おわる、やむ、いたる
訐	ケツ	あばく
訌	コウ	みだれる、もめる、うちわもめ
訛☆	カ	なまる、なまり、いつわる、あやまる
訝☆	ガ、ゲン	いぶかる、いぶかしい

漢字	音読み	訓読み
訥	トツ	どもる、くちべた
訶☆	カ	しかる、せめる
詁	コ	よむ、よみ、とく、わけ
詛	ショ、ソ	のろう、のろい、ちかう、ちかい、そしる、うらむ
詒	タイ、イ	あざむく、おくる、のこす
詆	テイ	そしる、しかる、しいる、はずかしめる、あばく、あてる
詈	リ	ののしる
詼	カイ	たわむれる、おどける、あざける
詭	キ	いつわる、あざむく、あやしい、そむく
詬	ク、コウ	はずかしめる、はじ、ののしる、そしる

漢字	音読み	訓読み
詢	シュン、ジュン	とう、はかる、まこと
誅☆	チュ、チュウ	うつ、せめる、ころす、のぞく、ほろぼす
誂	チョウ	あつらえる、あつらえ
誄	ルイ	しのびごと、いのりごと
誨	カイ	おしえる、おしえ
誡	カイ	いましめる、いましめ
誑	キョウ	あざむく、たぶらかす、だます、たらす
誥	コウ	つげる、ふれ、みことのり
誚	ショウ	せめる、しかる、そしる
誦☆	ショウ、ジュ	となえる、よむ、そらんずる
誣	フ、ブ	しいる、あざむく、そしる
諄	シュン、ジュン	あつい、まこと、ねんごろ、くどい
諍	ショウ、ソウ	いさめる、うったえる、あらそう、いさかい
諂	テン	へつらう、おもねる、こびる
諚●	ジョウ	おきて、おおせ
諳	アン	そらんじる、なれる、さとる
諤☆	ガク	
諱☆	キ	いむ、はばかる、いみな
謔☆	ギャク	たわむれる、ふざける
諠	ケン	かまびすしい、やかましい
諢	コン、ゴン	たわむれ、おどけ
諷☆	フウ	そらんじる、ほのめかす、あてこする
諞	ヘン	へつらう
諛	ユ	へつらう
謚	シ	おくりな、よびな
謌	歌の異体字	
謇	ケン	どもる、ただしい、まっすぐ
謖	シュク、ショク	たつ、おきあがる
謐	ヒツ、ビツ	しずか、やすらか
謗☆	ホウ、ボウ	そしる、そしり、うらむ
謳☆	オウ	うたう、うた
鞫	キク	ただす、しらべる、きわめる、きわまる
謦	ケイ	しわぶき、せきばらい
謫	タク、チャク	つみする、ながす、せめる、とが
謾	バン、マン	あざむく、あなどる、おこたる
謨	ボ、モ	はかる、はかりごと
譁	カ	かまびすしい、やかましい
譌	カ	なまる、なまり、いつわる、あやまる
譏	キ	そしる、せめる
譎	キツ、ケツ	いつわる、いつわり、あやしい、とおまわし
譖	シン、セン	そしる、うったえる、いつわる
譚☆	タン、ダン	はなし、ものがたり
譫	セン	たわごと、うわごと
譟	ソウ	さわぐ、さわがしい
譬	ヒ	たとえ、たとえる、さとす
譴	ケン	とがめる、せめる、とがめ
讌	エン	さかもり、くつろぐ
讐☆	シュウ	あだ、むくいる、くらべただす
讒	サン、ザン	そしる、つげぐち、へつらう、よこしま
讖	シン	しるし
讙	カン	かまびすしい、やかましい、よろこぶ
谷	たに、たにへん	
谺	カ	こだま、やまびこ
豁	カツ	ひらける、ひろい、むなしい
谿	ケイ	たに、たにがわ
豆	まめ、まめへん	
豈	ガイ、キ	たのしむ、やわらぐ、あに
豌	エン	

漢字	音読み	訓読み
豕	ぶた いのこ	
豕	シ	い いのこ ぶた
豢	カン	やしなう かう
豸	むじなへん	
豺	サイ	やまいぬ
貂	チョウ	てん
貉	カク	むじな
貊	バク	えびす
貎	ゲイ	しし
貘	バク	
貝	かい こがい かいへん	
貽	イ	おくる のこす

漢字	音読み	訓読み
貲	シ	あがなう たから みのしろ
貶	ヘン	おとす しりぞける そしる おとしめる けなす さげすむ へらす
賈	コ カ	あきなう あきない うる かう あたい
賁	ヒ フン ホン	かざる かざり あや つわもの
賚	ライ	たまう たまもの
賽☆	サイ	おれいまつり さいころ
賺	タン レン	すかす だます
賻	フ	おくる おくりもの
贄☆	シ	にえ てみやげ

漢字	音読み	訓読み
贅☆	セイ ゼイ	いぼ こぶ むだ よけいな いりむこ
贇	イン	
贏	エイ	もうける あまる のびる つつむ になう かつ
贍	セン ゼン	たす たりる すくう めぐむ
贐	シン ジン	おくりもの はなむけ
贓	ソウ ゾウ	かくす
贔	ヒ ヒイ	
贖	ショク	あがなう あがない
赤	あか	
赧	タン ダン	あからめる はじる

漢字	音読み	訓読み
赭	シャ	あかつち あかい はげやま
赬	テイ	あか あかいろ
走	はしる そうにょう	
赳	キュウ	たけし
趁	チン	ゆきなやむ おう のりこむ おもむく
趙☆	チョウ	こえる およぶ
足	あし あしへん	
跂	キ ギ	つまだてる はう
趾☆	シ	あし あと ねもと
趺	フ	あし うてな あぐら
跎	タ ダ	つまずく
跏☆	カ	あぐら

漢字	音読み	訓読み
跚	サン	
跖	セキ	あしのうら ふむ
跌	テツ	つまずく こえる あやまつ
跛	ハ ヒ	かたよる
跋☆	ハツ バツ	ふむ こえる つまずく おくがき
跪	キ	ひざまずく
跫	キョウ	あしおと
跟	コン	くびす かかと したがう つける
跣	セン	はだし すあし
跼	キョク	かがむ せぐくまる
踉	リョウ ロウ	おどる
跿	ト	はだし すあし

漢字	音読み	訓読み
踝	カ	くるぶし、かかと、くびす
踑	キ	あぐら
踞	キョ、コ	うずくまる、おごる
踟	チ	たちもとおる、ためらう
蹂	ジュウ	ふむ、ふみにじる
踵☆	ショウ	かかと、くびす、きびす、つぐ、ふむ、いたる
踰	ユ	こえる、こす
踴	ヨウ	おどる、おどり
蹊☆	ケイ	こみち、みち
蹇	ケン	なえぐ、なやむ、とまる、おごる、かたくな、まがる

漢字	音読み	訓読み
蹉	サ	つまずく、あやまる
蹌	ショウ、ソウ	うごく、よろめく、はしる
蹐	シャク、セキ	ぬきあし、さしあし
蹈	トウ、ドウ	ふむ、あしぶみする
蹙	シュク、セキ	せまる、しかめる、きわまる、くるしむ、つつしむ、ける
蹤	ショウ	あと、あしあと、したがう、ゆくえ
蹠	セキ	あしのうら、ふむ
蹣	ハン、バン、マン	よろめく
蹕	ヒツ	さきばらい
蹻	キョウ、キャク、キョク	あげる、おごる、かんじき

漢字	音読み	訓読み
蹶	ケツ、ケイ	つまずく、おきる、たつ、たおれる、すみやか
蹲	ソン、シュン	うずくまる、つくばう、つくばい
蹼	ホク、ボク	みずかき
躁☆	ソウ	さわぐ、さわがしい、うごく、あわただしい、あらあらしい
躅	チョク	ふむ
躇☆	チョ、チャク	ふむ、ためらう、たちもとおる、こえる、わたる
躄	ヘキ	いざる
躋	サイ、セイ	のぼる、のぼらせる
躊☆	チュウ	ためらう、たちもとおる

漢字	音読み	訓読み
躑	テキ	ためらう、たちもとおる
躓	チ	つまずく、しくじる、くじける、くるしむ
躔	テン	めぐる、ふむ、まつわる、からまる
躡	ジョウ	ふむ、はく、おう、のぼる
躪	リン	にじる、ふみにじる
身	み、みへん	
躬☆	キュウ	み、みずから
躮●		せがれ
躱	タ	かわす、さける
躾●		しつけ
軈●		やがて
車	くるま、くるまへん	

漢字	音読み	訓読み
軋☆	アツ	きしる、きしむ、くわしい、こまかい
軛	アク、ヤク	くびき
軼	イツ	すぎる、すぐれる、うせる、もれる
軫	シン	いたむ、うれえる
軻	カ	
軾	ショク	しきみ、よこぎ
輊	チ	ひくい、おもい
輅	ロ	くるま、みくるま
輀	ジ	ひつぎぐるま
輒	チョウ	すなわち、たちまち
輓	バン	ひく、いたむ、おそい、ちかい
輜	シ	ほろぐるま、にぐるま

漢字	音読み	訓読み
輟	テツ	つづる やめる とどめる
輛	リョウ	くるま
輦	レン	てぐるま みくるま こし
輳	ソウ	あつまる
輻	フク	や
輹	フク	とこしばり よこがみしばり
轅	エン	ながえ
轂	コク	こしき くるま あつめる しめくくる おす
輾	テン デン ネン	めぐる ころがる ひきうす
轆	ロク	
轌●		そり

漢字	音読み	訓読み
轎	キョウ	かご やまかご くるま
轗	カン	
轢☆	レキ	ひく ふみにじる きしる
轤	ロ	
辛	からい	
辜	コ	つみ とが はりつけ そむく ひとりじめ
辟	ヘキ ヒ	きみ めす さける かたよる よこしま ひらく
辰	しんのたつ	
辵 辶 辶	しんにょう しんにゅう	

漢字	音読み	訓読み
辷●		すべる
迚●		とても とて
迥	ケイ	はるか とおい
迢	チョウ	はるか とおい
迪	テキ	みち みちびく ふむ すすむ
迴	カイ	めぐる まわる さける
逅	コウ	あう
迹	セキ シャク	あと あとかた おこない
逕	ケイ	こみち みち ただちに
逡	シュン	ためらう しさる しりぞく
逑	キュウ	あつめる あう つれあい
逍☆	ショウ	さまよう

漢字	音読み	訓読み
逞☆	テイ	たくましい たくましくする こころよい
逖	テキ	とおい はるか
逋	ホ フ	にげる のがれる かくれる おいめ
逧●		さこ
迸	ホウ ヘイ	はしる ほとばしる たばしる
逵	キ	おおじ おおどおり
遏	アツ	とめる とどめる たつ さえぎる
遐	カ	とおい はるか
遑	コウ	あわただしい あわてる いとま ひま
遒	シュウ	せまる つよい ちからづよい
遉	テイ	うかがう さすが さすがに
逾	ユ	こえる こす いよいよ

漢字	音読み	訓読み
遖●		あっぱれ
遘	コウ	あう であう
遨	ゴウ	あそぶ
遯	トン ドン	のがれる にげる かくれる
遶	ジョウ ニョウ	めぐる めぐらす
邂	カイ	あう めぐりあう
遽☆	キョ	にわか すみやか あわただしい あわてる おそれる せまる
邁☆	バイ マイ	ゆく すぐれる すぎる つとめる
邀	ヨウ	むかえる もとめる
邃	スイ	ふかい おくぶかい とおい
邇☆	ジ ニ	ちかい

漢字	音読み	訓読み
邏	ラ	めぐる、みまわる、みまわり
阝(邑)	おおざと	
邨	ソン	むら
邯	カン	
邱☆	キュウ	おか
邵	ショウ	
郢	エイ	
郤	ケキ、ゲキ	ひま、すき、すきま、なかたがい
郛	フ	くるわ
鄂	ガク	
鄒	シュ、スウ	
鄙☆	ヒ	ひな、ひなびる、いやしい、いやしむ

漢字	音読み	訓読み
鄲	タン	
酉	ひよみのとり、こよみのとり、とりへん	
酊	テイ	よう
酖	タン、チン	ふける
酣	カン	たのしむ、たけなわ
酥	ソ	ちちしる
酩	メイ	よう
酳	イン	すすぐ、すすめる、すする、あまり
酲	テイ	よう、あきる、わるよい
醋	サク、ソ	す
醂	リン	さわす、あわす、さわしがき、たるがき
醢	カイ	ひしお、ししびしお、しおから

漢字	音読み	訓読み
醯	ケイ	す、すづけ、しおから
醪	ロウ	にごりざけ、どぶろく、もろみ
醵	キョ	あつめる、つのる
醴	ライ、レイ	あまざけ、あまい
醺	クン	よう、ほろよい
釁	キン	ぬる、ちぬる、すきま、なかたがい、きず、きざし
釆	のごめ、のごめへん	
釉☆	ユウ	つや、ひかり、うわぐすり
里	さと、さとへん	
釐	リ	おさめる、あらためる、たまう、やもめ、わずか

漢字	音読み	訓読み
金	かね、かねへん	
釵	サ、サイ	かんざし
鈞	キン	ひとしい、はかる、ろくろ
釿	キン、ギン	おの、ておの、きる、たつ
鈔☆	ショウ、ソウ	かすめる、うつす、うつし、さつ
鈕	ジュウ、チュウ	つまみ、とって、ボタン
鈑	ハン、バン	いたがね
鉞	エツ	まさかり
鉅	キョ	おおきい、おおい、とうとい
鉗☆	ケン、カン	くびかせ、はさむ、とじる、かなばさみ
鉉	ケン、ゲン	つる、とって
鉈	シャ、タ	ほこ、なた

漢字	音読み	訓読み
鈿	デン、テン	かんざし、かざり
鉋	ホウ	かんな
銕	テツ	くろがね
銜	カン、ガン	くつわ、ふくむ、くわえる、くらい
銖	シュ、ジュ	わずか、かるい、にぶい
銓	セン	はかり、はかる、しらべる、えらぶ
銛	セン	すき、もり、するどい
鋏☆	キョウ	はさみ、かなばさみ、つるぎ、つか、はさむ
銹	シュウ	さび、さびる
銷	ショウ	とかす、とける、つくす、つきる、けす、そこなう、ちる

漢字	音読み	訓読み
鋩	ボウ モウ	きっさき
錏	ア	しころ
鋺	エン	はかりざら かなまり まり
錙	シ	わずか
錚	ソウ	かね どら
錣	テツ	しころ
錺●		かざり
錵●		にえ
錻●	ブ	ブリキ
鍠	コウ	まさかり おの
鍼☆	シン	はり さす
鍮	チュウ トウ	

漢字	音読み	訓読み
鎰	イツ	かぎ
鎬	コウ	なべ しのぎ
鎹●		かすがい
𨨞●		さかほこ
鎺●		はばき
鏖	オウ	みなごろし
鏗	コウ	つく うつ
鏨	サン ザン	たがね える ほる
鏘	ショウ ソウ	
鏃	ソク ゾク	やじり するどい
鏝	バン マン	こて
鏐	リュウ リョウ	こがね しろがね

漢字	音読み	訓読み
鏈	レン	くさり
鏤	ロウ ル	える きざむ ちりばめる かざる
鐚	ア	しころ びた
鐔	タン シン	つば
鐓	タイ	つち いしづき
鐃	ドウ ニョウ	どら
鐐	リョウ	しろがね ひらがね あしかせ
鐶	カン	たまき わ かなわ
鐫	セン	える ほる うがつ しりぞける いましめる

漢字	音読み	訓読み
鐺	トウ ソウ	くさり あしがなえ こじり こて
鑒	鑑の異体字	
鑠	シャク	とかす とける うつくしい
鑢	リョ ロ	やすり する
鑞	ロウ	すず
鑪	ロ	いろり さかば ふいご
鑰	ヤク	かぎ とじる
鑵	罐（缶の旧字体）の異体字	
鑷	ジョウ セツ	けぬき ぬく
鑽	サン	たがね きり のみ きる うがつ きわめる

漢字	音読み	訓読み
鑼	ラ	どら
鑾	ラン	すず
钁	カク	くわ
鑿	サク	のみ うがつ
長	ながい	
門	もん もんがまえ	
閂	サン	かんぬき
閊●		つかえる
閔	ビン ミン	あわれむ おしむ うれえる つとめる
閘	オウ コウ	ひのくち
閨☆	ケイ	ねや こもん
閧	コウ	ちまた

漢字	音読み	訓読み
閭	リョ ロ	ちまた さと むらざと
閼	アツ エン アン	ふさぐ さえぎる
閻☆	エン	みめうるわしい
閹	エン	しもべ めしつかい こびへつらう
閾☆	イキ ヨク	しきい くぎる
闊☆	カツ	ひろい うとい
闃	ゲキ	しずか
闍☆	ト ジャ	うてな ものみ まち
闌	ラン	てすり たけなわ おそい たける
闕	ケツ	もん かける のぞく
闔	コウ	とびら もん とじる すべて
闖	チン	うかがう ねらう

漢字	音読み	訓読み
闡	セン	ひらく あきらか ひろめる ひろまる
闥	タチ タツ	こもん
闢	ヘキ ビャク	ひらく ひらける しりぞける
阝阜	こざとへん	
阡	セン	みち あぜみち はかみち しげる
阨	アイ ヤク	せまい ふさがる くるしむ
阮	ゲン	
阯	シ	もとい あと ふもと
陂	ヒ ハ	つつみ さか かたむく よこしま
陌	ハク バク	みち あぜみち まち
陋	ロウ	せまい いやしい
陜	キョウ	せまい やまかい やまあい

漢字	音読み	訓読み
陞	ショウ	のぼる のぼらせる
陝☆	セン	
陟	チョク	のぼる のぼらせる すすむ
陲	スイ	ほとり さかい あやうい
陬	シュ スウ	すみ くま かたいなか
隋☆	ズイ	
隍	コウ	ほり からぼり むなしい
隘	アイ ヤク	せまい けわしい いやしい ふさがる
隗	カイ	けわしい
隕☆	イン	おちる おとす ふる しぬ うしなう

漢字	音読み	訓読み
隧☆	スイ ズイ	みち
隰	シツ シュウ	さわ にいばり
隴	リョウ ロウ	おか うね はたけ
隶	れいづくり	
隹	ふるとり	
雎	ショ	みさご
雋	シュン セン	すぐれる
雉☆	ジ チ	きじ
雍	ユ ヨウ	やわらぐ いだく ふさぐ
雕	チョウ	わし きざむ ほる える
霍	カク	にわか はやい
襍	雜（雑の旧字体）の異体字	

漢字	音読み	訓読み
雖☆	スイ	いえども
雨	あめ あめかんむり あまかんむり	
雹	ハク	ひょう
霄	ショウ	みぞれ そら
霆	テイ	いかずち いなずま
霈	ハイ	おおあめ さかん
霓	ゲイ	にじ
霎	ショウ ソウ	こさめ しばし
霑	テン	うるおう うるおす
霏	ヒ	
霖	リン	ながあめ
霙	エイ	みぞれ

漢字	霤	霪	霰☆	霹	霸	霽	霾	靄☆	靆	靂	靉	青 靑
音読み	リュウ	イン	サン セン	ヘキ	覇の異体字	サイ セイ	バイ マイ	アイ	タイ	レキ	アイ	あお
訓読み	あまだれ したたり のき	ながあめ	あられ	かみなり		はれる さわやか	つちふる つちぐもり	もや なごやか				

漢字	非	靠	靡☆	面	靤	靦	靨	革	勒☆	靫
音読み	あらず ひ	コウ	ヒ ビ ミ	めん	ホウ	テン	ヨウ	かくのかわ つくりがわ かわへん	ロク	サ サイ
訓読み		たがう よる もたれる	なびく なびかす ちらす おごる はなやか ほろびる ただれる		にきび	はじる あつかましい	えくぼ		くつわ おさめる おさえる ほる きざむ	うつぼ ゆぎ

漢字	鞅	靼	鞁	靺	鞆●	鞋☆	鞏	鞐●	鞜	鞨	鞦
音読み	オウ	タツ タン	ヒ	マツ バツ		アイ カイ	キョウ		トウ	カツ	シュウ
訓読み	むながい はらおび きずな うらむ になう わるがしこい	なめしがわ	むながい	かわたび	とも	くつ	つかねる かためる かたい	こはぜ	くつ かわぐつ	くつ かわぐつ	しりがい

漢字	鞣	鞳	鞴	韆	韈	韋	韋☆	韞	韜	韭	韲
音読み	ジュウ	トウ	フク ホ ヒ ビ ブ	セン	ベツ	なめしがわ	イ	ウン	トウ	にら	セイ サイ
訓読み	なめす なめしがわ		うつぼ ふいご		たび くつした		なめしがわ やわらかい	つつむ おさめる かくす	ゆみぶくろ つつむ かくす ゆごて		なます あえもの くだく

漢字	音	韵	韶	頁	頏	頌	頤	頡	頷☆	頹☆	顆☆	顋
音読み	おと	韻の異体字	ショウ	おおがい	コウ	ショウ ジュ ヨウ	イ	ケツ キツ	カン ガン	タイ	カ	サイ
訓読み			あきらか うつくしい		のど くび	ほめる たたえる かたち ゆるやか	おとがい あご やしなう	みだれる	あご うなずく	くずれる	つぶ	あご あぎと えら

漢字	音読み	訓読み
顫	セン	ふるえる おののく おどろく
顬	ジュ	
顰	ヒン ビン	ひそめる しかめる ひそみ
顱	ロ	かしら こうべ あたま どくろ
顴	カン ケン	ほおぼね
顳	ショウ ジョウ	
風	かぜ	
颪●		おろし
颯	サツ ソウ	はやて
颱	タイ	たいふう
颶	グ	つむじかぜ

漢字	音読み	訓読み
飄	ヒョウ	つむじかぜ はやい ひるがえる ただよう おちる
飆	ヒョウ	つむじかぜ かぜ みだれる
飛	とぶ	
飜	翻（翻の旧字体）の異体字	
食 飠 𩙿	しょく しょくへん	
飩	トン ドン	
飫☆	オ ヨ	あきる さかもり
餃	コウ	あめ
餉	ショウ	かれい かれいい かて おくる かたとき

漢字	音読み	訓読み
餒	ダイ	うえる くさる
餔	フ ホ	ゆうめし くう やしなう ゆうぐれ
餡	アン カン	
餞	セン	はなむけ おくる
餤	タン	すすむ すすめる くう くわせる
餬	コ	かゆ くちすぎする
餮	テツ	むさぼる
餽	キ	おくる おくりもの
餾	リュウ	むす むしめし
饂●	ウン	
饉☆	キン	うえる
饅☆	バン マン	ぬた

漢字	音読み	訓読み
饐	イ エツ	すえる くさる むせぶ
饋	キ	おくる すすめる おくりもの たべもの
饑	キ	うえる ひだるい
饒☆	ジョウ ニョウ	ゆたか ゆたかにする おおい あまる ゆとり
饌	サン セン	そなえる そなえもの くう
饕	トウ	むさぼる
首	くび	
馗	キ	みち
馘	カク	くびきる みみきる
香	か かおり	
馥	フク	かおり かおる かんばしい

漢字	音読み	訓読み
馬	うま うまへん	
馭	ギョ	あやつる のる すべる おさめる
馮	ヒョウ フウ	よる たのむ かちわたる いかる つく
駟	シ	
駛	シ	はせる はやい にわか
駝	タ ダ	らくだ
駑	ド ヌ	にぶい のろい おろか
駘	タイ ダイ	ぬぐ にぶい ふむ のどか みにくい
駭	カイ ガイ	おどろく おどろかす みだれる はげしい
駮	ハク バク	まだら ぶち なじる といただす

漢字	音読み	訓読み
駱	ラク	かわらげ らくだ
駻	カン	あらうま
駸	シン	はしる すすむ
騁	テイ	はせる のべる ほしいままにする
騏	キ	あおぐろい
騅	スイ	あしげ
駢	ヘン ベン	ならぶ ならべる
騙☆	ヘン	かたる だます
騫	ケン	かける あやまる とる かかげる とぶ
騭	チョク シツ	おすうま のぼる さだめる
驂	サン	そえうま そえのり

漢字	音読み	訓読み
驀	バク	のる のりこえる まっしぐら たちまち
驃	ヒョウ	しらかげ つよい いさましい
騾	ラ	らば
驕	キョウ	おごる ほしいまま つよい さかん
驍	キョウ ギョウ	たけし つよい
驎	リン	
驟	シュウ	はしる はやい にわか しばしば
驢	リョ ロ	ろば うさぎうま
驥	キ	
驤	ジョウ	あがる あげる はしる はやい
驩	カン	よろこぶ よろこび
驪	リ レイ	くろうま くろい ならべる

漢字	音読み	訓読み
骨	ほね ほねへん	
骭	カン	はぎ すね あばら
骰	トウ	さい さいころ
骼	カク	ほね ほねぐみ
髀	ヒ	もも もものほね
髏	ロ ロウ	されこうべ しゃれこうべ
髑	トク ドク	されこうべ しゃれこうべ
高	たかい	
髟	かみがしら かみかんむり	
髢	テイ	かもじ
髯	ゼン	ほおひげ ひげ
髣	ホウ	にる ほのか かすか

漢字	音読み	訓読み
髦	ボウ モウ	たれがみ さげがみ すぐれる ぬきんでる
髫	チョウ	うない たれがみ こども
髴	フツ ヒ	にる ほのか かすか
髱	ホウ	たぼ つと たぼがみ
髷☆	キョク	まげ わげ まるまげ
髻☆	ケイ	たぶさ もとどり みずら
鬆	ショウ ソウ	あらい ゆるい す
鬘☆	バン マン	かつら かずら
鬚☆	シュ ス	あごひげ ひげ
鬟	カン	わげ こしもと みずら
鬢☆	ヒン ビン	
鬣	リョウ	たてがみ

漢字	音読み	訓読み
鬥	とうがまえ たたかいがまえ	
鬧	トウ ドウ	さわがしい さわぐ あらそう
鬨	コウ	たたかう とき さわぐ さわがしい
鬩	ケキ ゲキ	せめぐ いいあらそう なかたがい
鬭	鬪（闘の旧字体）の異体字	
鬮	キュウ	たたかいとる くじ
鬯	ちょう	
鬯	チョウ	においざけ のびる
鬲	かなえ	
鬻	イク シュク	かゆ ひさぐ
鬼	おに きにょう	
魃	ハツ バツ	ひでり

漢字	音読み	訓読み
魄	ハク タク	たましい こころ
魏☆	ギ	たかい
魍	ボウ モウ	すだま もののけ
魎	リョウ	すだま もののけ
魑	チ	すだま もののけ
魘	エン	うなされる おそわれる
魚	うお うおへん さかなへん	
魞●		えり
魳	シ	かます
魴	ホウ	おしきうお かがみだい
魬	ハン バン	はまち
鮎●		なまず

漢字	音読み	訓読み
鮓	サ	すし
鮃	ヒョウ ヘイ	ひらめ
鮑	ホウ	あわび
鮖●		かじか
鮗●		このしろ
鮇●		いわな
魦●		いさざ
鮠	ガイ	はえ はや
鮨☆	シ ゲイ	すし さんしょううお
鮟●	アン	
鮴●		ごり
鮲●		こち まて

漢字	音読み	訓読み
鮱●		おおぼら
鯀	コン	
鯊	サ	はぜ
鮹	ショウ ソウ	たこ
鮸	ベン メン	にべ
鯏●		うぐい あさり
鯑●		かずのこ
鯒●		こち
鯎●		うぐい
鯐●		すばしり
鯣	エキ	するめ
鯢	ゲイ	さんしょううお めくじら

漢字	音読み	訓読み
鯤	コン	
鯔	シ	ぼら いな
鯡	ヒ	はららご はらご にしん
鯲●		どじょう
鯱●		しゃち しゃちほこ
鯰●	ネン	なまず
鰕	カ	えび
鰔	カン	かれい
鰉	コウ	ひがい
鰓☆	サイ	えら あぎと
鰌	シュウ	どじょう
鰆	シュン	さわら

漢字	音読み	訓読み
鰈	チョウ	かれい
鰒	フク	あわび ふぐ
鰊☆	レン	にしん
鰄	イ	かいらぎ さめ
鰘●		むろあじ
鰙●		はや はえ わかさぎ
鰚●		はらか
鰛	オン	いわし
鰥	カン	やもお やもめ やむ なやむ
鰤	シ	ぶり
鰧	トウ	おこぜ
鰰●		はたはた

漢字	鱆	鰾	鱇●	鱏	鱓	鱚●	鱛●	鱋●	鰲	鱠	鱧	鱩●
音読み	ショウ	ヒョウ	コウ	シン ジン	セン				ゴウ	カイ	レイ	
訓読み	たこ	ふえ うきぶくろ		ちょうざめ えい	かわへび うつぼ ごまめ	きす	えそ	あおさば さば	かぶとがに	なます	はも	はたはた

漢字	鱶	鱲	鱸	鳥	鳧	鳰●	鴉☆	鴃	鴆	鴥	鴣	鴟
音読み	ショウ	リョウ	ロ	とり とりへん	フ		ア	ゲキ ゲツ	チン	イツ	コ	シ
訓読み	ふか	からすみ	すずき		かも けり	にお	からす	もず		はやい		とび ふくろう

漢字	鴕	鴒	鵄	鵁	鴿	鴾	鵆●	鴇●	鵝	鵑	鵤●	鵥●
音読み	タ ダ	レイ	シ	コウ	コウ	ボウ ム			ガ	ケン		
訓読み	だちょう		とび		いえばと どばと	とき つき	ちどり	とき	がちょう	ほととぎす さつき	いかる いかるが	かけす

漢字	鵲	鶉	鶇	鵯	鵺	鶄	鶍●	鶎●	鶪	鶚	鶤	鶩
音読み	ジャク	ジュン	トウ	ヒ ヒツ	ヤ	セイ			ケキ ゲキ	ガク	コン	ボク ブ
訓読み	かささぎ	うずら	つぐみ	ひよ ひよどり	ぬえ		いすか	きくいただき	もず	みさご	とうまる しゃも	あひる かける

漢字	鶫●	鶲	鷁	鶻	鶸	鶺	鷆	鷂	鷙	鷓	鷸	鷦
音読み		オウ	ゲキ	コツ	ジャク	セキ	シン テン デン	ヨウ	シ	シャ	イツ	ショウ
訓読み	つぐみ	ひたき		はやぶさ くまたか	ひわ		つつどり よたか	はしたか はいたか	あらどり あらい あらあらしい うつ		しぎ かわせみ	みそさざい

漢字	音読み	訓読み
鷭	ハン バン	
鴒	リョウ	
鷽	カク ガク	うそ
鸛	カン	こうのとり
鸞☆	ラン	すず
鹵	しお	
鹵	ロ	しお しおち おろそか たて かすめる うばう
鹹	カン	からい しおからい しおけ
鹿	しか	
麈	シュ ス	おおじか

漢字	音読み	訓読み
麋	ミ ビ	おおじか なれしか まゆ くだける みだれる
麌	ゴ グ	おじか
麕	キン クン	のろ くじか むらがる
麑	ゲイ ベイ	かのこ
麝	シャ ジャ	じゃこうじか
麤	ソ	あらい あらあらしい おおきい ほぼ くろごめ
麦麥	ばくにょう	
麩	フ	ふすま
麭	ホウ	こなもち だんご
麻麻	あさ あさかんむり	

漢字	音読み	訓読み
麾	キ	さしずばた さしまねく ふる
黄黃	き	
黌	コウ	まなびや
黍	きび	
黎	レイ リ	おおい くろい もろもろ ころあい
黏	粘の異体字	
黐	チ	もち とりもち
黒黑	くろ	
黔	ケン	くろい くろむ
黜	チュツ	しりぞける おとす
黝	ユウ	あおぐろい くろ くろい くろむ うすぐらい

漢字	音読み	訓読み
黠	カツ	さとい さかしい わるがしこい
黥	ケイ ゲイ	いれずみ
黯	アン	くろい くらい いたましい
黴	バイ ビ ミ	かび かびる よごれる
黶	エン	ほくろ あざ
黷	トク	けがす けがれる よごす よごれる
黹	ふつへん	
黹	チ	ぬう ぬいとり
黻	フツ	ひざかけ ぬいとり ぬう
黼	フ ホ	あや ぬいとり
黽	べんあし	
黽	ベン ビン ボウ	あおがえる つとめる

漢字	音読み	訓読み
鼇	ゴウ	おおうみがめ おおすっぽん
鼈	ヘツ ベツ	すっぽん
鼎	かなえ	
鼓	つづみ	
鼕	トウ	
鼠	ねずみ ねずみへん	
鼬	ユ ユウ	いたち
鼯	ゴ	むささび
鼹	エン	もぐら もぐらもち
鼻	はな はなへん	
鼾	カン	いびき

漢字	音読み	訓読み
斉 齊	せい	
齋	サイ セイ シ	もたらす ああ たから おくりもの もちもの
歯 齒	は はへん	
齔	シン	はがわり みそっぱ おさない
齣	シュツ セキ	くぎり くさり きれめ こま
齟☆	ショ ソ	かむ くいちがう
齠	チョウ	みそっぱ おさない
齦	ギン コン	はぐき かむ
齧	ゲツ ケツ	かむ かじる くいこむ かける
齬☆	ゴ	くいちがう
齪	サク セク シュク	せまる こせつく つつしむ

漢字	音読み	訓読み
齷	アク	こまかい せまい せまる こせつく
齲	ウ ク	むしば
齶	ガク	はぐき
竜 龍	りゅう	
龕	ガン カン	ずし かつ
亀 龜	かめ	
龠	やく	
龠	ヤク	ふえ

部首索引

1級で出題される漢字に使われる部首を、画数順に掲載しました。各部首の下のページ数は171ページから始まる「1級配当漢字表」での掲載ページです。

白	癶	疒	疋	田	用	生	甘	瓦	瓜	玉	玄
P.195	P.195	P.194	P.194	P.193	P.193	P.193	P.193	P.193	P.193	P.193	P.193
罒	立	穴	禾	禸	⺬示	石	矢	矛	目	皿	皮
P.200	P.197	P.197	P.196	P.196	P.196	P.196	P.196	P.196	P.195	P.195	P.195
而	老	羽	羊	网	缶	糸	米	竹	瓜	六画	⻂
P.201	P.201	P.201	P.201	P.200	P.200	P.199	P.198	P.197	P.193		P.207
艮	舟	舛	舌	臼	至	自	臣	肉	聿	耳	耒
P.203	P.203	P.203	P.203	P.202	P.202	P.202	P.202	P.202	P.201	P.201	P.201
角	見	臣	七画	西襾	衣	行	血	虫	虍	艸	色
P.208	P.208	P.202		P.208	P.207	P.207	P.207	P.205	P.205	P.203	P.203
辛	車	身	足	走	赤	貝	豸	豕	豆	谷	言
P.212	P.211	P.211	P.210	P.210	P.210	P.210	P.210	P.210	P.209	P.209	P.208
阜	門	長	金	八画	麦	里	采	酉	邑	辵	辰
P.215	P.214	P.214	P.213		P.221	P.213	P.213	P.213	P.213	P.212	P.212
韭	韋	革	面	九画	斉	食	非	靑青	雨	隹	隶
P.216	P.216	P.216	P.216		P.222	P.217	P.216	P.216	P.215	P.215	P.215
髟	高	骨	馬	十画	香	首	飠食	飛	風	頁	音
P.218	P.218	P.218	P.217		P.217	P.217	P.217	P.217	P.217	P.216	P.216
麻麻	麥	鹿	鹵	鳥	魚	十一画	竜	鬼	鬲	鬯	鬥
P.221	P.221	P.221	P.221	P.220	P.219		P.222	P.218	P.218	P.218	P.218
鼎	黽	十三画	歯	黹	黑	黍	黃	十二画	亀	黒	黄
P.221	P.221		P.222	P.221	P.221	P.221	P.221		P.222	P.221	P.221
龠	十七画	龜	龍	十六画	齒	十五画	齊	鼻	十四画	鼠	鼓
P.222		P.222	P.222		P.222		P.222	P.221		P.221	P.221

第1回 模擬試験問題 解答

別冊 2〜7ページ

1

1 けんち 2 しゃくだん 3 たくらく
4 びんべん 5 きぜん 6 ていせい・ていぜい
7 とどく 8 きゅうぜん 9 ざんがん
10 しゅくこつ・しゅっこつ 11 せんけん
12 かんかく 13 ひんしつ 14 きえい
15 ようや 16 きんかく 17 こうこう
18 しょくしょく 19 しゅうへき
20 へいせん 21 あば 22 しばしば
23 おさ 24 ふく 25 ひとくさり 26 なら
27 まれ 28 すく 29 あたた 30 こそ

2

1 拗 2 猥褻 3 節榑 4 薹 5 馥郁
6 賺 7 箍 8 擡 9 搗 10 刳 11 拵
12 齎 13 範疇 14 魘 15 啀 16 縺
17 鰆 18 椹 19 籤 20 癪

3

1 幽邃 2 獰猛 3 容喙 4 瞠若
5 惆悵

4

問1

1 繁文 2 偕老 3 瞻望 4 旗幟
5 造次 6 沐雨 7 伏櫪
8 挙踵 9 追従 10 誅求

問2

1 しょうふう 2 えんぶ 3 らんさい
4 よくい 5 たんせき

5

1 なまけもの 2 やなぐい 3 くいな
4 あほうどり 5 たたき 6 ななかまど
7 もんどり 8 やすで 9 ほろほろちょう
10 ほととぎす

6

1 いとく 2 うるわ 3 しい（しえ） 4 くろ
5 さんじょ（せんじょ） 6 か 7 きんてん
8 うるお 9 しゅうけい 10 つよ

7

1 貪婪 2 馘首 3 怯懦 4 静謐
5 演繹 6 濫觴 7 端倪 8 肯綮
9 獲麟 10 苞苴

8

1 綸言 2 惻隠 3 蓼 4 筌 5 喇叭
6 鑢 7 鷸蚌 8 薫蕕 9 棟梁
10 海棠

9

1 煽（扇）動家 2 蹂躙 3 檄
4 儒教 5 棍棒 6 無碍（礙） 7 真摯
8 爛熟 9 頽（退）廃 10 流転
ア ぎりょう イ せいりゅうとう（せいりょうとう）
ウ きりすと エ かしこ（あそこ） オ しんき
カ しょうしゃ キ あだ ク ねはん ケ おそ
コ へきれき

第2回 模擬試験問題 解答

別冊 8〜13ページ

1

1 けんべつ　2 そうれい　3 しせき　4 げっし　5 ちつ　6 ちょうきゅう　7 はいれい　8 はいだつ　9 しゅうし　10 はんぱん　11 ちょうぜん　12 きょうきょ　13 しょうよう　14 しゅす　15 きか　16 るいせつ　17 たいき　18 かんよう　19 うんしゃ　20 きょはく　21 となな　22 か　23 まこと　24 ほしいまま　25 つつ　26 こ　27 ゆた　28 やつ　29 もやし　30 あわただ

2

1 囃　2 窘　3 舫　4 眇　5 荼毘　6 揑　7 漲　8 甍　9 祟　10 鏖　11 誂　12 幔幕　13 轆轤　14 夥　15 緋毛氈　16 改竄　17 嵩　18 笠　19 怺　20 坋

3

1 翩翻　2 誣告　3 峭峻　4 膾炙　5 諧謔

4

問1

1 霓裳　2 海市　3 燕頷　4 跳梁　5 蘭摧　6 荊棘　7 弄月　8 臆測　9 修文　10 蒼生

問2

1 せいけい　2 ししん　3 せいせつ　4 てんぱい　5 きび

5

1 こめかみ　2 いりこ　3 いちご　4 うんか　5 のし　6 あみ　7 やご　8 ぶな　9 うちかけ　10 たたら

6

1 せんろく　2 ほ・え　3 けんれい　4 あやま　5 ふぎ　6 おく　7 ちゅんけん　8 なや　9 ぼうかい　10 つと

7

1 雅致　2 吻合　3 苗裔　4 罹患　5 掉尾　6 儕輩　7 遅疑　8 怪訝　9 誘掖　10 瞞着（著）

8

1 蟪蛄　2 羝羊　3 髓　4 膏肓　5 勁草　6 槿花　7 蛞蝓　8 抓　9 華胥　10 柳絮

9

1 草鞋　2 掠　3 艘　4 賑（殷）　5 今昔　6 愉快　7 老耄　8 布袋　9 福相　10 蔓延

ア まげ　イ や　ウ はやし　エ ああ　オ しさい　カ かん　キ あか　ク すぐ　ケ あぎと（あご・えら）　コ やや

第3回 模擬試験問題 解答

別冊
14～19ページ

1

1 へんき 2 ざいきゅう 3 きんげき
4 しゅうしゅう 5 さくさく 6 けっき
7 たいまい 8 たんこ 9 はいじく
10 えんぼう 11 かんてい 12 さやく
13 しんけい 14 ていがく 15 しょうじょ
16 てんぜん 17 おうふ 18 へいら
19 すいぶ 20 しんい 21 つちふ 22 のぞ
23 ぬぐ 24 いた 25 ことごと 26 もぐさ
27 うた 28 あやま 29 ねぎら 30 わず

2

1 真鍮 2 擽 3 呻 4 灰燼
5 鴟尾 6 団欒 7 腓 8 敵愾心
9 跛行 10 髑髏 11 白皙 12 竹籤
13 噦 14 掣肘 15 款 16 招聘 17 灌水
18 鹹水 19 杣 20 衢

3

1 闡明 2 擯斥 3 衒気
4 耆宿 5 微恙

4

問1
1 右顧 2 八面 3 衣錦 4 鞠躬
5 風声 6 不屈 7 鉄壁 8 驥尾
9 蒿里 10 三絶

問2
1 じょくれい 2 しゅんき
3 たいとう 4 りこう 5 どうだ

5

1 やまあらし 2 あさつき 3 ひわ
4 もっこく 5 てんとうむし 6 しゃこ
7 さざえ 8 ほや 9 もずく 10 とかげ

6

1 さいかい 2 たか 3 しゅんき 4 さら
5 しゅっしゅう 6 う 7 たんぱん 8 まる
9 けってき 10 えぐ

7

1 老耄 2 劈頭 3 汚穢 4 不堪
5 鞅掌 6 殲滅 7 蒼穹 8 熾烈
9 懺悔 10 翹望

8

1 蘭麝 2 尺蠖 3 刮目 4 鸞鳳
5 雲霓 6 臍 7 舐 8 殷鑑
9 積毀 10 遏雲

9

1 琥珀 2 恃（頼・怙・憑） 3 頗
4 帰臥 5 耽 6 焦躁（燥） 7 驟雨
8 俄 9 徽章 10 晩餐
ア ふくさ イ こんにゃく ウ ささや エ ごむ
オ さいえい カ しょうこく キ けいけい ク かつ
ケ おもかげ コ しょうしょう

第4回 模擬試験問題 解答

別冊20〜25ページ

1

1 けいけい　2 しちょう　3 ちょうしん
4 かんそう　5 しんしょう　6 ようそく
7 しんしん　8 あいだい・あいない　9 いし
10 ちてい　11 こうそう　12 しょうこう
13 へいとう　14 せんしょく　15 さんけん
16 いあく　17 ねっとう・ねつどう　18 ふげき
19 げき・けき　20 きべい　21 おし　22 はびこ
23 ながえ　24 ひうち　25 かんじき　26 さわ・あわ
27 みずかき　28 ぬた　29 およ　30 あらたえ

2

1 黴菌　2 欺瞞　3 蠱惑　4 信憑
5 超弩級　6 茹　7 拱　8 咄嗟
9 瞑　10 擯斥　11 頗　12 浚渫
13 腱鞘　14 怯　15 渾身　16 竦　17 衾
18 麩　19 襷　20 褻

3

1 掣肘　2 沈湎　3 乖戻　4 宿痾
5 収攬

4

問1

1 枕戈　2 薏苡　3 秉燭　4 豪放
5 瑶林　6 素餐　7 徙薪　8 嘲哳
9 成蹊　10 不食

問2

1 りゅうじょう　2 りんう　3 ろかい
4 しんれい　5 せきへき

5

1 ごかい　2 やつがしら　3 あざらし
4 ゆきのした　5 とうがらし
6 つげ　7 みみず
8 あわび　9 ししゃも　10 うとう

6

1 ようげき　2 むか　3 こうきょ　4 みまか
5 しゃくだん　6 き　7 はいけん　8 お
9 かんてい　10 か

7

1 荒蕪　2 夭折　3 落魄　4 黎明
5 韜晦　6 蹌踉　7 鏤刻　8 庶幾
9 阿堵物　10 伉儷

8

1 水潦　2 鎬　3 舐犢　4 一轂
5 艱難　6 社稷　7 絢　8 葷酒
9 一饋　10 率土

9

1 逗留　2 蒔絵師　3 藍　4 縮緬
5 縁起　6 饅頭　7 鯖　8 境内
9 蒟(菎)蒻　10 拙
ア くにもと　イ あわせ　ウ まと　エ や
オ いんし　カ こうとう　キ ほうろく(ほうらく)
ク ひゃくにちぜき　ケ そな　コ りくつ

第5回 模擬試験問題 解答

別冊 26～31ページ

1

1 とうだい・とうたい 2 きたん 3 えんけん
4 へいこ 5 ほうか 6 ちゅうさく 7 し
8 けいぜん 9 しょうじ 10 ほうたい
11 るいそう 12 ほうはい 13 こうえん
14 がいあん 15 ちゅうさつ 16 せんしょう
17 そうしゃ 18 えんりゅう 19 おうじょう
20 ぎんぎん 21 ぬす 22 みつぎ
23 や 24 う 25 おく 26 たお
27 さだ 28 つか 29 そし 30 むさぼ

2

1 乖離 2 昴 3 無辜 4 軋轢
5 覿面 6 転 7 菽麦 8 冤罪
9 剽窃 10 飯盒 11 延縄 12 瑕疵
13 萎 14 蠕動 15 絆創膏 16 噎
17 梳 18 簀 19 聢 20 鞆

3

1 親炙 2 軒輊 3 翔破 4 纏繞
5 絮説

4

問1
1 豺狼 2 墨痕 3 温清 4 濫竽
5 竜驤 6 蟬噪 7 魯魚 8 鏤骨
9 鳩居 10 裸裎

問2
1 しょうけい 2 せんぎょく
3 ぎょうこ 4 ほうへん 5 えんけい

5

1 ほたてがい 2 ところてん 3 またたび
4 あしか 5 きぬぎぬ 6 くわい
7 おこぜ 8 しいたけ
9 ざりがに 10 なまこ

6

1 しょうぜん 2 おそ 3 へいしょく 4 と
5 ようびょう 6 はる 7 きえい 8 か
9 きゆ 10 のぞ

7

1 開闢 2 矮小 3 悪辣 4 刹那
5 僥倖 6 斧鉞 7 賁臨 8 無聊
9 扞(捍)格 10 譴責

8

1 琥珀 2 鶉 3 妬婦 4 烏帽子
5 裘 6 端倪 7 既倒 8 嘯
9 鴻毛 10 鸜鵒

9

1 勤苦 2 朦朧 3 抛(放)擲 4 塵埃
5 咬(嚙・噬・齧) 6 漲 7 剽(慓)悍
8 橋桁 9 銃眼 10 殲滅
ア むく イ はじ ウ こんもん エ つと
オ や(た) カ おどろ キ はし ク えんげつとう
ケ ふせ コ したい

本試験の答案用紙のサンプル

本試験で配られるB4サイズの答案用紙は、裏まで続いています。

1級ではすべて記述式となっています。受検する前に一度確認しておきましょう。

表面

訂正

性別　男　女

生年月日　西暦　年　月　日

※印字されていない場合は、□の中に生年月日を記入。

<記入例>
生年月日が2001年(平成13年)1月1日なら
2001年01月01日

訂正　西暦　年　月　日

※生年月日に誤りがある場合、訂正にマークし、□の中に正しい生年月日を記入。

マーク記入例
○のようにをきれいにぬりつぶしてください。

ご記入いただきました個人情報は、当協会の検定にかかわる業務にのみ使用します。

(ただし、検定にかかわる業務に際し、業務提携会社に作業を委託する場合があります。)

ご記入いただきました個人情報にかかわるお問い合わせは、下記までお願いします。

(公財)日本漢字能力検定協会　https://www.kanken.or.jp/privacy/

(一) 読み (30)

17	16	15	14	13	12	11	10	9	8	7	6	5	4	3	2	1

1×30

(二) 書き取り (40)

12	11	10	9	8	7	6	5	4	3	2	1

2×20

(四) 四字熟語 (30)

問1 書き取り

3	2	1

2×10

問2 意味と読み

14	13	12	11

2×5

(三) 語選択 書き取り (10)

3	2	1

2×5

※受検番号、氏名、生年月日などはあらかじめ印字されています。氏名や生年月日に誤りがある場合は訂正欄に記入しましょう。

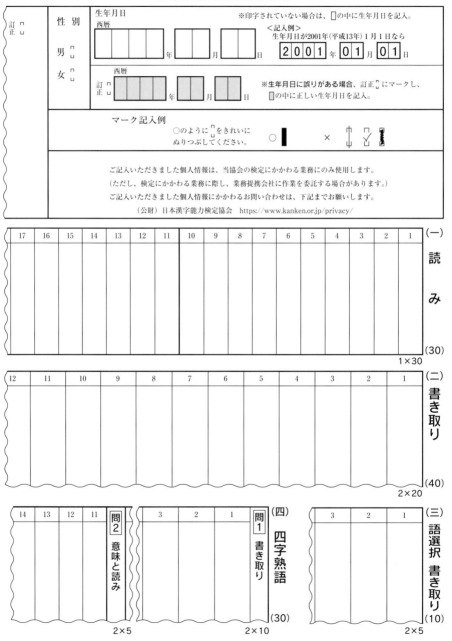

裏面

(五) 熟字訓・当て字 (10) 1×10

1	2	3	4	5

(六) 熟語の読み・一字訓読み (10) 1×10

ア		イ		ウ
1	2	3	4	5

(七) 対義語・類義語 (20) 2×10

1	2	3	4	5

(八) 故事・諺 (20) 2×10

1	2	3	4	5

(九) 文章題 (30)

書き取り 2×10

1	2	3	4

読み 1×10

ア	イ	ウ	エ	オ

その他の注意点

用紙は折り曲げたり、汚したりしてはいけません。

答えはHB以上の濃い鉛筆またはシャープペンシルで大きくはっきりと書きましょう。答えはすべて答案用紙に記入し、答えが書けなくても必ず提出しましょう。

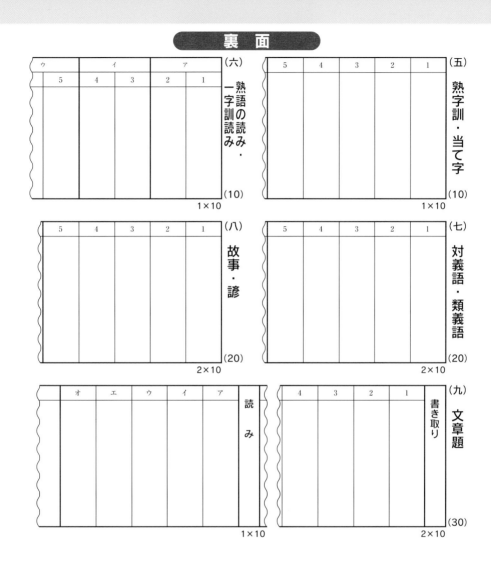

●編者
漢字学習教育推進研究会
大学教授ほか教育関係者、漢字検定１級取得者が中心となり、過去問題を分析、効率的な漢字学習法を研究している。

■お問い合わせについて

- 本書の内容に関するお問い合わせは、**書名・発行年月日を必ず明記**のうえ、文書・ＦＡＸ・メールにて下記にご連絡ください。電話によるお問い合わせは、受け付けておりません。
- 本書の内容を超える質問にはお答えできませんのであらかじめご了承ください。

本書の正誤情報などについてはこちらからご確認ください
(https://www.shin-sei.co.jp/np/seigo.html)

- お問い合わせいただく前に上記アドレスのページにて、すでに掲載されている内容かどうかをご確認ください。
- 本書に関する質問受付は、2026年２月末までとさせていただきます。

●文　書：〒110-0016 東京都台東区台東2-24-10 (株)新星出版社 読者質問係
●ＦＡＸ：03-3831-0902
●メール：https://www.shin-sei.co.jp/np/contact.html

■協会のお問い合わせ窓口

最新の情報は**公益財団法人日本漢字能力検定協会**にご確認ください。

●電話でのお問い合わせ：**0120-509-315 (無料)**
●HPアドレス　：**https://www.kanken.or.jp/kanken/contact/**

頻出度順 漢字検定１級 合格！ 問題集

2024年２月25日　初版発行

編　者　漢字学習教育推進研究会
発行者　富　永　靖　弘
印刷所　株式会社新藤慶昌堂

発行所　東京都台東区 台東２丁目24　株式会社 新星出版社
〒110-0016 ☎03(3831)0743

2024年度版

別冊

頻出度順

漢字検定1級 合格！問題集

この別冊は本冊から取り外して使用することができます

※本試験の答案用紙のサンプルは、本冊 230 ページにあります。本試験を受検する前に必ず確認しておきましょう。

※本書は 2024 年 2 月現在の情報をもとに作成しています。最新の情報に関しては財団法人日本漢字能力検定協会（本冊 6 ページ参照）にお問い合わせください。

新星出版社

第1回 模擬試験問題

試験時間 60分
合格ライン 160点
得点 /200
月 日

1 次の傍線部分の読みを**ひらがな**で記せ。
1～20は**音読み**、21～30は**訓読み**である。

/30 (1×30)

1 二人の技に軒輊がない。（　）
2 これまでの関係を斫断する。（　）
3 卓犖たる人物が現れる。（　）
4 友人の黽勉に感銘を受ける。（　）
5 ある出来事に喟然として嘆く。（　）
6 幾人もの弟子を提撕する。（　）
7 蠹毒な策略に陥れられた。（　）
8 翕然として同情が集まる。（　）
9 ふと巉巌を見上げる。（　）
10 倏忽として吹雪になる。（　）

24 部屋の隅で枚を銜む。（　）
25 青春の一齣を切り取る。（　）
26 媚うことの素晴らしき哉。（　）
27 彼が口を開くのは罕だ。（　）
28 地に落ちた者を拯う。（　）
29 暖炉の近くにいると燠かい。（　）
30 靴の底の汚れを刮げる。（　）

2 次の傍線部分の**カタカナ**を**漢字**で記せ。
19、20は国字で答えること。

/40 (2×20)

1 稚児がスねて泣く。（　）
2 ワイセツ行為で逮捕される。（　）

11 嬋娟たる女王を見る。（　　）
12 葬儀で棺槨を運ぶ。（　　）
13 手に入れた宝物を品騭する。（　　）
14 月の虧盈を観察する。（　　）
15 姚冶の女性を目にする。（　　）
16 巾幗をして外出する。（　　）
17 静かな部屋で楽器が鏗鏗と響く。（　　）
18 喞喞たる虫の声を聴く。（　　）
19 洋服の皺襞を気にする。（　　）
20 兵燹が都を覆い尽くす。（　　）
21 長年の悪事を訐いた。（　　）
22 間違いを亟指摘される。（　　）
23 職人が篾を使っている。（　　）

3 フシクレ立った幹を触る。（　　）
4 知人から蕗のトウを頂いた。（　　）
5 フクイクとした桃の香りだ。（　　）
6 怒っている友人を宥めスカす。（　　）
7 タガが外れたように遊び回る。（　　）
8 大きな不安が頭をモタげる。（　　）
9 二つの会議がカち合う。（　　）
10 木をクり貫いてコップにする。（　　）
11 派手なコシラえで登場した。（　　）
12 結果的に成功をモタラした。（　　）
13 私のハンチュウを超えている。（　　）
14 ウナされて目が覚める。（　　）

15 **イガ**み合ったことを反省する。（　）

16 話し合いが**モツ**れてしまった。（　）

17 **サワラ**を塩焼きにする。（　）

18 **サワラ**は檜に似ている。（　）

19 **シンシ**を用いて布を張る。（　）

20 **シャク**にさわることを言う。（　）

3 次の1～5の意味を的確に表す語を、後の□から選び、**漢字**で記せ。　／10（2×5）

1 奥深くてもの静かだ。（　）

2 性質が残忍で荒々しい。（　）

3 横合いから口を出す。（　）

4 驚いて目をみはる。（　）

問2 次の1～5の**解説・意味**にあてはまる四字熟語を後の□から選び、その**傍線部分だけの読み**を**ひらがな**で記せ。　／10（2×5）

1 風流を楽しむ／風流に精通する。（　）

2 天下の太平なさま。（　）

3 賢人や美人が死ぬこと。（　）

4 無実の嫌疑をかけられること。（　）

5 無礼な振る舞い。（　）

偃武修文・薤露蒿里・鵲巣鳩居・嘯風弄月
炊金饌玉・袒裼裸裎・蘭摧玉折・薏苡明珠

5 次の**熟字訓・当て字**の**読み**を記せ。　／10（1×10）

1 樹懶（　）

2 胡簶（　）

6 花楸樹（　）

7 翻筋斗（　）

5 うらみなげくこと。（　　）

とうかい・どうじゃく・どうもう・ちゅうちょう
ゆうすい・ようかい・ようちょう・りょうしょう

4 次の**問1**と**問2**の四字熟語について答えよ。

問1 次の四字熟語の（1〜10）に入る適切な語を後の□から選び**漢字二字**で記せ。

/20 (2×10)

（1）縟礼　（　）
（2）同穴　（　）
（3）咨嗟　（　）
（4）鮮明　（　）
（5）顛沛　（　）
櫛風（6）　（　）
老驥（7）　（　）
延頸（8）　（　）
阿諛（9）　（　）
苛斂（10）　（　）

かいろう・きし・きょしょう・せんぼう・ぞうじ
ちゅうきゅう・ついしょう・はんぶん・ふくれき
もくう

3 秧鶏（　　）
4 信天翁（　　）
5 三和土（　　）
8 馬陸（　　）
9 珠鶏（　　）
10 蜀魂（　　）

6 次の**熟語の読み（音読み）**と、その**語義**にふさわしい**訓読み**を（送りがなに注意して）**ひらがな**で記せ。

/10 (1×10)

〈例〉健勝……勝れる → けんしょう｜すぐ

ア 1 懿徳（　　）…… 2 懿しい（　　）
イ 3 緇衣（　　）…… 4 緇い（　　）
ウ 5 芟除（　　）…… 6 芟る（　　）
エ 7 均霑（　　）…… 8 霑う（　　）
オ 9 遒勁（　　）…… 10 遒い（　　）

7

次の1～5の**対義語**、6～10の**類義語**を後の□の中から選び、**漢字**で記せ。□の中の語は一度だけ使うこと。

20 (2×10)

対義語

1 恬澹（　　）
2 雇傭（　　）
3 剛毅（　　）
4 諠擾（　　）
5 帰納（　　）

類義語

6 権輿（　　）
7 逆睹（　　）
8 正鵠（　　）
9 絶筆（　　）
10 音物（　　）

えんえき・かくしゅ・かくりん・きょうだ
こうけい・せいひつ・たんげい・どんらん
ほうしょ・らんしょう

8

次の故事・成語・諺の**カタカナ**の部分を**漢字**で記せ。

20 (2×10)

1 **リンゲン**汗の如し。
2 **ソクイン**の心は仁の端なり。
3 **タデ**食う虫も好き好き。
4 魚を得て**セン**を忘る。
5 法螺と**ラッパ**は大きく吹け。
6 **ヤスリ**と薬の飲み違い。
7 **イツボウ**の争い。
8 **クンユウ**は器を同じくせず。
9 大は**トウリョウ**と為し、小は榱桷と為す。
10 **カイドウ**睡り未だ足らず。

9

文章中の傍線（1～10）の**カタカナ**を**漢字**に直し、波線（ア～コ）の**漢字**の**読み**を**ひらがな**で記せ。

30 (書き2×10) (読み1×10)

A　武器それ自身は恐れるに足りない。恐れるのは武人の[ア]技倆である。正義それ自身も恐れるに足りない。恐れるのは[1]センドウカの雄弁である。武后《ぶこう》は人天《じんてん》を顧みず、冷然と正義を[2]ジュウリンした。しかし李敬《りけい》業《ぎょう》の乱に当《あた》り、駱賓王の[3]ゲキを読んだ時には色を失うことを免れなかった。…（中略）…[イ]青竜刀に似ているのは[4]ジュキョウの教える正義であろう。騎士の槍に似ているのは[ウ]基督教の教える正義であろう。此処に太い[5]コンボウがある。これは社会主義者の正義であろう。[エ]彼処に房のついた長剣がある。あれは国家主義者の正義であろう。わたしはそう云う武器を見ながら、幾多の戦いを想像し、おのずから[オ]心悸の高まることがある。しかしまだ幸か不幸か、わたし自身その武器の一つを執りたいと思った記憶はない。

（芥川龍之介「侏儒の言葉」より）

B　そうして「いき」のうちの「諦め」したがって「無関心」は、世智辛い、つれない浮世の洗練を経てすっきりと垢抜《あかぬけ》した心、現実に対する独断的な執着を離れた[カ]瀟洒として未練のない恬淡[6]ムゲの心である。「野暮は揉まれて粋となる」というのはこの謂《いい》にほかならない。[キ]婀娜っぽい、かろらかな微笑の裏に、[7]シンシな熱い涙のほのかな痕跡を見詰めたときに、はじめて「いき」の真相を把握し得たのである。「いき」の「諦め」は[8]ランジュク、[9]タイハイの生んだ気分であるかもしれない。…（中略）…そうしてまた、[10]ルテン、無常を差別相の形式と見、空無、[ク]涅槃を平等相の原理とする仏教の世界観、悪縁にむかって諦めを説き、運命に対して静観を教える宗教的人生観が背景をなして、「いき」のうちのこの契機を強調しかつ純化していることは疑いない。

（九鬼周造「『いき』の構造」より）

C　マタイ十章、二八、「身を殺して霊魂《たましい》をころし得ぬ者どもを[ケ]懼れるな、身と霊魂とをゲヘナにて滅し得る者を懼れよ」この場合の「懼れる」は「畏敬」の意にちかいようです。このイエスの言に、[コ]霹靂を感ずる事が出来たら、君の幻聴は止む筈です。不尽。

（太宰治「トカトントン」より）

第2回 模擬試験問題

試験時間 60分
合格ライン 160点
得点 /200
月 日

1

次の傍線部分の読みをひらがなで記せ。
1〜20は**音読み**、21〜30は**訓読み**である。

/30 (1×30)

1 物事の是非を甄別する。（　）
2 窓櫺を丁寧に磨き上げる。（　）
3 咫尺の間の施設を訪れる。（　）
4 齧歯類の動物を研究する。（　）
5 昔使っていた帙を発見する。（　）
6 貂裘を身に纏った婦人がいる。（　）
7 悖戻せる人物を処罰する。（　）
8 悪習を擺脱して前に進む。（　）
9 螽斯は即ち百福の由りて興る所なり。（　）
10 泛泛たる振る舞いに呆然とする。（　）

24 会社の経営を擅にする。（　）
25 食物を大きな葉で裹む。（　）
26 大事な荷を罩めて運ぶ。（　）
27 饒かでありたいと願う。（　）
28 激務により一気に窶れる。（　）
29 虀と梅を和えて食べる。（　）
30 遽しい朝を過ごす。（　）

2

次の傍線部分の**カタカナ**を**漢字**で記せ。
19、20は国字で答えること。

/40 (2×20)

1 周りの人々が**ハヤ**したてる。（　）
2 会が終わってから**タシナ**める。（　）

11 輒然として吾に四肢形体有るを忘る。

12 農作物を筐筥に入れる。

13 友人に慫慂されて参加した。

14 見事な繻子を献上する。

15 麾下の将兵たちが出陣する。

16 縲紲の辱めを受けることとなる。

17 大逵の真ん中を堂々と歩く。

18 牧場で牛を豢養する。

19 常に蘊藉として親しまれる。

20 彼は巨擘として名高い。

21 兵士が陣中で徇える。

22 液体を垂らすと色が渝わった。

23 あの人物の発言に孚あり。

---

3 **モヤ**いだ船の場所を教える。

4 晴れの日に**スガ**めながら歩く。

5 昨日、遺体を**ダビ**に付した。

6 土を**コ**ねて器の形にする。

7 全身に力が**ミナギ**っている。

8 朝から**イラカ**の波を見ている。

9 常日頃から**タタ**りを恐れる。

10 **ビタ**銭を博物館で見る。

11 婚礼用の服を**アツラ**えてもらう。

12 式典の**マンマク**を手配する。

13 **ロクロ**の回し方を教えてもらう。

14 **オビタダ**しい数の人形がある。

15 倉庫からヒモウセンを出す。（　　）

16 カイザンされた資料だと気付く。（　　）

17 カサ上げ工事を行う。（　　）

18 カサを被った老人に話しかける。（　　）

19 じっと痛みをコラえる。（　　）

20 一デシリットルの湯を入れる。（　　）

3 次の1～5の意味を的確に表す語を、後の□から選び、**漢字**で記せ。 /10 (2×5)

1 旗などが風にひるがえっている様子。（　　）

2 他人を陥れるために偽って申し出る。（　　）

3 高くけわしいさま。（　　）

4 広く知れ渡る。（　　）

問2 次の1～5の**解説・意味**にあてはまる四字熟語を後の□から選び、その**傍線部分だけの読み**を**ひらがな**で記せ。 /10 (2×5)

1 徳を慕っておのずと人が集まること。（　　）

2 災難を未然に防ぐ。（　　）

3 賢者が登用されないままでいること。（　　）

4 ほんの短いわずかな時間。（　　）

5 すぐれた人にくっついて功績をあげる。（　　）

延頸挙踵・克鼓舜木・曲突徙薪・井渫不食
造次顛沛・蒼蠅驥尾・桃李成蹊・暴虎馮河

5 次の**熟字訓・当て字**の**読み**を記せ。 /10 (1×10)

1 蜂谷（　　）

2 海参（　　）

6 醤蝦（　　）

7 水蕫（　　）

5 滑稽味のあることば。（　　）

えんきょく・かいぎゃく・かいしゃ・けんこ
じゅうりん・しょうしゅん・ぶこく・へんぽん

4

次の問1と問2の四字熟語について答えよ。

問1 次の四字熟語の（1～10）に入る適切な語を後の□から選び**漢字二字**で記せ。

20（2×10）

（1）羽衣（　　）
（2）蜃楼（　　）
（3）投筆（　　）
（4）跋扈（　　）
（5）玉折（　　）

銅駝（6）（　　）
嘯風（7）（　　）
揣摩（8）（　　）
偃武（9）（　　）
霖雨（10）（　　）

えんがん・おくそく・かいし・けいきょく
げいしょう・しゅうぶん・そうせい
ちょうりょう・らんさい・ろうげつ

3 覆盆子（　　）
4 浮塵子（　　）
5 熨斗（　　）

8 山毛欅（　　）
9 裲襠（　　）
10 踏鞴（　　）

6

次の**熟語の読み（音読み）**と、その**語義**にふさわしい**訓読み**を（送りがなに注意して）**ひらがな**で記せ。

10（1×10）

〈例〉健勝……勝れる → けんしょう／すぐ

ア 1 鐫録（　　）……2 鐫る（　　）
イ 3 愆戻（　　）……4 愆る（　　）
ウ 5 賻儀（　　）……6 賻る（　　）
エ 7 屯蹇（　　）……8 蹇む（　　）
オ 9 懋戒（　　）……10 懋める（　　）

7 次の1〜5の**対義語**、6〜10の**類義語**を後の□の中から選び、**漢字**で記せ。□の中の語は一度だけ使うこと。

/20 (2×10)

対義語

1 野趣（　　）
2 齟齬（　　）
3 曩祖（　　）
4 恢復（　　）
5 劈頭（　　）

類義語

6 儔侶（　　）
7 躊躇（　　）
8 胡乱（　　）
9 輔弼（　　）
10 騙詐（　　）

けげん・さいはい・がち・ちぎ・ちょうび
びょうえい・ふんごう・まんちゃく・ゆうえき
りかん

8 次の故事・成語・諺の**カタカナ**の部分を**漢字**で記せ。

/20 (2×10)

1 **ケイコ**春秋を知らず。（　　）
2 **テイヨウ**籬に触れて其の角をつなぐ。（　　）
3 **ベツ**人を食わんとして却って人に食わる。（　　）
4 病**コウコウ**に入る。（　　）
5 疾風に**ケイソウ**を知る。（　　）
6 **キンカ**一日の栄。（　　）
7 **ナメクジ**に塩。（　　）
8 我が身を**ツネ**って人の痛さを知れ。（　　）
9 **カショ**の国に遊ぶ。（　　）
10 **リュウジョ**の才。（　　）

9 文章中の傍線（1〜10）の**カタカナ**を**漢字**に直し、波線（ア〜コ）の**漢字**の**読み**を**ひらがな**で記せ。

/30 (書き2×10)(読み1×10)

A　遂に心掛《こころがけ》たばかりで訳も了《わか》らず邂逅《めぐりあい》は猶せず、…(中略)…水兵になれと勧めて呉れた人の意見に従い彼職業《あのしごと》を捨て今はまあ幸福《しあわせ》に水兵上長、生命《いのち》から二番めに大切《だいじ》にした太い[ア]髷髻、もし身を逆しまに水に落《おち》た時は其もってひきずり上らるる筈のものまで剪《か》りこんで洋服にどんざを替え、難波《なんば》に近い船の上で穿いた[1]**ワラジ**を今は靴、昔時《むかし》は仰《あお》飲った琉球泡盛、それが替《かわっ》て毛唐の国の港へつけばジン、ホイスキー、別に大した相違はないが矢張《やはり》子供心におぼえた時分が懐《なつか》しいやら、身の[イ]燬けるほど暑苦しい赤道近所を通る時、船を[2]**カス**めてさっと降る雨に涼《すず》しく転寝の僅《わずか》な間の其夢に、汝《おやじ》を初め一二三番知ったほどの男何十[3]**ソウ**の船に勇《いさま》しく乗組《のりく》んで出る春の末、前途《さいさき》祝う[ウ]囃子やら歌やら[4]**ニギ**わしき景色をまざまざと見た事もある、[エ]嗚呼ッ、羽指躍《はさしおど》りの其中へ汝《おやじ》の顔で入れて貰って、大盃を我《おれ》が仰いで冠《かぶ》って躍った事もありしが、思えばそれも夢のようになったと、徐《そぞろ》に憶《おも》い出し語り出す[5]**コンジャク**の感、ぐっと一盃《いっぱい》飲み乾して献《さ》しぬ。…(中略)…

彦右衛門猪口《ちょく》を手にしながら[6]**ユカイ**気に笑って、夢といえばまあそんなもの、憶い出す若い時の事大抵は玻瓈《ビイドロ》障子隔《へだて》たように既朦朧《もうぼんよう》として仕舞い、汝《きさま》の今いうた羽指躍りの風情も実は談《はな》されてから漸く眼に浮《うか》ぶくらい[7]**ロウモウ**したは、嗚呼然し生月《いけづき》を出たは何十年前、其処を捨《すて》たは少し云い憎い[オ]仔細あっての事だが、是だけは今も確乎《しっかり》覚え込んで居て忘られず、……(以下略)　（幸田露伴「いさなとり」より）

B　広間の燈影《ひかげ》は入口に立てる三人《みたり》の姿を鮮《あざや》かに照《てら》せり。色白の小《ちいさ》き内儀の口は[カ]疳の為に引歪《ひきゆが》みて、其夫の額際より[キ]赭禿げたる頭顱《つむり》は滑《なめら》かに光れり。妻は尋常《ひとなみ》より小《ちいさ》きに、夫は[ク]勝れたる大兵肥満にて、彼の常に心《こころ》遣《づかい》ありげの面色《おももち》なるに引替えて、生きながら[8]**ホテイ**を見る如き[9]**フクソウ**したり。

紳士は年歯《としのころ》二《に》十六七《じゅうろくしち》なるべく、長高く、好き程に肥えて、色は玉のようなるに頬の辺には薄紅を帯びて、額厚く、口大きく、[ケ]頤は左右に[10]**ハビコ**りて、面積の広き顔は[コ]稍正方形を成せり。　（尾崎紅葉「金色夜叉」より）

第3回 模擬試験問題

試験時間 60分
合格ライン 160点
得点 /200
月 日

1 次の傍線部分の読みを**ひらがな**で記せ。
1～20は**音読み**、21～30は**訓読み**である。

/30 (1×30)

1 祖父の偏諱を貰って名付ける。（　）
2 過去の罪咎を責める。（　）
3 すれ違いから釁隙が生じる。（　）
4 長が舟楫の便を整備する。（　）
5 好評嘖嘖として話が伝わる。（　）
6 将軍は譎詭を許さなかった。（　）
7 瑇瑁が海を優雅に泳ぐ。（　）
8 幾つもの蜑戸が立ち並ぶ。（　）
9 何度となく敗衄を味わう。（　）
10 荒野の延袤が果てしない。（　）

24 職人が牛皮を撓める。（　）
25 企画が咸く不採用となった。（　）
26 そっと艾に火をつけた。（　）
27 転た手に負えなくなる。（　）
28 愆ちを犯した私を慰めてくれた。（　）
29 兵士を犒う段取りをつける。（　）
30 纔かに逃げ出すことに成功した。（　）

2 次の傍線部分の**カタカナ**を**漢字**で記せ。
19、20は国字で答えること。

/40 (2×20)

1 **シンチュウ**の棒を手配する。（　）
2 突然、弟に**クスグ**られる。（　）

11 勃発した乱を戡定する。（　　）
12 入念に鎖鑰を点検する。（　　）
13 少年が畛畦を歩いている。（　　）
14 棣鄂の情を羨ましく思う。（　　）
15 休むことなく庠序に通う。（　　）
16 靦然とした態度が疎ましい。（　　）
17 罌缶の計について学ぶ。（　　）
18 明朝に薜蘿を訪ねる。（　　）
19 王が綏撫に心を砕く。（　　）
20 讖緯を信じ、指針とする。（　　）
21 霾る様をじっと眺める。（　　）
22 正装をして式場に莅む。（　　）
23 何も言わずに涙を揩う。（　　）

3 **ウメ**き声が聞こえてくる。（　　）
4 多くの家が**カイジン**に帰す。（　　）
5 金色の**シビ**を見上げる。（　　）
6 家族**ダンラン**の時間だ。（　　）
7 **コムラ**返りを起こして倒れる。（　　）
8 **テキガイシン**が伝わってくる。（　　）
9 **ハコウ**の原因を探る。（　　）
10 **ドクロ**を精密に描く。（　　）
11 **ハクセキ**の少年に声をかける。（　　）
12 大量の**タケヒゴ**を持参する。（　　）
13 泣き**ジャク**ってばかりいる。（　　）
14 彼の意見に**セイチュウ**を加える。（　　）

15 数年前から**カン**を通じている。

16 他国からの**ショウヘイ**に応じる。

17 自分の畑に**カンスイ**する。

18 死海の水は**カンスイ**だ。

19 **ソマ**に入って木を切る。

20 **チドリ**の生態を観察する。

3

次の1～5の意味を的確に表す語を、後の□から選び、**漢字**で記せ。

/10 (2×5)

1 物事の道理や意義をはっきりさせる。

2 のけものにする。

3 学識をひけらかしたがる気持ち。

4 学徳・経験のそなわった老人。

問2 次の1～5の**解説・意味**にあてはまる四字熟語を後の□から選び、その**傍線部分だけの読み**を**ひらがな**で記せ。

/10 (2×5)

1 細かな規則や礼式に苦心すること。

2 親の恩に報いるのは大変難しい。

3 人柄の温和なさま。

4 本質を見抜くのが大切である。

5 国の滅亡を嘆くたとえ。

春風駘蕩・寸草春暉・洗垢索瘢・枕戈待旦
銅駝荊棘・繁文縟礼・牝牡驪黄・驢鳴犬吠

5

次の**熟字訓・当て字**の**読み**を記せ。

/10 (1×10)

1 豪猪

2 糸葱

6 蝦蛄

7 拳螺

5 気分が少しすぐれないこと。（　　）

かし・きしゅく・ぎゃくと・げんき・ざんし
せんめい・びよう・ひんせき

4 次の**問1**と**問2**の四字熟語について答えよ。

/20（2×10）

問1 次の四字熟語の（1〜10）に入る適切な語を後の□から選び**漢字二字**で記せ。

（1）左眄　不撓（6）
（2）玲瓏　銅牆（7）
（3）尚絅　蒼蠅（8）
（4）尽瘁　薤露（9）
（5）鶴唳　韋編（10）

いきん・うこ・きっきゅう・きび・こうり
さんぜつ・てっぺき・はちめん・ふうせい
ふくつ

3 金翅雀（　　）
4 厚皮香（　　）
5 紅　娘（　　）
8 老海鼠（　　）
9 水　雲（　　）
10 石竜子（　　）

6 次の**熟語の読み（音読み）**と、その**語義**にふさわしい**訓読み**を（送りがなに注意して）**ひらがな**で記せ。

/10（1×10）

〈例〉健勝……勝れる → けんしょう／すぐ

ア 1 崔嵬（　　）……2 嵬い（　　）
イ 3 濬機（　　）……4 濬う（　　）
ウ 5 出售（　　）……6 售る（　　）
エ 7 搏飯（　　）……8 搏める（　　）
オ 9 抉剔（　　）……10 剔る（　　）

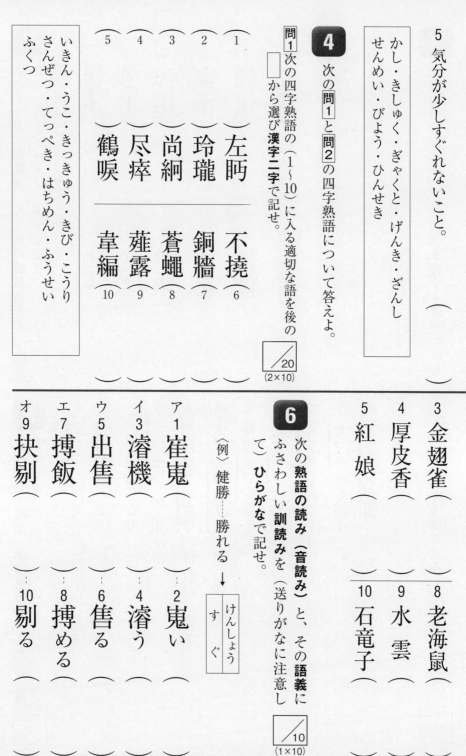

7

次の1～5の**対義語**、6～10の**類義語**を後の□の中から選び、**漢字**で記せ。□の中の語は一度だけ使うこと。

/20 (2×10)

対義語

1 少壮（　　）
2 掉尾（　　）
3 潔浄（　　）
4 練達（　　）
5 安佚（　　）

類義語

6 鏖殺（　　）
7 碧空（　　）
8 凄絶（　　）
9 悔悛（　　）
10 鶴首（　　）

おうしょう・おわい・ぎょうぼう・ざんげ・しれつ・せんめつ・そうきゅう・ふかん・へきとう・ろうもう

8

次の故事・成語・諺の**カタカナ**の部分を**漢字**で記せ。

/20 (2×10)

1 **ランジャ**の室に入る者はおのずから香ばし。（　　）
2 **セッカク**の屈するは以て信びんことを求むるなり。（　　）
3 **カツモク**して相待つ。（　　）
4 枳棘は**ランポウ**の棲む所に非ず。（　　）
5 大旱の**ウンゲイ**を望むがごとし。（　　）
6 後悔**ホゾ**を噬む。（　　）
7 飴を**ネブ**らせて口をむしる。（　　）
8 **インカン**遠からず。（　　）
9 **セッキ**骨を銷す。（　　）
10 **アツウン**の曲。（　　）

9

文章中の傍線（1～10）の**カタカナ**を**漢字**に直し、波線（ア～コ）の**漢字**の**読み**を**ひらがな**で記せ。

/30 (書き2×10) (読み1×10)

A この位関係の深い人の事だから、会議室へ這入《はい》るや否や、うらなり君の居ないのは、すぐ気がついた。実を云うと、この男の次へでも坐《す》わろうかと、ひそかに目標《めじるし》にして来た位だ。校長はもうやがて見えるでしょうと、自分の前にある紫の袱紗(ア)包《づつみ》をほどいて、蒟蒻(イ)版の様な物を読んでいる。赤シャツは1**コハク**のパイプを絹ハンケチで磨き始めた。この男はこれが道楽である。赤シャツ相当のところだろう。ほかの連中は隣り同志で何だか私語(ウ)き合っている。手持《てもち》無沙汰なのは鉛筆の尻に着いている、護謨(エ)の頭でテーブルの上へしきりに何か書いている。(夏目漱石「坊っちゃん」より)

B 隴西の李徴は博学才穎(オ)、天宝の末年、若くして名を虎榜《こぼう》に連ね、ついで江南尉《こうなんい》に補せられたが、性、狷介、自ら2**タノ**むところ3**スコブ**る厚く、賤吏《せんり》に甘んずるを潔しとしなかった。いくばくもなく官を退いた後は、故山《こざん》、虢略《かくりゃく》に4**キガ**し、人と交《まじわ》を絶って、ひたすら詩作に5**フケ**った。…(中略)…しかし、文名は容易に揚《あが》らず、生活は日を逐《お》うて苦しくなる。李徴は漸く6**ショウソウ**に駆られて来た。この頃からその容貌も峭刻(カ)となり、肉落ち骨秀で、眼光のみ徒らに炯々(キ)として、曽(ク)て進士に登第した頃の豊頰の美少年の俤(ケ)は、何処に求めようもない。(中島敦「山月記」より)

C 八月十四日。晴《はれ》。飯倉八幡宮祭礼にて馬鹿囃子の音夜ふけまで聞《きこ》ゆ。三更後7**シュウウ**あり。

九月初六。晴れて風烈しく秋気8**ニワカ**に濃《こまやか》なり。午後三時小波《さざなみ》先生葬式青山会館にて執行せらるるを以てこれに赴く。葬式は耶蘇教にて行わる。余帰らんとする時葵山《きざん》余の袖を捉え汝も宜しく襟に9**キショウ**をつけ門生の列に伍して来弔者《らいちょうしゃ》の接待をなすべしと。傍より岡野栄氏余を詰責して曰く汝何故に昨夜楽天居に来って通夜せざりしやと。余大《おお》に狼狽して場外に逃れ出ず。偶然帚葉山人《そうようさんじん》に逢う。倶《とも》に歩みて青山一丁目に至りて別れ家に帰る。10**バンサン**後銀座キュペル喫茶店に憩う。高橋安藤酒泉の諸子と笑語夜分に至る。月明水の如く風露蕭蕭(コ)暮秋の如し。

(永井荷風「断腸亭日乗」より)

第4回 模擬試験問題

試験時間 60分
合格ライン 160点
得点 /200
月 日

1 次の傍線部分の読みをひらがなで記せ。
1〜20は**音読み**、21〜30は**訓読み**である。

/30 (1×30)

1 煢煢として丘の上に立つ。（　）
2 鷙鳥のごとき気質の人物だ。（　）
3 髫齔に玩具を与える。（　）
4 帰宅してすぐに盥漱する。（　）
5 思いがけぬ出来事に震慴する。（　）
6 策を講じて悪評を壅塞する。（　）
7 縉紳にお目通りを請う。（　）
8 霧中に靄迺が響く。（　）
9 頤使する人物を毛嫌いする。（　）
10 馳騁して戦場に向かう。（　）

24 自宅から燧を持ち出す。（　）
25 樺を履き、雪山へと向かう。（　）
26 祖母が渋柿を醂す。（　）
27 水鳥の蹼をスケッチする。（　）
28 鮪の饅を口に入れる。（　）
29 長時間に亘ぶ会議だ。（　）
30 粗栲の服しか与えられない。（　）

2 次の傍線部分の**カタカナ**を**漢字**で記せ。
19、20は国字で答えること。

/40 (2×20)

1 **バイキン**の研究をする。（　）
2 指導者が民を**ギマン**する。（　）

11 倥偬の間に事を進められる。（　　）
12 昇汞の化学式を記す。（　　）
13 弊竇を指摘して改善する。（　　）
14 殿下が展望台より瞻矚する。（　　）
15 母は蚕繭に従事していた。（　　）
16 帷幄にて軍議を凝らす。（　　）
17 頑として熱鬧の場に入らず。（　　）
18 巫覡の言葉に耳を傾ける。（　　）
19 郤が解消されないままとなる。（　　）
20 豪華な器皿を揃える。（　　）
21 悪戯をした生徒に誨える。（　　）
22 洪水が滔り、急いで避難する。（　　）
23 朝から轅を丁寧に磨く。（　　）

3 男性をコワクする人物だ。（　　）
4 シンピョウ性の低い発言だ。（　　）
5 チョウドキュウの発明をする。（　　）
6 今日はウだるような暑さだ。（　　）
7 手をコマネいているだけだった。（　　）
8 トッサの判断で逃げる。（　　）
9 思わず目をツブった。（　　）
10 ヒンセキする姿勢を見せた。（　　）
11 スコブる体調が良い。（　　）
12 シュンセツ工事の予定を立てる。（　　）
13 ケンショウ炎の治療をする。（　　）
14 ヒルまず敵に立ち向かう。（　　）

15 コンシンの力で叩く。（　　）（　　）
16 威嚇され、立ちスクむ。（　　）（　　）
17 フスマを掛けて眠る。（　　）（　　）
18 フスマを使ったパンがある。（　　）（　　）
19 タスキを次の走者に渡す。（　　）（　　）
20 戦友からホロを受け取る。（　　）（　　）

3 次の1～5の意味を的確に表す語を、後の□から選び、**漢字**で記せ。 /10 (2×5)

1 干渉して自由な行動を妨げる。（　　）（　　）
2 すさんだ生活をすること。（　　）（　　）
3 逆らい背くこと。また、くいちがい。（　　）（　　）
4 長い間治らない病気。（　　）（　　）

問2 次の1～5の**解説・意味**にあてはまる四字熟語を後の□から選び、その**傍線部分だけの読み**を**ひらがな**で記せ。 /10 (2×5)

1 権勢を示し意気盛んなこと。（　　）（　　）
2 苦しむ者に恵みをあたえること。（　　）（　　）
3 故郷を懐かしく思う情。（　　）（　　）
4 その場の状況に適切に対応する。（　　）（　　）
5 時間の貴重なことのたとえ。（　　）（　　）

韋編三絶・燕頷虎頸・蓴羹鱸膾・深厲浅掲
尺璧非宝・被髪纓冠・竜驤虎視・霖雨蒼生

5 次の**熟字訓・当て字**の**読み**を記せ。 /10 (1×10)

1 沙蚕（　　）
2 九面芋（　　）
6 黄楊（　　）
7 蚰蜒（　　）

5 人の心をうまくとらえる。（　　）

かいれい・こうひ・さてつ・しゅうらん
しゅうれん・しゅくあ・せいちゅう・ちんめん

4

次の問1と問2の四字熟語について答えよ。

問1 次の四字熟語の（1～10）に入る適切な語を後の□から選び**漢字二字**で記せ。

/20 (2×10)

（1）待旦

（2）明珠

（3）夜遊

（4）磊落

（5）瓊樹

尸位（6）

曲突（7）

嘔唖（8）

桃李（9）

井渫（10）

ごうほう・ししん・せいけい・そさん・ちょうたつ
ちんか・ふしょく・へいしょく・ようりん・よくい

3 海豹（　　）

4 虎耳草（　　）

5 蕃椒（　　）

8 石決明（　　）

9 柳葉魚（　　）

10 善知鳥（　　）

6

次の**熟語の読み**（**音読み**）と、その**語義**にふさわしい**訓読み**を（送りがなに注意して）**ひらがな**で記せ。

/10 (1×10)

〈例〉健勝……勝れる → けんしょう / すぐ

ア 1 邀撃（　　）……2 邀える（　　）

イ 3 薨去（　　）……4 薨る（　　）

ウ 5 斫断（　　）……6 斫る（　　）

エ 7 佩剣（　　）……8 佩びる（　　）

オ 9 戡定（　　）……10 戡つ（　　）

7 次の1～5の**対義語**、6～10の**類義語**を後の□の中から選び、**漢字**で記せ。□の中の語は一度だけ使うこと。

20 (2×10)

対義語

1 肥沃（　　）
2 長生（　　）
3 栄達（　　）
4 黄昏（　　）
5 披瀝（　　）

類義語

6 蹣跚（　　）
7 雕琢（　　）
8 冀求（　　）
9 鳥目（　　）
10 妹背（　　）

あとぶつ・こうぶ・こうれい・しょき・そうろう
とうかい・ようせつ・らくはく・れいめい
ろうこく

8 次の故事・成語・諺の**カタカナ**の部分を**漢字**で記せ。

20 (2×10)

1 海は**スイロウ**を譲らず、以て其の大を成す。（　　）
2 **シノギ**を削る。（　　）
3 老牛、**シトク**の愛を懐く。（　　）
4 三十輻**イッコク**を共にす。（　　）
5 **カンナン**汝を玉にす。（　　）
6 **シャショク**墟となる。（　　）
7 泥棒を捕らえて縄を**ナ**う。（　　）
8 **クンシュ**山門に入るを許さず。（　　）
9 **イッキ**に十たび起つ。（　　）
10 普天の下、**ソット**の浜。（　　）

9 文章中の傍線（1～10）の**カタカナ**を**漢字**に直し、波線（ア～コ）の**漢字**の**読み**を**ひらがな**で記せ。

30 (書き2×10)(読み1×10)

A これはあるじの[ア]国許から、五ツになる男の児を伴うて、この度上京、しばらく爰《ここ》に[1]**トウリュウ**している、お民といってえん続き、[2]**マキエシ**の女房である。階下《した》で添乳をしていたらしい、色はくすんだが艶のある、[3]**アイ**と紺、縦縞の南部の[イ]袷、黒繻子の襟のなり、ふっくりした乳房の線、幅細く寛いで、昼夜帯の暗いのに、緩く[ウ]纏うた、[4]**チリメン**の扱帯《しごき》に蒼味のかかったは、月の影のさしたよう。

燈火《ともしび》に対して、瞳清しゅう、鼻筋がすっと通り、口許の締《しま》った、[エ]瘠せぎすな、眉のきりりとした風采に、しどけない態度も目に立たず、繕わぬのが美しい。

（泉鏡花「女客」より）

B [オ]淫祠は大抵その[5]**エンギ**とまたはその効験のあまりに[カ]荒唐無稽な事から、何となく滑稽の趣を伴わすものである。

聖天様《しょうでんさま》には油揚《あぶらあげ》のお[6]**マンジュウ**をあげ、大黒様には二股大根、お稲荷様には油揚を献《あ》げるのは誰も皆知っている処である。芝日蔭町《しばひかげちょう》に[7]**サバ**をあげるお稲荷様があるかと思えば駒込《こまごめ》には[キ]炮烙をあげる炮烙地蔵というのがある。頭痛を祈ってそれが癒《なお》ればお礼として炮烙をお地蔵様の頭の上に載せるのである。御厩河岸《おうまやがし》の榧《かや》寺《でら》には虫歯に効験《しるし》のある飴嘗地蔵《あめなめじぞう》があり、金龍山《きんりゅうざん》の[8]**ケイダイ**には塩をあげる塩地蔵というのがある。小石川《こいしかわ》富坂《とみざか》の源覚寺《げんかくじ》にあるお閻魔様《えんまさま》には[9]**コンニャク**をあげ、大久保百人町《おおくぼひゃくにんまち》の鬼王様には湿瘡《しつ》のお礼に豆腐をあげる、向島《むこうじま》の弘福寺《こうふくじ》にある「石の媼様《ばあさま》」には子供の[ク]百日咳を祈って煎豆《いりまめ》を[ケ]供えるとか聞いている。

無邪気でそしてまたいかにも下賤《げす》ばったこれ等愚民《ぐみん》の習慣は、馬鹿囃子《はやし》にひょっとこの踊《おどり》または判じ物みたような奉納の絵馬の[10]**ツタナ**い絵を見るのと同じようにいつも限りなく私の心を慰める。単に可笑《おか》しいという[コ]ばかりではない。理窟にも議論にもならぬ馬鹿馬鹿しい処に、よく考えてみると一種物哀《ものあわ》れなような妙な心持《こころもち》のする処があるからである。

（永井荷風「日和下駄」より）

第5回 模擬試験問題

試験時間 60分

合格ライン 160点

得点 /200

月 日

1

次の傍線部分の読みをひらがなで記せ。
1～20は**音読み**、21～30は**訓読み**である。

/30 (1×30)

1 小さい頃より凍餒を恐れる。

2 答えに窮し、愧赧する。

3 偃蹇たる知人を窘める。

4 彼の功績であること炳乎たり。

5 父は匏瓜を好んで食す。

6 自らの籌策に溺れる。

7 ある道の大家に贄を執る。

8 彼は煢然として困窮する。

9 最上の頌辞を捧げる。

10 蜂蠆を侮る勿れ。

24 搯つ様を遠くから見る。

25 恩人に餽る準備をする。

26 あまりの出来事に僵れる。

27 ある人物の罪が折められる。

28 やっと胸の痞えが下りた。

29 友人を毀ったことを悔やむ。

30 金品を饕り、非難を浴びる。

2

次の傍線部分の**カタカナ**を**漢字**で記せ。
19、20は国字で答えること。

/40 (2×20)

1 現実と理想が**カイリ**する。

2 天体望遠鏡で**スバル**を見る。

11 かつてないほど羸痩する。（　　）
12 澎湃たる世論が巻き起こる。（　　）
13 溘焉たる死を迎えた。（　　）
14 悠久の乂安は幻となった。（　　）
15 ドイツに二年ほど駐箚した。（　　）
16 歴史を見ても尠少な事例だ。（　　）
17 庭に植えた桑柘を眺める。（　　）
18 見知らぬ地に淹留する。（　　）
19 必死で圧状だと訴える。（　　）
20 山々が崟崟として連なる。（　　）

21 道端で拾ったお金を攘む。（　　）
22 都まで調を運んでくる。（　　）
23 漢王、食を輟め哺を吐く。（　　）

---

3 戦で**ムコ**の血が流れた。（　　）
4 彼との間に**アツレキ**が生まれる。（　　）
5 薬が**テキメン**に効いた。（　　）
6 選手が**クルリ**と宙返りした。（　　）
7 **シュクバク**を弁ぜぬ人物だ。（　　）
8 **エンザイ**事件を調べる。（　　）
9 論文の**ヒョウセツ**を指摘する。（　　）
10 **ハンゴウ**に米を入れる。（　　）
11 父が**ハエナワ**漁に出る。（　　）
12 **カシ**を認めて謝罪する。（　　）
13 **シナ**びた野菜を見つける。（　　）
14 **ゼンドウ**運動について知る。（　　）

15 バンソウコウを剝がす。（　　）

16 何度もクシャミが出る。（　　）

17 娘の髪をスいてやる。（　　）

18 生けスに多くの魚がいる。（　　）

19 この案件をシカと頼む。（　　）

20 トモを装着して弓を射る。（　　）

3 次の1～5の意味を的確に表す語を、後の□から選び、**漢字**で記せ。 ／10 (2×5)

1 身近に接して感化される。（　　）

2 高低。軽重。優劣。（　　）

3 長い距離を飛びきること。（　　）

4 からまりつくこと。（　　）

問2 次の1～5の**解説・意味**にあてはまる四字熟語を後の□から選び、その**傍線部分だけの読み**を**ひらがな**で記せ。 ／10 (2×5)

1 才能や徳を外にあらわに出さない。（　　）

2 すばらしいご馳走。（　　）

3 為政者は民の忠言をよく聴かねばならない。（　　）

4 厳しくも公正な批評。（　　）

5 傑出した人物の出現を待ち望むこと。（　　）

衣錦尚絅・郢書燕説・延頸挙踵・檻猿籠鳥
尭鼓舜木・鑿壁偸光・筆削褒貶・炊金饌玉

5 次の**熟字訓・当て字**の**読み**を記せ。 ／10 (1×10)

1 海扇（　　）

2 瓊脂（　　）

6 慈姑（　　）

7 虎魚（　　）

5 くどくどと述べること。（　　　　）

かいこう・けんち・けんらん・しょうは
じょせつ・しんしゃ・そしゃく・てんじょう

4

次の問1と問2の四字熟語について答えよ。

問1 次の四字熟語の（1～10）に入る適切な語を後の□から選び**漢字二字**で記せ。

20（2×10）

1（　　　　）当路
2（　　　　）淋漓
3（　　　　）定省
4（　　　　）充数
5（　　　　）虎視

蛙鳴（　　　　）6
烏焉（　　　　）7
彫心（　　　　）8
鵲巣（　　　　）9
袒裼（　　　　）10

おんせい・きゅうきょ・さいろう・せんそう
ぼっこん・らてい・らんう・りゅうじょう
るこつ・ろぎょ

3 木天蓼（　　　　）
4 海驢（　　　　）
5 後朝（　　　　）

8 香蕈（　　　　）
9 蝲蛄（　　　　）
10 海鼠（　　　　）

6

次の**熟語の読み**（**音読み**）と、その**語義**にふさわしい**訓読み**を（送りがなに注意して）**ひらがな**で記せ。

10（1×10）

〈例〉健勝……勝れる → けんしょう／すぐ

ア 1 竦然（　　　　）……2 竦れる（　　　　）
イ 3 秉燭（　　　　）……4 秉る（　　　　）
ウ 5 杳渺（　　　　）……6 杳か（　　　　）
エ 7 虧盈（　　　　）……8 虧ける（　　　　）
オ 9 覬覦（　　　　）……10 覬む（　　　　）

7 次の1～5の**対義語**、6～10の**類義語**を後の□の中から選び、**漢字**で記せ。□の中の語は一度だけ使うこと。

/20 (2×10)

対義語

1 劫末（　　）
2 巨大（　　）
3 善良（　　）
4 永劫（　　）
5 奇禍（　　）

類義語

6 点竄（　　）
7 来駕（　　）
8 退屈（　　）
9 相剋（　　）
10 戒飭（　　）

あくらつ・かいびゃく・かんかく・ぎょうこう
けんせき・せつな・ひりん・ふえつ・ぶりょう
わいしょう

8 次の故事・成語・諺の**カタカナ**の部分を**漢字**で記せ。

/20 (2×10)

1 **コハク**は腐芥を取らず。（　　）
2 田鼠化して**ウズラ**となる。（　　）
3 老いて**トフ**の功を知る。（　　）
4 亭主の好きな赤**エボシ**。（　　）
5 千金の**キュウ**は一狐の腋に非ず。（　　）
6 **タンゲイ**すべからず。（　　）
7 狂瀾を**キトウ**に廻らす。（　　）
8 虎**ウソブ**きて谷風至る。（　　）
9 人固より一死あり、或いは**コウモウ**よりも軽し。（　　）
10 **オウム**は能く言うも飛鳥を離れず。（　　）

9 文章中の傍線（1～10）の**カタカナ**を**漢字**に直し、波線（ア～コ）の**漢字**の**読み**を**ひらがな**で記せ。

/30 (書き2×10)(読み1×10)

A　ところが晩成先生は、多年の1**キンク**がア酬いられて前途の平坦光明が望見せらるるようになった気の弛《ゆる》みのためか、あるいは少し度の過ぎた勉学のためか何か知らぬが気の毒にも不明の病気に襲われた。その頃は世間に神経衰弱という病名がイ甫めて知られ出した時分であったのだが、真にいわゆる神経衰弱であったか、あるいは真に漫性胃病であったか、とにかく医博士達の診断も2**モウロウ**で、人によって異《ことな》る不明の病に襲われてだんだん衰弱した。切詰《きりつ》めた予算だけしか有しておらぬことであるから、当人は人一倍ウ困悶したが、どうも病気には勝てぬことであるから、しばらく学事を3**ホウテキ**して心身の保養にエ力めるがよいとの勧告に従って、そこで山水清閑の地に活気の充ちた天地の灝気《こうき》を吸うべく東京の4**ジンアイ**を背後《うしろ》にした。

（幸田露伴「観画談」より）

B　鳥がその巣をオ焚かれ、獣がその窟《あな》をくつがえされた時はどうなる。悲しい声もよくは立てず、うつろな眼は意味無く動くまでで、鳥は篠《ささ》むらや草むらに首を突込《つっこ》み、ただ暁の天《そら》を切ない心に待焦《まちこが》るるであろう。獣はいわゆるカ駭き心になって急にキ奔ったり、懼れの目を張って疑いの足取り遅くのそのそと歩いたりしながら、何ぞの場合には5**カ**みつこうか、はたきつけようかと、恐ろしい緊張を顎骨や爪の根に6**ミナギ**らせることを忘れぬであろう。

（幸田露伴「雪たたき」より）

C　その時は、北方から7**ヒョウカン**な遊牧民ウグリ族の一隊が、馬上にク偃月刀を振りかざして疾風のごとくにこの部落を襲うて来た。湖上の民は必死になってケ禦いだ。…（中略）…湖岸との間の8**ハシゲタ**を撤して、家々の窓を9**ジュウガン**に、投石器や弓矢で応戦した。独木舟を操るに巧みでない遊牧民は、湖上の村の10**センメツ**を断念し、湖畔に残された家畜を奪っただけで、また、疾風のように北方に帰って行った。後には、血が染《にじ》んだ湖畔の土の上に、頭と右手との無いコ屍体ばかりが幾つか残されていた。

（中島敦「狐憑」より）

※矢印の方向に引くと別冊が取り外せます。